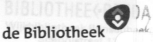

Steve Mosby

Niemand die je hoort

A.W. Bruna Uitgevers B.V., Utrecht

Oorspronkelijke titel
Cry for Help
© Steve Mosby 2008. First published by Orion Books Ltd, London.
Vertaling
Martin Jansen in de Wal
Omslagbeeld
Trevillion Images/Yolande de Kort
Omslagontwerp
Wil Immink Design

© 2009 A.W. Bruna Uitgevers B.V., Utrecht

ISBN 978 90 229 9355 2
NUR 332

Mixed Sources
Productgroep uit goed beheerde
bossen, gecontroleerde bronnen
en gerecycled materiaal.
www.fsc.org Cert no. CU-COC-802528
© 1996 Forest Stewardship Council

Dit boek is gedrukt op papier dat het keurmerk van de Forest Stewardship Council (FSC) mag dragen. Bij dit papier is het zeker dat de productie niet tot bosvernietiging heeft geleid. Een flink deel van de grondstof is afkomstig uit bossen en plantages die worden beheerd volgens de regels van FSC. Van het andere deel van de grondstof is vastgesteld dat hiervoor geen houtkap in de laatste resten waardevol bos heeft plaatsgevonden. Daarom mag dit papier het FSC Mixed Sources label dragen. Voor dit boek is het FSC-gecertificeerde Munkenprint gebruikt. Dit papier is 100% chloor- en zwavelvrij gebleekt en wordt geleverd door Arctic Paper Munkedals AB, Zweden.

Voor Lynn

Proloog

'Uit de weg!'

Roger Ellis hield niet in toen hij op het groepje dronken jongens afstoof. Zijn schouder raakte de voorste en wierp hem tegen zijn vrienden aan. Een van de jongens riep iets, maar Roger was hem al voorbij en probeerde het volgende groepje te ontwijken.

Het was sluitingstijd in de stad en overal liepen mensen. Meisjes in korte jurkjes, rillend van de kou, met de armen om zich heen geklemd en onvast op de benen; opgeschoten jongens die ruzieden met de uitsmijters, of met elkaar, of die bij de taxi's stonden om over de prijs te onderhandelen. De stoepen werden gekleurd door het neonlicht van de clubs en pubs en het doffe gedreun van de muziek binnen werd geaccentueerd door het gelach en de kreten op straat.

Tot een paar minuten geleden had Roger hier ook deel van uitgemaakt. Nu waren de mensen alleen nog obstakels.

Hij rende de hoek om, schoot tussen twee groepjes door en botste met gebogen hoofd tegen een jongen met een wit T-shirt, die achteruit tegen een balustrade viel. Roger bleef staan, versuft, zag een meisje met grote schrikogen...

'Hé!'

... en toen rende hij weer, ontweek de vrienden van de jongen die van opzij op hem afkwamen, ontweek ook de hand van een uitsmijter die hem probeerde vast te pakken. Bonzende voetstappen achter hem. Maar Roger was veel en veel sneller dan zij, en algauw werd het geluid van de voetstappen achter hem minder, totdat hij alleen nog de zijne hoorde, zijn schoenzolen die met harde klappen de stoeptegels raakten.

Tien jaar geleden, toen Roger negentien was, was hij een van de beste jonge tienkampers van het land geweest. Hij deed zelf niet meer aan wedstrijden mee, maar hij trainde een groep tieners die dat wel deden. Niemand zou hem inhalen... zeker niet iemand die de hele avond had zitten drinken.

Hij ging harder lopen, strekte zijn benen terwijl de huizen langs hem heen flitsten, hoorde de avondlucht in zijn oren ruisen, tezamen met het bonzen van zijn hart. Op dit uur van de nacht kon je beter gaan rennen dan proberen een taxi te bemachtigen, en áls je er een vond zou het nog een hoop tijd kosten om het centrum uit te komen.

Maar hoe hard Roger ook kon lopen, het was niet snel genoeg. Hij wist niet wat er aan de hand was, maar er klopte iets niet en hij had het akelige gevoel dat hij al te laat was.

Hij rende weer een hoek om, weg van het centrum, kwam terecht in de warboel van splitsingen waar de ringweg de grens van de stad aangaf. Hij werd verblind door koplampen van auto's, hoorde slippende banden, een schetterende claxon. Iemand riep naar hem. Roger sloeg er geen acht op, had alleen oog voor de straat die golvend voor hem lag. Sloeg links af, het industriegebied in. Het voetpad aan het eind was niet helemaal veilig, zeker niet 's nachts, maar het was korter, dus hij nam het toch.

En al die tijd moest hij denken aan iets wat Karli een paar weken geleden had gezegd.

Je praat niet echt meer met mensen wanneer je ze belt.

Het gesprek was eigenlijk over haar gegaan... over zijn ex-vriendin Alison. Roger had gezegd dat hij haar al een tijdje niet had gesproken, om Karli jaloers te maken, om een of andere vage reden die hij zich niet meer kon herinneren. Maar ze was er niet in getrapt en had gezegd: 'Je praat niet echt meer met mensen wanneer je ze belt.' Eerst had Roger gedacht dat ze het over hem had, dat ze kritiek had op zijn manier van doen, maar ze bedoelde het in het algemeen.

'Ze klinken als je vrienden,' had ze uitgelegd. 'Maar ze zijn het niet echt. Wat je hoort is een computer die interpreteert wat je zegt en dan hun stem nadoet.'

Ze had teleurgesteld geklonken, alsof het tot haar was doorgedrongen dat het niet eens meer een echt mens was die tegen je loog of die je liet barsten. Dus misschien was ze er toch in getrapt, en was ze alleen intelligenter dan hij. Maar welke reden ze er ook voor had, Roger had niets meer over Alison gezegd.

Nu hij over het voetpad rende dacht hij weer aan het telefoontje dat hij zonet had gekregen. Het nummer op de display was dat van Alison geweest, van haar vaste toestel thuis, en toen hij had geantwoord had hij een stem gehoord die op de hare leek. Maar ze was het niet. De Alison die hij zich herinnerde had altijd lachend en vol enthousiasme en hoop geklonken; de stem die uit zijn telefoon kwam, klonk vlak en levenloos. *Help me.* Angst klonk er niet in door. Ze klonk alsof ze in de hoek van een lege kamer zat en de woorden voor zich uit fluisterde om de geesten op een afstand te houden, maar ervan overtuigd dat niemand ter wereld haar nog kon horen.

Help me.

Dan een pauze, met een zacht geruis, als van de wind.

Help me.

Het maakte niet uit wat hij terugzei, ze bleef die twee woorden maar herhalen. Na een paar seconden had hij het gesprek beëindigd en was hij gaan rennen.

Om kwart over drie kwam hij tot stilstand voor Alisons huis, zette zijn handen op zijn knieën en ademde een paar keer diep in en uit.

Net als in de rest van de straat was het donker en stil in haar huis. Het was een rustige woonwijk, iets buiten het centrum. Niemand was hier nog op om deze tijd. Auto's stonden op de onverlichte opritten, gehuld in donkere beschermhoezen voor de nacht, en de huizen erachter waren in diepe slaap, tezamen met hun bewoners. Het enige geluid was het eenzame zoemen van de straatlantaarns. Toen Roger op adem was gekomen, keek hij omhoog en zag hij een mot geruisloos fladderen in het licht van de dichtstbijzijnde lantaarn. Het leek het enige andere levende wezen in een kilometers wijde omtrek.

Hij liep het korte voetpad naar haar huis op, wilde op de deur kloppen maar aarzelde. Opeens was hij niet meer zo zeker van zijn zaak. Nu hij eraan terugdacht kon hij niet meer verklaren welk effect het telefoontje op hem had gehad, afgezien van het feit dat al zijn haartjes overeind waren gaan staan. Het deed hem denken aan die bandopnames in documentaires over geesten, waarin onherkenbaar gekras opeens het gelach van een oude man werd. Help me, had ze tegen hem gezegd, maar aan de toon van haar stem te horen was het daar al te laat voor.

Er stak een windje op. De heggen achter hem ritselden.

Roger huiverde. Toen klopte hij aan.

De deur bewoog mee met zijn hand. Hij ging knarsend open en liet een deel van de donkere keuken zien. Roger luisterde.

Hoorde...

Iets.

Roger duwde de deur verder open, deed een stap naar binnen en herkende het geluid. Het was het gezoem van vliegen, tientallen vliegen die op hem afkwamen en toen de keuken uit vlogen. Hij deed het licht aan en zag waar ze op af waren gekomen. Het was een bende in de keuken. Op het aanrecht stonden borden met etensresten, opgedroogde pastasaus, gebarsten als oude huid, met plukjes witte schimmel erop. Een ander bord stak als de rugvin van een vis omhoog uit de overvolle spoelbak. Er stond water in de spoelbak, met een melkachtig vel erop.

Jezus, die stank...

'Alison?'

Het donkere huis absorbeerde het geluid en gaf niets terug.

Hij liep door naar de woonkamer en ging op zoek naar de lichtschakelaar. Het duister voelde te onheilspellend, alsof er iemand in de hoek stond die naar hem keek. Maar er was niemand. En het was er een stuk schoner dan in de keuken.

Maar het was er ook te koud. Alsof de verwarming al dagen niet aan was geweest.

De houten wenteltrap was in de hoek van de kamer en behoedzaam liep hij die op, met zijn blik op de schemerige overloop op de eerste verdieping gericht. Hij voelde een lichte huivering en herkende dezelfde adrenaline-stoot die hij altijd voor wedstrijden had gehad. Opnieuw was hij ervan overtuigd dat er iets mis was. Alison had hem van hieruit gebeld, maar je kon voelen dat er niemand thuis was wanneer je door een huis heen liep, en dit huis voelde meer dan leeg aan. Het voelde verlaten.

Op de overloop trof de stank hem pas echt. Hij duwde de deur van haar slaapkamer open.

Geschokt staarde Roger naar het bed, terwijl zijn geest weigerde te accep-teren wat zijn ogen zagen. Dit kon niet waar zijn. Het ding op het bed... het leek op Alison, maar dat was onmogelijk, want...

Zijn mobiele telefoon ging over.

Een paar seconden lang reageerde hij niet. Toen haalde hij het toestel uit zijn jaszak en lichtte de display zachtgroen op in de donkere slaapkamer. Ten slotte keek hij ernaar.

ALISON MOBIEL, stond er op de display.

Bevend drukte Roger op het groene knopje, bracht het toestel naar zijn oor en keek weer naar het ding op het bed, waarvan hij diep in zijn hart wist dat het zijn ex-vriendin was. Even hoorde hij alleen geruis.

En toen, met diezelfde vlakke stem, zei Alison: 'Help me.'

DEEL 1

1

Zondag 7 augustus

Ik leerde Tori twee jaar geleden kennen, dankzij een goocheltruc.

Het was verder een doodgewone avond in Edward's Bar in de stad. Edward's Bar was een van die tenten waar ze geen tapbier maar alleen flesjes, shots en cocktails serveerden, allemaal tegen prijzen die je het gevoel gaven dat je beter ergens anders naartoe had kunnen gaan. Aan de bar was ruimte voor ongeveer vijf mensen, als ze bereid waren zich smal te maken. Als je echt wilde zitten met je drankje, kon je kiezen tussen barkrukken met vrouwenbenen als poten, en de protserige leren zitjes rondom lage salontafels. Tenminste, als je heel vroeg binnen was. Anders moest je staan en proberen geen acht te slaan op het gevoel dat je schoenzolen steeds vaster aan de vloertegels kleefden.

Alles was verkeerd gekozen. Toen hij de bar was begonnen had de eigenaar, die niet Edward maar George heette – wat precies is wat ik bedoel – gehoopt op een clientèle van een wat hoger niveau. De klanten zagen zichzelf graag als chic en trendy, maar als er echt iemand van standing was binnengekomen, zou hij waarschijnlijk beroofd worden in de toiletten, door iemand die naderhand zijn drankje ook nog zou opdrinken.

Maar George hield vol. Een vriend bracht hem in contact met Rob en mij, en George meende dat hij met een paar parttime amateurgoochelaars misschien een vleugje klasse aan zijn tent kon toevoegen. Op zich geen slecht idee. Helaas was het de zoveelste verkeerde keuze, want George kreeg ons. Rob en ik werkten apart van elkaar. Rob had een redelijk goede illusionistenact, terwijl ik het meer van mijn vingervlugheid moest hebben, van trucs van dichtbij, meestal met speelkaarten. We waren niet bijzonder, op geen enkele denkbare manier; het meest positieve wat je over ons kon zeggen was dat we de avond meestal goed begonnen. Tegen sluitingstijd was ik echter zwaarder beschonken dan de klanten en vertelde ik hun geheimen die de Magische Kring opgetrokken wenkbrauwen zou bezorgen, terwijl Rob een of ander meisje in de ogen staarde in een poging haar telefoonnummer te raden.

We verdienden geld voor een biertje. En toen, op een avond, ontmoette ik Tori.

Het geheim om de aandacht van een groep beschonken onbekenden te krijgen, is de leiders eruit pikken en die voor je winnen. Dus zag ik haar niet meteen. Ik had me gericht op haar vrienden, degenen die aan hun tafel de dienst schenen uit te maken.

De meest luidruchtige, een zwarte man die Choc werd genoemd, was klein van stuk, tegen de veertig, en was gekleed in een ongestreken overhemd, een vormloze nette broek en oude witte sportschoenen. Zijn haar en baard waren van dezelfde korte lengte, en op grond van zijn manier van doen en de geur van zijn adem vermoedde ik dat hij al een tijdje aan het drinken was, wellicht al een paar dagen. Cardo, die naast hem zat, was lang en mager, begin twintig, gekleed in een ruimvallend trainingspak en hij droeg op zijn hoofd een honkbalpet die een deel van zijn gezicht aan het oog onttrok. In tegenstelling tot Choc was hij stil en in zichzelf gekeerd, meer geïnteresseerd in zijn mobiele telefoon dan in de mensen om hem heen. Maar toen ik een truc deed, met zichtbare handen, mijn mouwen opgerold, en een muntstuk achter zijn oor vandaan toverde, kwam er een schaapachtige grijns op zijn gezicht, als bij een tiener die even vergeet dat hij cool moet zijn.

Naast deze twee vormde de rest van het gezelschap een vreemd allegaartje. Ik kreeg de indruk dat ze elkaar amper kenden en dat ze, als ze eerlijk waren, eigenlijk liever ergens anders zouden zijn. Maar toen ik nog een paar trucs had gedaan, begon ik de indruk te krijgen dat de lijm tussen dit gezelschap werd gevormd door het meisje dat in de hoek zat.

Ik ging op de armleuning van de bank tegenover haar zitten.

'Hallo. Hoe heet je?'

'Tori.'

'Leuk om kennis met je te maken, Tori. Ik ben Dave.'

Ze was klein van stuk en maakte een zelfstandige indruk, had haar lange bruine haar in een paardenstaart en droeg een dun, lichtblauw shirt. De twee bovenste knoopjes waren los en om haar hals droeg ze een kettinkje met een zilveren kruisje dat, zou ik later horen, van haar zus geweest was, die vier jaar daarvoor was overleden. Ze had een aantrekkelijk gezicht zonder echt mooi te zijn, maar er was iets anders wat mijn aandacht trok zodra ik tegenover haar was gaan zitten. Tijdens het eerste deel van mijn act was ze heel stil geweest, zat ze rustig achterovergeleund op de bank, met een glimlach om haar mond alsof ze het genoeg vond om van een afstand van de avond te genieten, geheel op haar gemak met haar eigen gedachten.

Ik wist het toen nog niet, maar dit bleek voor Tori ook echt zo te zijn. De meeste mensen van halverwege de twintig hebben al het nodige te verduren gehad en zijn daardoor harder geworden. Ze vertrouwen anderen niet meer en leggen het beschermende schild dat ze hebben gevormd niet gemakkelijk meer af. Tori was niet zo; ze liet zichzelf zien zoals ze was, zonder welke reserve ook. Dat zie je zelden.

'Oké,' zei ik. 'Zeg maar wanneer ik moet stoppen.'

Ik hield haar een spel kaarten voor, met de ruggen naar boven, en haalde langzaam mijn duim erlangs.

'Stop.'

Ik stopte, net voor het midden van de stapel. Ik splitste die in tweeën, keek de andere kant op en liet iedereen de kaart zien.

'Dit is de kaart die je hebt gekozen. Ik heb geen idee welke het is, maar onthoud hem goed.'

'Oké.'

Ik legde de twee stapeltjes weer op elkaar en gaf het spel aan haar.

'Bekijk nu de kaarten en controleer of het allemaal verschillende zijn, dat je weet dat ik de zaak niet oplicht.'

Ik keek toe terwijl ze een waaier van het spel maakte en het bekeek. Ze had mooie handen, die heel precieze bewegingen maakten.

'Goed zo. Nu denk je misschien dat ik weet waar de kaart in het spel zit. Dus vraag ik je het goed te schudden, zo lang je wilt.'

Ze deed het, heel methodisch en zonder haast.

Daarna liet ik haar nog een paar dingen doen. Toen dat gebeurd was, waren de kaarten geschud, gecoupeerd en terug in het doosje gedaan, en had zij een lichtelijk verbaasde man, die op enige afstand stond toe te kijken, uitgekozen om het doosje voor ons te bewaren.

Ik draaide me om en keek haar in de ogen.

'Oké. Ik kan hem nu niet zien, hij zegt niets tegen me en geeft me geen aanwijzingen. Mee eens?'

'Ja.'

We bogen ons een stukje naar elkaar toe en zij keek me recht aan, met een lachende, onbevreesde blik. Ik had al gezien dat ze een knap gezicht had, maar haar ogen – groot en bruin – waren echt prachtig. Even vergat ik bijna waar ik mee bezig was.

'Goed.' Ik ademde diep in, deed alsof ik me concentreerde en draaide mijn hoofd iets opzij. 'Meneer? Mag ik u iets vragen? Rookt u?'
'Eh... ja.'
Ik knikte kort, alsof dit belangrijk was. 'Dat dacht ik al. Tori, zou je me een plezier willen doen en onder de asbak kijken, alsjeblieft?'
Ze pakte de asbak op en zag een kaart liggen, met de rug naar boven. 'Is dit de kaart die je hebt uitgekozen?'
Ze pakte hem op, een beetje onhandig, maar toen ze hem had omgedraaid kwam er een brede glimlach om haar mond.
'Ja.' Ze keek naar de man die het doosje met het spel in zijn hand hield, daarna weer naar mij, en het voelde alsof mijn hart een sprongetje maakte. Eén keer. 'Tjonge, ik ben onder de indruk,' zei ze.
Ik glimlachte en stond op. 'Dank je.'
Het gezelschap, had ik gezien, bestond uit drie stellen, als je Choc en Cardo niet meetelde, en zij. Daarom had ik voor die specifieke kaart gekozen; een verleidingstrucje waar Rob bij zwoer... en soms over opschepte. Ik was niet zo goed in de gladde openingszinnen als hij, maar Tori had iets waardoor ik dacht: waarom niet?
'Harten twee. Weet je wat dat betekent? Dat je hier vanavond mogelijk de man van je dromen ontmoet.' Welk effect Rob hier ook mee bereikte, het klonk een stuk minder overtuigend uit mijn mond. 'Hoe dan ook, bedankt voor jullie aandacht en nog veel plezier vanavond.' Ik knikte iedereen toe. 'Jullie allemaal.'
Ik kreeg een applausje, waarbij Choc zijn handen hard tegen elkaar sloeg, alsmaar weer, en het weinig had gescheeld of hij was in wolvengehuil uitgebarsten, maar ik nam het allemaal dankbaar in ontvangst voordat ik doorliep naar de volgende tafel. En later op de avond, toen mijn werk erop zat en ik een paar biertjes had gedronken, ging ik weer voorzichtig naar haar toe.

Op dit punt aangekomen zou ik graag zeggen dat het allemaal perfect was. Maar dat was het niet. Algauw bleek dat Tori en ik heel weinig gemeen hadden. Ze dronk bijvoorbeeld niet; ik wel. Haar cd-collectie bestond voornamelijk uit vrouwen die heel zacht op een akoestische gitaar of een piano speelden. Ik hield van het ruigere werk, maar durfde dat nooit op te zetten omdat ik bang was dat het haar pijn zou doen. Op tv keek ik liefst naar rommel, terwijl zij een hoop wist van onbekende buitenlandse

filmhuisfilms en daar altijd naar wilde kijken. Ze was buitengewoon bele-
zen, had Engels gestudeerd en had boekenplanken vol poëzie en echte
literatuur, waarover ze ook kon discussiëren. Zolang we samen waren,
betrapte ik mezelf erop dat ik me altijd inhield in een poging ons bij
elkaar te houden, en dat soort relaties duurt nooit lang.

De onze duurde tweeënhalve maand. Het merendeel daarvan voelde ik me
heel onwennig ten opzichte van mezelf en wist ik dat voor haar hetzelfde
gold. We mochten elkaar heel graag, maar om de een of andere reden was
dat niet genoeg. Een happy end was voor ons niet weggelegd. Maar we
konden er ten minste op een normale manier een eind aan maken. Op
de avond dat we dat deden waren we bij haar thuis en lagen we op bed,
allebei op de rug, met onze armen tegen elkaar aan. We wisten allebei dat
het afgelopen was.

'Dit is waarschijnlijk het moment waarop we er een punt achter zetten,
hè?' zei Tori.

Ik dwong mezelf haar niet tegen te spreken. Iets zei me dat ik dit niet
moest verpesten zoals ik in het verleden al zoveel dingen had verpest.

'Ja, ik denk het,' zei ik. 'Niet dat ik het graag wil.'

'Ik ook niet. Het spijt me dat het niet heeft gewerkt. Echt waar.'

'Kunnen we vrienden blijven?'

'Natuurlijk.' Ze draaide zich om, naar me toe, en ik deed hetzelfde. We
kropen tegen elkaar aan, ze glimlachte en streelde mijn gezicht. 'Altijd.'

Ik keek haar aan en hoewel ik wist dat we het juiste deden, voelde ik
me verdrietiger dan ooit tevoren. Ik had nooit een relatie gehad die op
deze manier was geëindigd. Er was altijd sprake geweest van bedrog, of
geschreeuw, of groeiende onverschilligheid, maar met Tori voelde ik geen
van die dingen. Wat er ook tussen ons was wat werkte of juist niet, ze had
iets waardoor ik meer om haar gaf dan om wie ook, en ik wilde dat ze een
rol in mijn leven zou blijven spelen.

'Als je me ooit nodig hebt,' zei ik, 'zal ik er voor je zijn. Het maakt niet
uit waarvoor.'

Ze glimlachte weer naar me. 'En ik voor jou.'

En toen, wat misschien niet zo slim was, vrijden we voor het laatst met
elkaar. Het voelde anders dan de keren daarvoor. Er was een emotionele
band die de vorige keren had ontbroken, misschien omdat we elkaar nu
hadden toegegeven dat we niet meer dan vrienden konden zijn, wat in
ieder geval iets was wat we níét hoefden te veinzen.

In de tijd die daarop volgde bewoog Tori zich langzaam maar zeker naar de achtergrond van mijn bestaan, maar ze was nooit ver uit mijn gedachten en ik gaf nog steeds evenveel om haar. Wat moet je anders? Als iemand belangrijk voor je is, ben je bereid moeite voor die persoon te doen.

Dus was ik nooit vergeten wat ik die avond tegen haar had gezegd: als ze me ooit nodig had, dan zou ik er zijn. Het maakte niet uit waarvoor.

En twee jaar later ontdekte ik wat dat precies betekende.

Het gebeurt zelden dat je weet dat je de beroerdste dag van je leven meemaakt, maar dit was de mijne. Op dat moment wist ik dat het waar was, maar ik wist niet hoeveel slechter het daarna nog zou worden. Later zou blijken dat het de dag was waarop alles begon in te storten.

Ik werd om acht uur wakker en was om vijf over acht op. Zo ging het bij mij meestal, mijn hele leven al, dat mijn lichaam geprogrammeerd leek om de kaars aan één uiteinde te branden, ongeacht wat het andere uiteinde wilde.

Op die dag brandde het andere uiteinde echter ook, maar niet omdat ik daarvoor had gekozen. Ik had de hele nacht liggen nadenken. Een verkenningstocht door mijn geest, en elke keer wanneer ik begon weg te zakken, koos die dat moment uit om me te laten zien wat hij had ontdekt. Dingen over Emma vooral. Niet dat ik er iets aan had, maar hij bleef al die shit opgraven, zette goede en slechte herinneringen op hun kop en blies het stof eraf in de hoop dat een ervan van goud zou blijken te zijn.

Emma was het afgelopen jaar mijn vriendin geweest. Ik had haar niet dankzij het goochelen leren kennen maar op het internet, en in het begin ging alles zo goed dat ze al na tweeënhalve maand was ingetrokken in mijn kleine huurflat. We hielden van dezelfde muziek, dezelfde films en dezelfde boeken. Een tijdje ging het echt geweldig. Waar mijn onderbewustzijn naar op zoek was geweest was dat ene moment waarop 'geweldig' in 'oké' veranderde, en 'oké' in 'laat maar'. Misschien was het nu op zoek naar het moment dat alles opeens in 'wat een ramp' was veranderd, maar dat was waarschijnlijk de afgelopen maandag al gebeurd, toen Emma me vertelde dat het uit was tussen ons en dat ze ging verhuizen. Later vandaag zou ze langskomen om haar laatste dozen met spullen op te halen. De jury was nog in beraad over hoe dat zou voelen.

Ondertussen had ik werk te doen.

Ik dronk een kop koffie, at wat toast, schonk nog een kop koffie in en nam die mee naar mijn werkkamer. Volgens de leugens van de makelaar de 'tweede slaapkamer', maar in werkelijkheid een logeerkamertje net groot genoeg voor een paar boekenkasten langs de ene muur en een bureau in de hoek. Net als in de rest van de flat paste er niets bij elkaar. Ik woonde hier nu bijna drie jaar, maar als ik meubels kocht, deed ik dat meer in een opwelling dan echt gepland. Als ik bijvoorbeeld ruimte op de boekenplanken te kort kwam, kocht ik eerst een boekenkast en ging ik daarna pas op zoek naar een plek waar ik hem kon neerzetten.

Ik ging in mijn leren directiestoel zitten – het prijskaartje hing er nog aan – startte de computer op en dacht aan wat de dag me te bieden had.

Wat werk betreft moest ik een artikel voor *Sceptici Anonymus* schrijven. Dat was het maandblad dat Rob en ik uitgaven. We schreven recensies van goochelacts, maar in hoofdzaak hielden we ons bezig met het ontmantelen van allerlei newagezaken: geesten, helderzienden, ufo's, alternatieve therapieën, kristallen... als iemand het woord 'energie' gebruikte zonder met keiharde bewijzen te komen, doken wij erbovenop. Het stuk dat ik die dag moest schrijven ging over astrologie, maar dat was gesneden koek voor me... een paar bladzijden die ik in mijn slaap had kunnen schrijven, als ik tenminste had kunnen slapen.

Twintig minuten later, toen ik halverwege het artikel was, ging mijn mobiele telefoon en bewoog die trillend over mijn bureaublad. Ik stopte met typen en mijn handen bleven boven het toetsenbord hangen.

ONBEKEND NUMMER.

Ik nam het gesprek aan. 'Hallo?'

'Dave!' Ik herkende Tori's stem, en die klonk meteen al niet goed. 'Leuk om je weer eens te spreken.'

'Ja, ik jou ook. Sorry... het is lang geleden, hè?'

Ik besefte dat ik haar al vier of vijf maanden niet echt had gesproken, en e-mails of sms'jes hadden we elkaar ook nauwelijks gestuurd. Dat kwam vooral door de aflopende situatie met Emma, die het nooit leuk had gevonden dat ik nog bevriend was met een van mijn exen uit betere tijden. Dus had ik de problemen niet erger willen maken dan ze al waren. Maar zoals de zaken waren gelopen, leek dat geen aanvaardbaar excuus en voelde ik me een beetje schuldig dat ik Tori niets had laten horen.

'Hoe gaat het met je?'

'Niet zo goed. Maar ik heb vanochtend in de zon gezeten, dat was wel prettig. Er liggen overal bladeren.'

De alarmbellen begonnen harder te rinkelen.

'Waar ben je?'

'In Staunton. Al een paar dagen. Ik ben hier opgenomen.'

'Wat is er gebeurd?'

'Het was Eddie.'

Zonder na te denken pakte ik een muntje van het bureaublad en begon ermee te spelen. Het was een behendigheidsoefening, die ik deed om mijn vingers soepel te houden. Ik gebruikte mijn middelvinger om het muntje langs mijn duim omlaag te laten glijden, hield het daar even vast, liet het tussen mijn gebogen vingers vallen en begon weer opnieuw. Spelen met muntjes was iets wat ik altijd deed om mijn handen bezig te houden. Om mezelf te kalmeren.

'Vertel op.'

Dat deed ze. Tori's laatste vriend, Eddie Berries, was een mager mannetje met lang bruin haar. Hij deed iets in de muziek, maar een baan zoeken totdat hij werd ontdekt vond hij beneden zijn stand. Hij gebruikte drugs, was onberekenbaar en scheen om de een of andere onbekende reden te denken dat hij heel belangrijk was... het soort vage, artistieke type dat vindt dat de samenleving hem een bestaan schuldig is en vervolgens iedereen achter zijn rug uitlacht. Maar Tori was altijd gek geweest op 'artistieke' mannen. Daar had ze een zwak voor.

Als het alleen dat was geweest, had ik mijn afkeer van hem misschien kunnen afdoen als jaloezie, maar Eddie had iets wat me vanaf het eerste begin niet lekker had gezeten. Ik had hem maar een paar keer ontmoet en had niet de vinger kunnen leggen op wat het precies was, maar het was begonnen toen hij heel bezitterig zijn arm om haar heen had geslagen, alsof ze iemand was waar alleen hij recht op had. Op dat moment had ik gedacht dat hij niet de juiste man voor haar was. Ze deed te veel haar best om hem te behagen, en hij wekte de indruk dat hij dat wel leuk vond.

Maar hij scheen haar gelukkig te maken. Natuurlijk wist ik toen niet wat ze me nu vertelde: dat Eddie al een tijdje zijn grip op de werkelijkheid kwijt was. Zijn drugsgebruik was toegenomen en hij was verder afgetakeld, was steeds labieler geworden en had zich meer en meer macht over haar leven toegeëigend. Tori slikte medicijnen, dagelijks, maar Eddie – in zijn wijsheid – had besloten dat dat niet goed voor haar was. Het was een teken van zwakte, had hij gezegd, om op pillen te vertrouwen, en uiteindelijk had hij haar zover gekregen de lithium af te zweren en de strijd met haar ziekte op natuurlijke wijze aan te gaan. Sindsdien hadden ze vaker ruzie gehad en had hij haar geïntimideerd. Eddie haalde haar steeds verder naar beneden, bleef haar vertellen wat er allemaal aan haar mankeerde en dat ze op geen enkele manier aan hem kon tippen. Dat ze heel veel geluk met hem had gehad. Met als resultaat dat Tori's zelfbeeld heen en weer werd gemept, als een muis tussen de klauwen van een kat, en ze depressief was geworden.

Hun leven samen had afgelopen woensdag een kruispunt bereikt, toen Eddie al zijn zelfbeheersing had verloren en haar had afgetuigd. Ze was naar het ziekenhuis gebracht en had daar een nachtje moeten blijven. De volgende dag was ze voor haar eigen veiligheid naar Staunton overgebracht en daar opgenomen.

Ondanks een enkele hapering kwam het verhaal er simpel en direct uit. Tegen de tijd dat ze uitgepraat was, zat ik nog steeds met het muntje te spelen en voelde mijn gezicht of het van ijzer was.

'Hoe ben je eraan toe?' vroeg ik. 'Lichamelijk, bedoel ik.'

'Mijn gezicht is bont en blauw.' Ze lachte. Ik niet.

'En de politie?'

'Ze zijn naar hem op zoek. Hij is op de vlucht.'

Ik legde het muntje neer. 'Hoe lang denk je daar te moeten blijven?'

'Dat weet ik niet. Tot ze zeggen dat ik weg mag. Minstens een week.'

'O.'

'Maar ik mag bezoek hebben. Kom je een keer langs? Het is hier zo saai.'

Mijn monitor was op de schermbeveiliging gesprongen. Het half voltooide artikel was maar één toetsaanslag van me vandaan, maar zoveel tijd had ik er niet voor nodig. Afgezien daarvan moest ik aan Emma denken. Maar die had de sleutel nog, en misschien zou het voor ons allebei gemakkelijker zijn als ik er niet was wanneer ze haar spullen kwam halen. Want de kans was groot dat ik een of andere zinloze poging zou doen om te voorkomen dat ze wegging... het relationele equivalent van jezelf op een doodskist werpen.

'Hoe laat?' vroeg ik.

'Tussen twee en vijf. Je hoeft niet de hele tijd te blijven. Maar het zou... leuk zijn om iemand te zien.'

'Oké. Ik kom.'

'Dat is geweldig! Dankjewel.'
Ik probeerde te glimlachen. 'Graag gedaan.'
'Je bent een echte vriend, Dave. Ik meen het.'
Ik wou dat het waar was. Zo'n goede vriend voelde ik me niet.
'Ik moet even iets afmaken,' zei ik. 'Ik zie je straks.'

2

Zondag 7 augustus

Het was de verjaardag van zijn zoon en Sam Currie was op weg naar hem toe. Wat inhield dat hij, toen zijn mobiele telefoon ging, niet van plan was het gesprek aan te nemen.

Geen werk. Niet vandaag.

Toch, met één oog op de weg, pakte hij het toestel van de zitting, alleen om te kijken wie er belde. Toen hij zag dat het James Swann was, had hij onmiddellijk spijt dat hij het verdomde ding niet had laten liggen. Swann zou hem niet bellen tenzij er op het bureau iets aan de hand was, en Currie wist dat hij het gesprek moest aannemen. Waar het ook over ging, het zou belangrijk zijn.

Zonder het te willen toonde zijn geheugen hem oude verjaardagsfoto's van zijn zoon, van toen hij jong was. Neil met een feesthoedje op, terwijl hij de kaarsjes uitblies. In zijn cowboypak, spelend in de tuin... of met die ontbrekende voortand, op zijn rode fietsje.

Op de vroegste foto's had zijn zoon altijd gelachen, maar toen zijn tiener-jaren waren begonnen, was hij steeds stiller geworden. De enige echte constante op die foto's was de afwezigheid van Sam Currie. Zijn werk was altijd op de eerste plaats gekomen, en dat was een grote fout geweest. Maar je kon het verleden niet veranderen, hoe graag je het ook wilde. Dit was het enige wat hij had. Neil werd vandaag eenentwintig, en Currie had een dag vrij genomen om met zijn jongen het glas te heffen. Dat had Curries vader ook met hem gedaan toen hij zo oud werd, en het was het enige waarvan hij met zekerheid kon zeggen dat hij zich op dit moment had verheugd sinds Linda al die jaren geleden per ongeluk in verwachting was geraakt.

Hij klikte het gesprek weg en legde het toestel terug op de stoelzitting, naast de fles whisky.

Werk was werk. Maar een belofte was een belofte.

En toch... terwijl hij rustig aan het stuur draaide en Bellery Grove in reed, merkte Currie dat hij meer tot marchanderen bereid was dan vroeger.

Diep in zijn hart wist hij dat hij Swann moest terugbellen, maar als hij het nog even kon uitstellen, had hij ten minste de tijd om Neil te feliciteren en snel een glaasje met hem te drinken. Zijn zoon was nu oud genoeg om dat te begrijpen. Sterker nog, hij zou het waarschijnlijk hebben verwacht.

Waarom heb ik dat ding niet uitgezet?

Het weer had zich nog aardig hersteld, zelfs nu alles iets donkerder geworden leek te zijn. Currie boog zich naar de voorruit en keek omhoog. Het was een grijze, bewolkte dag geweest, maar sinds het middaguur was de bewolking verdwenen en de lucht opgeklaard. Een mooie, heldere dag. De zon scheen erop los en wierp gele rechthoeken op zijn gespierde onderarmen. De huizen hier hadden diepe voortuinen en toen hij erlangs reed, hoorde hij het *wizz-wizz* van de gazonsproeiers en het zoemen van de snoeischaren, en rook hij de geur van pas gemaaid gras, die door zijn open raampje naar binnen kwam. Het was vredig en daar was hij blij om. Neil had in de loop der jaren in mindere buurten dan deze gewoond.

Currie parkeerde kort achter de poort. Toen hij de motor uitzette was het opeens doodstil, afgezien van de zingende vogels en het zachte geruis van het verkeer in de verte, als water in de leidingen.

De auto piepte twee keer toen hij hem afsloot. Toen, met de fles in zijn hand, begon hij aan de lange wandeling over het voetpad. De wind voelde aangenaam warm op zijn gezicht. Meteen daarna ruisten de bomen naast hem en werd het weer stil. Toen hij boven aan de steile heuvel kwam, was hij buiten adem. Je bent bijna vijfenveertig, herinnerde hij zichzelf. De tijd is je ontglipt. Hij had thuis nog een paar fitnessapparaten, maar die stamden uit de tijd dat hij begin twintig was, dus waren ze sterk verouderd. Zijn plannen om er weer eens mee te beginnen... tja, op de een of andere manier scheen hij er nooit tijd voor te hebben. En trouwens, het was dweilen met de kraan open, waar of niet? Hij was over zijn hoogtepunt heen, en vanaf nu zou het alleen maar verder bergafwaarts gaan.

Deze week, dacht hij. Ergens deze week.

Een paar meter van het pad vond hij zijn zoon.

Currie liep langzaam naar het graf.

De steen was eenvoudig en had een gebogen bovenkant. Het grafschrift was simpel: Neil S. Donald – de meisjesnaam van zijn vrouw – en twee data die negentien jaar leven markeerden. Er lagen verse bloemen op het graf, daar ongetwijfeld eerder vandaag neergelegd door zijn vrouw en haar broer. Dat hadden ze afgesproken, hoewel het hem toch een beetje stak dat Linda hier eerder was geweest dan hij.

Een paar woorden die uit de steen waren gehouwen.

Lieve zoon

Eindelijk heb je rust gevonden

Het ga je goed.

Currie zag nog meer oude foto's voor zich toen hij dat las, maar hij zette die uit zijn gedachten. Ze waren nu niet belangrijk meer, want de enige waarheid die er nog toe deed lag besloten in die woorden. Eindelijk heb je rust gevonden.

Zijn telefoon ging weer. Deze keer nam hij het gesprek wel aan, kijkend naar het gras dat licht golfde in de wind.

'Currie,' zei hij.

'Sam? Met James. Sorry dat ik je bel, maar we hebben een slachtoffer gevonden en ik dacht dat je het wel zou willen weten.'

'Wie is het?'

'Een vrouw van in de twintig.' Swann wachtte even. 'Het ziet ernaar uit dat ze op bed is vastgebonden en van uitdroging is gestorven.'

Daar schrok hij van. Dat had hij niet verwacht.

'Zoals die in mei?'

'Ja.' En die van vorig jaar.

'Geef me het adres.'

Swann gaf het.

Currie weerstond de neiging de gebruikelijke vragen te stellen. Swann was al ruim tien jaar zijn partner; hij had de plaats delict allang gezekerd en iedereen aan het werk gezet.

'Geef me een halfuur.'

'Sam... het spijt me.'

'Niet nodig. Ik zie je straks.'

Currie beëindigde het gesprek en draaide de dop van de whiskyfles: *klik-klik*. Hij snoof de geur op en nam een flinke slok, voelde de drank op zijn tong en in zijn mondholte branden en toen pas de zachte smaak, totdat hij uiteindelijk slikte. Onmiddellijk werden zijn keel en daarna zijn borstholte warm.

'Gefeliciteerd met je verjaardag, Neil.'

Hij draaide de dop op de fles en legde die uit het zicht achter de grafsteen. Iemand zou hem vast en zeker vinden – een onderhoudsman of een zwerver – maar dat was oké. Sterker nog, zo zou Neil het waarschijnlijk hebben gewild.

Een halfuur later stond inspecteur Sam Currie in de deuropening van een warme slaapkamer iets ten zuiden van het stadscentrum en keek hij naar het stoffelijk overschot van Alison Wilcox.

Ze was gevonden door haar ex-vriend, Roger Ellis, eerder die ochtend. Ellis was naar het bureau gebracht om straks meer vragen te beantwoorden, en Currie stelde zich voor dat de man flink aangeslagen zou zijn door wat hij hier had gezien. Currie was in de afgelopen anderhalf jaar zelf op twee van dit soort plaatsen delict geweest en de aanblik van de lijken had hem diep geraakt. Politiewerk bracht met zich mee dat hij veel in aanraking kwam met slachtoffers van een gewelddadige dood, maar in dit geval was het niet zozeer het geweld dat hem choqueerde, als wel de onwaardigheid en de onmenselijkheid van wat hier was gedaan. Of juist wat er níét was gedaan.

Het lijk van Alison Wilcox zag er verloren en vermagerd uit, de huid slap en gelig van tint. Haar handen en voeten waren met leren riemen aan de bedpoten gebonden... vooral de handen zagen er afschuwelijk uit; met de polsen gebogen en de vingers tot bleke klauwen gekromd. Maar als dit geval overeenkwam met de vorige, zouden ze ontdekken dat haar weinig lichamelijk geweld was aangedaan nadat de dader haar eenmaal had overmeesterd. De riemen waren de enige wapens die hij nodig had gehad om haar om te brengen.

Achter hem bewogen de technisch rechercheurs zich langzaam door het huis terwijl vóór hem de patholoog, Chris Dale, gehurkt naast het bed zat en zijn hoofd schuin hield terwijl hij het lijk onderzocht. Een bromvlieg landde op het dijbeen en Dale joeg hem weg. Even later ging de vlieg op het gezicht zitten, waar hij langzaam rondjes begon te draaien.

James Swann, naast hem, stak een plakje kauwgom in zijn mond en hield Currie het pakje voor.

Hij nam er een. 'Bedankt.'

'Alsjeblieft.'

'Het ziet er net zo uit als de vorige. Goed dat je me gebeld hebt.'

Swann bleef even zwijgen en zei toen: 'Triest, als je erover nadenkt, vind je niet? Om zo alleen te sterven.'

Currie knikte. Andere rechercheurs zouden misschien hun wenkbrauwen hebben gefronst om zo'n emotionele uitlating, ook al was die zo beheerst gedaan, maar dit was een van de redenen dat Swann en hij het als partners zo lang met elkaar hadden uitgehouden. Want het wás triest. Aangenomen dat ze met dezelfde dader te maken hadden, was Alison Wilcox op het bed vastgebonden en hier achtergelaten om langzaam van uitdroging te sterven. Er waren meningsverschillen in de medische hoek over hoe dat proces zich voltrok. Sommigen zeiden dat het lichaam al na een dag stoffen begon te produceren die de pijn verdoofden, maar anderen hielden vol dat het een hel was om op deze manier te sterven. Waar niet aan werd getwijfeld waren de inwendige processen en de gevolgen daarvan. Naarmate Alison Wilcox' lichaam verder uitdroogde, was het niet langer in staat te transpireren en zou het ondraaglijk warm worden. Haar mond, tong en keel zouden kurkdroog worden en haar huid zou barsten als oud perkament. Als ze nog in staat was urine te produceren, zou die zo geconcentreerd en warm zijn dat die haar inwendig verbrandde. Op een zeker moment, wanneer de hersencellen geen vocht meer kregen, zou ze zich koortsig en verward gaan. voelen. Uiteindelijk zou ze het bewustzijn verliezen. Het zou tussen een paar dagen en twee weken duren voordat haar inwendige organen ophielden met functioneren – zouden uitdoven als kaarsen – en het lichaam uiteindelijk mocht sterven.

En al die tijd was er niemand gekomen om haar te redden.

Door zijn vrije dag moest Currie weer aan Neil denken. Toen hij voor het huis van zijn zoon had gestaan op de dag dat hij hem had gevonden, was het hem opgevallen dat Neils huis er donkerder en anders uitzag dan de huizen aan weerskanten ervan. De zon had op die van de buren geschenen terwijl over dat van Neil een schaduw viel, en het was er gewoon te stil geweest. Toen hij het tuinhekje opendeed en de onverzorgde voortuin in liep, had hij diep in zijn hart al geweten wat hij binnen zou aantreffen.

Nu vroeg hij zich af of niemand iets soortgelijks had gevoeld toen ze door de straat langs dit huis waren gelopen. Hoe kon het de mensen zijn ontgaan? Dat leek hem niet mogelijk. Er zat een cocon van droefheid om het hele gebeuren. Haar dood was niets minder dan een verwijt aan haar omgeving.

Swanns mobiele telefoon ging en wekte hem uit zijn gedachten, en toen zijn partner de kamer uit liep om het gesprek aan te nemen, stonden zijn spieren strak onder de lichtblauwe stof van zijn overhemd.

Dale, de patholoog, kwam overeind.

'Het komt zeker overeen met wat we hiervoor hebben gezien,' zei hij. 'Het is in deze omstandigheden moeilijk te zeggen wat de feitelijke doodsoorzaak is.'

'Uitdroging?'

'Ja. Waarschijnlijk gaat het om orgaanafsterving, maar het is ook mogelijk dat de keel zo ver opgezwollen was dat ze niet meer kon ademen.'

Currie kauwde langzaam op zijn kauwgom. Zijn eigen mond voelde ook droog aan.

'Er zijn geen zichtbare sporen van seksueel geweld en geen uitwendige verwondingen, afgezien van de kneuzingen op de polsen en enkels.'

Natuurlijk had ze geprobeerd zich los te rukken.

Currie vroeg: 'En het is hier allemaal gebeurd?'

'Daar ziet het naar uit. De staat van het beddengoed zal uitsluitsel geven, maar nu is dat nog niet met zekerheid te zeggen.'

De staat van het beddengoed. Curries blik ging naar het bevuilde, ingedroogde laken onder het lijk. Hij vroeg zich af of ze zich in het begin had geschaamd voordat het haar allemaal niets meer had kunnen schelen. Voordat gêne was overgegaan in paniek... of in waanzin.

'Ik zou haar het liefst meteen laten overbrengen,' zei Dale. 'Dan kan ik er meer over zeggen.'

'Nee. We moeten haar nog even hier houden.'

Het was tegen zijn gevoel dat ze het lijk hier zo lieten liggen. Currie keek ernaar en stelde zich voor hoe ze hier lag en de tijd rondom haar verstreek zonder zich iets van haar aan te trekken. Zijn geest maakte er een serie korte videofragmenten van: Alison die zich probeerde los te rukken, het trillen van haar ledematen toen haar spieren waren verkrampt, het hoofd dat naar links en naar rechts sloeg alsof ze een nachtmerrie had. De dagen en nachten die de kamer in licht en duister hulden terwijl zij aan het afsterven was.

De video speelde zich af in Curries geest en hij voelde een steek van droefheid voor elk eenzaam moment, elk moment dat er niemand was langsgekomen om te zien of het wel goed met haar ging. Dus wilde ook hij haar hier weg hebben – ten slotte – hoewel het geen enkel verschil meer maakte; daar was het te laat voor. Het enige wat ze nu nog voor haar konden doen was degene pakken die hier verantwoordelijk voor was.

'We kunnen ons niet veroorloven dat we iets over het hoofd zien.'

'Nee, natuurlijk niet.' Dale blies zijn wangen bol en pufte. 'Ik moet een paar telefoontjes doen. Ik kom straks terug.'

'Oké. Bedankt, Chris.'

Currie ging opzij om de patholoog door te laten. Even later kwam Swann de kamer in, klapte zijn telefoon dicht en haalde zijn hand door zijn korte haar.

'We hebben de telefoontjes getraceerd,' zei hij. 'Het eerste is met de telefoon beneden gedaan. Het tweede, met Alisons mobiele telefoon, is hier in de buurt op straat gedaan.'

Currie paste het in elkaar.

'Hij heeft Ellis naar binnen zien gaan en heeft hem die opname nog eens laten horen.'

'Daar lijkt het wel op. Ze zijn Wilcox' telefoongegevens aan het uitpluizen om te zien wie er de afgelopen paar weken zijn gebeld.'

Currie wist nu al wat ze zouden vinden: dat de dader zijn gebruikelijke berichten naar Wilcox' familie en vrienden had gestuurd, net genoeg om hen ervan te overtuigen dat ze in leven en in orde was. Het was beangstigend hoe gemakkelijk het was om de identiteit van een ander aan te nemen, dacht hij. En hoe afhankelijk de samenleving was geworden van communicatie die zo onpersoonlijk was. E-mails, sms'jes, computerprofielen... de mensen konden niet meer zonder. In absolute onwetendheid fladderden ze als vlinders om elkaar heen.

Swann wees op zijn telefoon.

'Dat was Collins, trouwens.'

'Ja? Wat wilde hij?'

'Die huiselijke van vorige week. Weet je nog?'

Currie trok zijn wenkbrauw op.

Hij herinnerde zich het geval, hoewel de term 'huiselijk geweld' de mishandeling op de een of andere manier beter verteerbaar maakte, alsof het om een triviaal meningsverschil ging. In werkelijkheid was het meisje, Tori Edmonds, flink afgetuigd door haar vriend. Hoe onaangenaam dat ook was, het was niet iets wat normaliter erg lang zou blijven hangen. Maar er hadden een paar elementen in gezeten die dit geval boven het gewone uit had getild.

Ten eerste het meisje zelf. Tori Edmonds had iets wat Currie was opgevallen toen ze haar in het ziekenhuis opzochten. Ze leek... niet per se onschuldig, maar opener en kwetsbaarder dan hij van haar leeftijdgenoten gewend was. Zodra hij haar zag, had hij haar willen beschermen. Misschien was dat het enige. Zijn reactie had hem nog bozer gemaakt op haar zogenaamde vriendje, ene Eddie Berries. Wanneer mensen met iets waardevols in aanraking komen, kun je ze in twee groepen verdelen, meende Currie. Je had mensen die dat waardevolle koesterden, en je had mensen die het niet konden verdragen. Sommige mensen hadden om de een of andere reden de behoefte om anderen tot hun eigen niveau te verlagen.

Tori Edmonds leek hem een aardige meid... intelligent, scherp en zuiver op de graat. Hoe meer ze te weten kwamen over haar vriend, Edward Berries, hoe slechter hij bij haar leek te passen: een dealertje en een gebruiker, volgens sommigen, een totale loser volgens vele anderen. Geen strafblad, maar dat zei niet veel. Ze vormden in ieder geval een ongebruikelijk stel. Aan de andere kant was van Tori Edmonds ook bekend dat ze bevriend was met Charlie Drake – Choc voor zijn vrienden – en Drake was wel degelijk een linke knaap, op alle fronten. Waarschijnlijk hadden Tori en hij elkaar leren kennen tijdens het stappen, toen ze jonger was. Tegenwoordig was van Drake bekend dat hij een groot deel van de handel in cannabis in de stad voor zijn rekening nam, vrijwel zelfstandig.

Het was een bizarre combinatie, die inhield dat Berries snel moest worden gevonden, al was het maar voor zijn eigen veiligheid. Natuurlijk, na wat hij het meisje had aangedaan zouden de meeste politiemensen er niet echt wakker van liggen als iemand hem eerder te pakken kreeg. Velen zouden zelfs vinden dat hij het dik had verdiend als hij een goed pak slaag kreeg. Currie twijfelde op dat punt, want als de dood van zijn zoon hem iets had geleerd, was het wel dat je mensen niet liet barsten. Niemand. Hoe je ook over hen dacht. En zeker niet als iemand als Drake achter hen aan zat.

'Hoe ver zijn we met die zaak?' vroeg hij.

'Er is melding gedaan van een ontvoering, eerder vanochtend, op Campdown Road. Er is iemand uit een kraakpand gehaald en geboeid in de kofferbak van een auto gegooid. Het signalement komt overeen met dat van onze vriend Eddie.'

'Klein, lelijk en nergens goed voor?'

'Dat was het bijna woordelijk. En het adres op Campdown Road lijkt ook te kloppen.'

Die idioot weet niet wanneer hij zich gedeisd moet houden, dacht Currie. Maar ja, dat was te verwachten, nietwaar? Als je in een destructieve spiraal zat, kon men niet van je verwachten dat je ineens rationeel en intelligent ging handelen, of wel soms?

Currie kauwde bedachtzaam op zijn kauwgom.

'En de daders?'

'Die waren zwart.'

'Dat is een begin. De auto?'

'Ook zwart. Vier wielen. Je kent de buurt. Niemand wil iets zeggen.'

Currie kreunde. Er waren mensen in de stad die dingen deden waar niemand iets mee te maken wilde hebben, en iedereen wist het. Drake stond bijna boven aan de lijst van die mensen.

'Op het ogenblik kunnen we niet veel doen,' zei Swann. 'Aan die zaak.'

'We zullen zien.'

'Ja. Maar op dit moment hebben we andere prioriteiten.'

Currie keek weer naar het dode meisje, naar het hoofd dat iets opzij gedraaid lag. Tot op zekere hoogte beviel het hem niet wat zijn partner zei. Prioriteiten. Het idee dat Berries er niet toe deed, dat ze hem gewoon aan zijn lot konden overlaten omdat ze belangrijker zaken te doen hadden. Aan de andere kant wist hij dat Swann gelijk had. Ergens in deze stad liep de moordenaar van Alison Wilcox rond. Binnenkort zou er weer iemand op een bed vastgebonden liggen. Te wachten. Vergeten door iedereen.

Opeens werd Currie heel onrustig.

Swann zei: 'Terug naar het bureau om met Roger Ellis te praten?'

'Ja.' Hij zuchtte. 'Goed idee.'

3

Zondag 7 augustus

Tori en ik waren een week samen toen ze me vertelde dat ze manisch-depressief was.

We waren uit geweest, naar de kermis die eens per jaar aan de rand van de stad neerstreek, hadden de hele avond de geur van hotdogs ingeademd in de kille buitenlucht, met plakkerige gezichten van de suikerspinnen die we hadden gegeten, en dicht tegen elkaar aan gezeten in de rupsbaan, tussen de knipperende lichtjes en de schelle muziek van de attracties. Later, terug in mijn flat, had Tori in kleermakerszit op mijn bed gezeten en met een opengeslagen tijdschrift op haar slanke dijen een joint gerold. Terwijl ze dat deed had ze me over haar kwaal verteld, starend naar haar handen en zonder één keer op te kijken.

Ze was twee keer opgenomen geweest, maar gelukkig de afgelopen paar jaar niet meer. Toch was het iets waar ze elke dag mee te maken had, en als ik met haar wilde blijven omgaan moest ik weten wat dat kon betekenen. Hoewel ze er medicijnen voor slikte en goed voor zichzelf zorgde – zei ze, met een scheve grijns knikkend naar de joint – bleef het iets wat in de toekomst opnieuw de kop kon opsteken. Toen ze uitgepraat was en naar me opkeek, zag ik niet het geringste spoor van zelfmedelijden op haar gezicht. Dit is wie ik ben, leek ze te zeggen.

Ondanks haar nuchterheid vermoedde ik dat ze zich diep in haar hart zorgen maakte over hoe ik zou reageren; dat ik haar misschien niet meer wilde, wat op zijn beurt een bom zou leggen onder het evenwicht dat ze met zoveel moeite had weten te bereiken. Voor mij veranderde het natuurlijk niets, en dat zei ik tegen haar. Maar in haar gezichtsuitdrukking zag ik heel even iemand die haar gevoelens van zelfbewustzijn en eigenwaarde opzij had gezet en had plaatsgenomen in het oog van de orkaan, waar alles waarin ze geloofde in stukken om haar heen draaide. Om vervolgens die stukken uit de lucht te plukken en ze niet meer los te laten.

Maar, dacht ik, misschien een beetje overmoedig, als zij de uitdaging was aangegaan en er deze kijk op het leven aan had overgehouden, dan kon ik niet achterblijven en werd ze zelfs nóg belangrijker voor me. 'Je bent het normaalste meisje met wie ik ooit op stap ben geweest,' zei ik tegen haar, en ik meende het.

Twee jaar later, nu ik naar Staunton reed, werd ik verteerd door schuldgevoel en woede. Het was niet mijn taak geweest om ervoor te zorgen dat Tori niet in de problemen kwam, maar ze was nog steeds een vriendin van me en misschien had ik iets voor haar kunnen doen als ik meer tijd aan haar had besteed.

Maar dat soort dingen gebeurt. Mensen drijven van je weg als je niet oplet.

Een paar minuten over twee was ik er.

Het ziekenhuis stond aan de rand van een flauw oplopende heuvel: een aantal bleke gebouwen van één verdieping, her en der verspreid, sommige met elkaar verbonden en andere niet. Van de weg afgeschermd door een hoge heg met een enkele ingang die toegang gaf tot een bewaakt parkeerterrein. Het grind erachter was wit en zorgvuldig aangeharkt, en de gazons rondom de gebouwen keurig verzorgd en frisgroen in het zonlicht, met jonge boompjes die zachtjes deinden in het briesje dat er stond. Het parkeerterrein werd voor de helft bezet door auto's, maar toen ik uit de mijne stapte was alles muisstil. Het ziekenhuis en het terrein waren bedoeld om zo veel mogelijk rust te bieden.

Ik liep het pad naar de hoofdingang op, rook de geur van pas gemaaid gras in de frisse buitenlucht. Eenmaal binnen was het redelijk druk in de brede gang en passeerde ik enkele van de andere afdelingen, zonder iets te zien wat afweek van wat je in een gewoon ziekenhuis tegenkwam. In contrast daarmee, toen ik bij afdeling 8 kwam, werd ik staande gehouden door dubbele, blauwe deuren, magnetisch gesloten en op de muur ernaast een paneeltje waarop een code moest worden ingetoetst. Dat doordrong me van het feit dat mijn vriendin hier opgesloten zat. Voor haar eigen bestwil, maar toch was het een vreemd en deprimerend idee dat we hier niet samen de deur uit konden lopen wanneer we dat wilden.

Ik drukte op de knop van de intercom en even later werd de deur geopend door een jonge, ongeschoren man in een spijkerbroek en een trui. Het naamkaartje aan zijn riem vertelde me dat hij Robert Till heette en dat hij verpleeghulp was.

'Hallo,' zei ik. 'Ik kom voor Tori Edmonds.'

'Juist.' Hij hield de deur voor me open. 'Tori is buiten, op het terras. Aan het eind van dit gebouw. Als je je even inschrijft in het gastenboek breng ik je naar haar toe.'

'Bedankt.'

Afdeling 8 bestond in principe uit een lange, brede gang met deuren aan weerskanten. Links waren de slaapkamers, waarvan sommige deuren openstonden. Ik zag nergens sloten op de deuren, maar de witte vierkanten op de vloer gaven aan dat bezoekers daar niet mochten komen. Het rook er naar schoonmaakmiddelen en ondefinieerbare schoolmaaltijden.

'Misschien een rare vraag,' zei ik, 'maar wat kan ik ongeveer verwachten?'

'Heb je haar weleens tijdens een manische periode meegemaakt?'

'Nee.'

'Nou, ze is al aan het opknappen. Ze krijgt een licht rustgevend middel toegediend, maar je kunt gewoon tegen haar praten, zoals je tegen ieder ander mens praat. Hoe goed ken je haar?'

'We gingen een paar jaar geleden met elkaar om.'

'O, oké. Ben jij de goochelaar?'

'Zoiets, ja. Eigenlijk ben ik journalist.'

'Ze heeft het vaak over je. Ze zal blij zijn dat je er bent. Ook al laat ze het misschien niet meteen merken.'

Aan het einde van de gang waren grotere vertrekken aan beide kanten. Wij sloegen rechts af en kwamen in een zaal met comfortabele zitjes en tafels vol tijdschriften. Om de tafels zaten groepjes mensen en het was moeilijk om meteen vast te stellen wie de bewoners en wie het bezoek waren. De atmosfeer was rustig en ontspannen, zoals in een gewoon ziekenhuis, of in een gevangenis tijdens bezoekuur, hoewel toch meer het eerste. Deze mensen waren tenslotte patiënten, en daarom was de beveiliging subtiel en niet duidelijk aanwezig, bedoeld om onzichtbaar te blijven, tenzij je ernaar zocht. Er zaten sloten op de ramen en de verplegers liepen ontspannen en achteloos in het rond. Maar afgezien van de terrasdeuren waren de dubbele deuren van de ingang, ook met een toetsenpaneeltje ernaast, de enige manier om de zaal in of uit te gaan. Toen Robert me voorging naar de terrasdeuren zag ik dat die met tralies waren beveiligd.

Buiten, in de zon, liep een breed voetpad van lichtbruine straatstenen over de hele lengte van het gebouw, met een soort pleintjes bij de deuren van elke afdeling. Daar stonden houten zitjes, in een halve cirkel, met tafels en staande cilinders met zand om je sigaret in te doven. Overal zaten of stonden mensen een sigaretje te roken, serieus met elkaar te praten of alleen van de zon en de frisse buitenlucht te genieten.

Tori zat met haar rug naar me toe, maar ze had haar haar in een paarden-staart en ik herkende haar meteen aan de kleine getatoeëerde ster in haar nek. Ze zat te midden van een stel mensen. Een van hen was griezelig mager en had een bijna gele huidskleur, dus nam ik aan dat zij ook een patiënt was. Naast dit meisje zat een ouder echtpaar, haar ouders, ver-moedde ik.

Daartegenover zaten Choc en Cardo, die naar me opkeken.

Ik knikte. Choc knikte terug, maar Cardo zakte nog verder onderuit op zijn stoel, wendde zijn blik af en begon met zijn voet op de grond te tikken.

'Hallo, allemaal.' Ik wilde mijn hand op Tori's schouder leggen maar ik wist niet of dat wel toegestaan was, dus boog ik me naar haar toe. 'Het is me gelukt.'

Ze keek naar me op en hield haar hand voor haar ogen tegen de zon.

'Hallo. Kom erbij zitten.'

Ik zocht in de plastic tas die ik bij me had. 'Ik heb sigaretten voor je meegebracht.'

'Dank je.'

'Nou, laat je eens bekijken.'

Ze draaide haar gezicht naar me toe en ik moest me beheersen om niet een stap achteruit te doen. Het zonlicht benadrukte de kleuren van de ene helft van haar gezicht, een palet van paarse, gele en zwarte tinten. Haar linkeroog was roze en bloeddoorlopen, alsof ze een gekleurde contactlens voor een horrorfilm in had. Ik voelde een felle steek van woede, voor Eddie Berries, voor wat hij haar had aangedaan, en voor mezelf, voor wat ik had nagelaten.

'Heel fraai.'

'Ja, dat vind ik ook.' Ze zei het op afstandelijke toon. 'Paars is altijd mijn lievelingskleur geweest.' Ze draaide zich om naar het meisje met anorexia naast haar. 'Dit zijn Amy en haar ouders.'

'Leuk jullie te ontmoeten.'

We glimlachten een beetje onwennig naar elkaar en toen begon Tori met Amy te praten alsof ik er niet was. 'Je moet me eraan herinneren dat ik hem aan je opstuur als we hieruit zijn,' zei ze. 'Volgens mij is het een van zijn beste cd's.'

Ik stak een sigaret op en een paar minuten lang zaten we zwijgend bij elkaar. Toen de verpleeghulp me vertelde dat Tori licht verdoofd was, had ik min of meer verwacht dat ze versuft of slaperig zou zijn, maar het was meer dat ze gemakkelijk werd afgeleid, van het ene gespreksonderwerp op het andere oversprong en op schijnbaar willekeurige momenten nieuwe gesprekken begon en beëindigde. Zonder de medicijnen zou ze waarschijnlijk als een kikker in het rond springen. Met de lichte verdoving was haar manische kant nog steeds aanwezig, maar werd die afgevlakt, als een dansnummer met het volume heel laag.

Ten slotte wendde ik me tot Choc. 'Hoe gaat het?'

Hij haalde zijn schouders op en stak een sigaret op. 'Het kan vriezen het kan dooien, je kent dat wel. Maar het gaat wel goed.'

'Mooi zo.'

Hij gebaarde naar Tori. 'Heeft ze je verteld wat er gebeurd is?'

'In grote lijnen.' Ik schudde mijn hoofd, aarzelde en zei toen: 'Ik wou dat ik er iets aan had gedaan.'

Alle expressie verdween uit zijn gezicht, totdat het volkomen neutraal stond. Hij knikte en zei zacht: 'Vertel mij wat.'

Na die eerste avond in Edward's had ik Choc en Cardo maar een paar keer ontmoet. Ze waren steeds aangenaam gezelschap geweest en je zou bijna vergeten wat ze voor de kost deden. Maar toen ik dat eenmaal wist, had het natuurlijk altijd tussen ons in gestaan. Ze passen heel goed op me, had Tori me een keer verteld, en ik neem aan dat dit een van de redenen was dat ik nooit bezwaar tegen hun gezelschap had gemaakt. Tori had nu eenmaal iets waardoor ze allerlei soorten mensen aantrok, en hoe die mensen zich tegenover haar gedroegen was voor mij een soort barometer geworden. Als Choc om haar gaf en op haar paste, kón hij gewoon niet slecht zijn. Ook Eddie had zich op die manier tot haar aangetrokken gevoeld, alleen had hij zich zo ver laten gaan dat hij haar kwaad had gedaan.

'Ik ben trouwens blij dat je bent gekomen,' zei Choc. 'Ze heeft het voortdurend over je.'

'Ik wilde haar zien. En ik vond zelf dat ik moest komen, begrijp je?'

Hij blies een rookwolk uit, knikte bedachtzaam en bleef voor zich uit staren, alsof hij iets in overweging nam. Ik liet de stilte voortduren. Toen zijn sigaret op was, gooide hij die op de grond en trapte hem uit, in plaats van hem in de bak met zand te doven.

'Heb je plannen voor hierna?' vroeg hij.

'Hierna?'

'Ja, hierna. Heb je tijd?'

Ik wilde iets zeggen, maar hij onderbrak me om het uit te leggen.

'We gaan een praatje met iemand maken. We dachten dat je er misschien bij wilde zijn.'

Tori draaide zich om. 'Dave, je moet zonnebrandcrème opdoen, anders verbrand je.'

'Eh... o ja?'

Ik keek vragend om me heen, alsof er zomaar een fles zonnebrandcrème uit de lucht kon komen vallen, maar toen haalde Tori er een naast zich vandaan. Ze deed wat crème op mijn linkerarm en begon die in de huid te wrijven. Dat had niets seksueels, maar om de een of andere reden voelde ik me buitengewoon opgelaten. Toch liet ik haar begaan.

Ondertussen leunde Choc achterover in zijn stoel, keek me aan, en wist ik dat ons gesprek nog niet afgelopen was. Ook wist ik precies waar hij het over had. Een gesprekje met Eddie. Maar hoezeer ik Eddie op dit moment ook haatte – ik zou hem met plezier het licht uit de ogen hebben geslagen als ik er op dat moment bij was geweest – ik was er niet zeker van of ik die weg wel wilde gaan. Nou, dat wilde ik wel, maar tegelijkertijd ook niet.

Maar ik voelde dat Choc naar me zat te kijken, en de druk van zijn blik versterkte wat ik dacht.

Tori was traag en grondig, ging net zo lang door tot alle crème in mijn huid was verdwenen voordat ik me naar haar toe kon draaien en ze mijn andere arm kon doen. Ik zag hoe ze zich concentreerde, en haar gehavende gezicht werd weer zichtbaar. Ze had haar benen onder zich opgetrokken, en met haar smalle schouders en voorovergebogen bovenlichaam leek ze kleiner dan ooit.

Ik had haar met één hand kunnen optillen, en ze wekte zo'n trage, bezige indruk dat ik het had kunnen doen voordat ze wist wat er gebeurde.

Toen Tori klaar was, keek ze me aan en fronste haar wenkbrauwen. Toen scheen haar iets te binnen te schieten en pakte ze me bij de pols...

'Kom mee, dan geef ik je een rondleiding.'

... alsof ze me lijfelijk kon weghalen van het schuldgevoel dat ze in me vermoedde. En misschien ook weg bij Choc.

Eerst liet ze me haar kamer zien.

'Mijn dagboek. Mijn boeken. En hier kan ik mijn kleren ophangen.'

Tori bewoog zich van de ene bezienswaardigheid naar de volgende, terwijl ik vanaf de toegestane plek in de deuropening toekeek. Haar kamer rook naar het parfum dat me altijd aan haar deed denken, in een hoog, smal flesje met een bloempje erin. Soms, ook later nog, rook ik het als ik op straat liep; dan bleef ik staan en draaide me om in de verwachting, of de hoop, haar te zien.

'Hier kan ik me wassen.'

Ze werkte de hele kamer af, een en al concentratie. En ik wist dat ze dit voor mij deed, in een poging me af te leiden van hoe ik me volgens haar voelde. Ze was waarschijnlijk niet in staat dat onder woorden te brengen, maar zelfs nu, met al haar eigen problemen, dacht ze aan anderen en stuurde ze me een radiosignaal dat door het ethergeruis moest dringen.

Ze kwam de gang weer op.

'En hoe gaat het met Emma?'

'Emma?' Ik wist niet wat ik moest zeggen. 'Het gaat op het ogenblik niet zo goed tussen ons.'

'Wat naar voor je.' Ze hield haar hoofd schuin. 'Maar als het met haar niet werkt, heb je altijd mij nog.'

Die kwam aan, als een stomp in mijn maag, en ik hield mezelf meteen voor dat ik de opmerking niet te serieus moest nemen.

'O...' Haar ogen werden groot en ze pakte mijn pols weer vast. 'Kom mee. Ik moet je nog iets laten zien.'

Ze nam me mee naar de tweede openbare ruimte, waar ik nog niet was geweest. Die was vrijwel gelijk aan de eerste, met comfortabele stoelen en tafels met kranten en tijdschriften. Alleen waren er hier geen mensen. Tori liep door naar de piano die achterin stond. Ze nam op de kruk plaats, met haar rug naar me toe, streek met haar vingers een lok haar achter haar oor en hield haar handen boven het klavier, vol verwachting en klaar om te beginnen.

'Wat zal ik spelen?'

En toen ik haar zo zag, zittend achter het instrument dat ik haar in betere tijden had zien bespelen, kreeg alles een andere lading.

'Ik weet het niet,' bracht ik met moeite uit. 'Iets van Nine Inch Nails?'

'Nee, gekkie. Wacht, deze ken je wel.'

Ze begon 'The Heart Asks Pleasure First' te spelen, het enige klassieke stuk waarvan ze wist dat ik het nog net kon verdragen.

Maar het spelen lukte niet zo goed. Ze miste noten, sloeg af en toe twee toetsen tegelijk aan, en naarmate ze verder in het stuk kwam, ging ze meer en meer fouten maken. Toen ze merkte dat haar vingers haar in de steek lieten, fronste ze haar wenkbrauwen, deed haar ogen dicht en begon zachtjes de melodie mee te zingen. Maar ook dat klonk niet helemaal zuiver.

Ik luisterde naar de misvormde muziek. Zelfs hier, op de plek waartoe ze was veroordeeld, bleef ze onschuldig en ongeremd, maar ik zag de frustratie op haar gezicht toen ze zich bewust werd van haar fouten. Een prachtig stuk muziek, geplaagd door missers en haperingen.

Dit heeft Eddie gedaan, zei ik tegen mezelf. Het is jouw schuld niet.

Maar toen ze ophield met spelen en ik de teleurgestelde glimlach om haar mond zag, kreeg ik zo'n brok van woede in mijn keel dat ik bijna niet meer kon ademhalen. Totdat ik – of het nu goed was of niet – wist wat me te doen stond.

4

Zondag 7 augustus

Toen ze klaar was op de computer opende ze de geschiedenis van de browser en begon ze een voor een de bezochte websites te wissen. Ook al was
haar flatgenoot weg, het wissen vormde een noodzakelijk onderdeel van
het ritueel. Eerst opende je van alles, daarna ruimde je de rommel achter
je op.

Ze verwijderde de opdrachten uit de zoekmachines, van extreme porno-
sites en chatrooms, de gegevens van de sites zelf, haar anonieme e-mailadres en de teksten van haar chats op de seksforums, waar ze mensen toestond aan haar te vertellen wat ze allemaal met haar zouden willen doen.
Ze wiste alle webpagina's waarnaar ze zo volhardend had gezocht en die
ze had verkend. Alles wat, op zijn eigen manier, de personificatie was van
haar lage eigendunk en de haat jegens alles wat ze deed.

Toen ze dat had gedaan, liep ze naar de andere kant van de kamer, waar
ze haar kleren had neergegooid, en wist ze dat het bij lange na niet genoeg
was geweest.

Een halfuur later zat Mary op de bank, met haar benen onder zich opgetrokken, tv te kijken. De afleiding die ze op het internet had gevonden,
wat die ook was geweest, was allang weer verdwenen, en ze voelde zich
nog beroerder dan voordat ze eraan was begonnen. Het was zoiets als een
puistje uitknijpen. Als je niet in één keer alle rotzooi eruit kneep, ging het
ontsteken en werd het alleen maar erger.

Het werd langzaam donkerder in de kamer naarmate de dag ten einde
liep, en het kille licht van de tv bewoog over haar heen. Mary staarde
dwars door het scherm, langs de flitsende beelden, want nieuws zonder
geluid had geen betekenis. De enige beweging die ze zichzelf toestond
was het gladstrijken van haar ene wenkbrauw met haar vingertop, van
binnen naar buiten, keer op keer. Wanneer ze zich meer bewoog, schrok
haar lichaam daarvan alsof iemand haar hardhandig uit een diepe slaap
wakker had geschud.

Niet goed.

Het was eigenlijk verbazingwekkend dat je heel goed begreep welke emoties je daden en je stemmingen bepaalden, maar dat je je er niet van kon losmaken. Mary wist uit ervaring dat ze over een paar dagen zou terugkijken op dit moment en zichzelf dan nauwelijks zou herkennen. Dat ze een onbekende zou zien. Een schriel, machteloos meisje, zittend op de bank, met de armen over elkaar, de vingers als klauwen in de mouwen van haar trui en de huid eronder. Uiteindelijk zou haar humeur opklaren en de druk van haar vingertoppen afnemen. Maar ook al wist ze dat heel goed, het bood haar nu geen enkele hulp. In haar depressies was het alsof ze wegzonk in haar allerzwartste dromen. Daar waar herinneringen aan het echte leven je niet konden helpen.

Deze laatste inzinking was in gang gezet door een nachtmerrie.

Zoals altijd was die afkomstig uit haar kindertijd, wat haar geest de kans gaf alles uit zijn verband te rukken en de details te vervormen. Gezichten waren liggende ovalen, de monden hadden slagtanden en de vingers waren twee keer zo lang en tot klauwen gekromd. Een doodgewone keuken was veranderd in een martelkelder van een kasteel. Mary stond doodsbang aan de grond genageld terwijl een donkergroene vampier het gezicht van een boertje op een roodgloeiend aanbeeld drukte. De man sloeg wanhopig met zijn armen om zich heen, maar ze kon zijn geschreeuw niet horen omdat het werd overstemd door het kwaadaardige geblaf van het monster dat hem vasthield.

Wie heeft je gestuurd? Wie heeft je hiernaartoe gestuurd?

Er steeg rook op van het aanbeeld, ze zag één oog, heel wit en groot van angst, en haar geest maakte er de beelden bij, van schroeiend mensenvlees, geblakerde karkassen die aan de plafondbalken hingen, van bloed dat zich een weg zocht tussen de klinkers van de vloer.

Maar hoe bang ze ook was, het meest bezorgd was Mary om het jongetje dat achter haar stond. Ze probeerde hem het zicht op het aanbeeld te ontnemen, hem tegen de beelden te beschermen, maar om de een of andere reden lukte dat niet, en dat maakte haar aan het huilen. Elke keer wanneer ze zich bewoog keek hij langs haar heen.

Hysterisch snikkend was ze wakker geworden. Ditzelfde gevoel van machteloosheid en frustratie had haar de afgelopen drie dagen beheerst, alsmaar aanzwellend, totdat ze het gevoel had gekregen dat ze uit elkaar zou spatten.

De stille tv tegenover haar liet zijn flitsende beelden zien en Mary boog zich voorover, sloeg haar armen om haar benen en legde haar hoofd op haar knieën. Bevend over heel haar lichaam.

Ze deed het licht aan.
Toen ze de logeerkamer van Katies flat had betrokken, had ze niet veel spullen meegebracht. Daar was ook geen ruimte voor, maar dat gaf niet; veel meer dan haar kleren, een stapeltje boeken, haar lichaam en een kartonnen doos met persoonlijke bezittingen die ze altijd voor het grijpen wilde hebben, bezat ze niet.
Mary zat op haar knieën in haar kamer en rommelde in de doos totdat ze had gevonden wat ze zocht, ging toen naar de keuken en haalde een kleine kom uit het kastje. Ze nam de voorwerpen mee naar de woonkamer, langzaam lopend, alsof ze verdoofd was. Alles wat ze zag werd vertroebeld door tranen.
Nadenken was bijna niet mogelijk, maar...
Doe de gordijnen dicht.
Ze hoorde de mensen op straat, één verdieping lager, grappen makend en lachend, zette ze uit haar hoofd en nam op de bank plaats. In de stilte hoorde ze zichzelf huilen.
Doe die doos open.
Ooit, in een ver verleden, zoals de meeste verhalen beginnen, was dit het naaidoosje van haar moeder geweest. Toen ze jong was werd ze er al door gefascineerd, al die lapjes stof en verborgen vakjes voor naalden en bosjes gekleurd garen. Haar moeder had het achtergelaten toen ze uiteindelijk was weggegaan, in Mary's tienertijd, en het naaimateriaal had ze weggegooid, net als alle andere dingen van haar moeder die ze nooit meer wilde zien. Maar het doosje had ze meegenomen naar het eerste pleeggezin en ze gebruikte het voor de gereedschappen die ze nodig had.
Mary haalde het flesje ontsmettingsvloeistof eruit en goot een bodempje in de kom. Ze koos een scheermesje uit, legde het erin, haalde de wattenschijfjes en ontsmettingscrème eruit en legde die naast de kom op tafel, voor later.
Diep ademhalen.
Dat deed ze een paar keer, maar na een minuut beefde ze nog steeds. Ze kon zich op dat moment niet voorstellen dat er iemand bestond die zich eenzamer en hopelozer voelde dan zij. De afgelopen paar dagen had ze zich nog weten te beheersen. Maar nu had ze haar verzet opgegeven en

het gevoel de vrije loop gelaten. Het was een soort gif. Haar hart stroomde over van emoties die zich een weg door haar aderen baanden.

Toen kon ze eindelijk beginnen. Ze trok haar broekspijp op tot aan haar knie. Er zaten al een paar oude littekens op haar onderbeen: een wirwar van dunne witte lijntjes tussen de fijne, nauwelijks zichtbare haartjes... maar er was nog genoeg ruimte over.

Blijf ademhalen.

Ze nam het scheermesje uit de kom en schudde de vloeistof eraf.

Toen ze de eerste snee aanbracht en de bloeddruppeltjes zag verschijnen, zorgde de pijn voor de eerste lichamelijke sensatie die ze de hele dag had beleefd. En toen ze klaar was, stonden er precies twintig nieuwe lijntjes op haar kuit, die opgezwollen en warm aanvoelde, alsof hij zoemde. De huid jeukte, maar op een vertrouwde, aangename manier. Ze bette de wonden zorgvuldig droog voordat ze de crème erop aanbracht. Er bleef bloed uit komen, dat rode streepjes in de witte crème tekende, dus bleef ze de wonden zachtjes deppen met de wattenschijfjes. Maar dat vond ze niet erg.

Want ze voelde zich euforisch.

Maar alles zat onder het bloed. Het was langs haar enkel gedropen en op de houten vloer terechtgekomen. In ronde en stervormige spatten, en in vegen op plekken waar ze haar blote voet erdoorheen had bewogen. De tissues die ze had gebruikt lagen in rode proppen om haar heen, maar zelfs die rommel gaf haar voldoening.

Soms bestond er maar één manier om met haar gevoelens om te gaan: door iets lichamelijks te doen waar ze min of meer vat op had. Haar kuit was een beeldverslag geworden van die ongewenste emoties, van de zelf-verachting en de haat, van haar berouw en haar frustraties. Ze kon ze nu allemaal duidelijk zien, en wanneer ze zichtbaar waren, kon ze er beter mee omgaan.

Goed schoonmaken, en de heling kon beginnen.

Ze zocht alle tissues bij elkaar, maakte er een prop van, veegde het bloed van de vloer en gooide ze in de vuilnisbak in de keuken. Toen ze terugliep naar de woonkamer, had ze een heerlijk kloppend gevoel in haar been en voelde het alsof ze op lucht liep.

Op dat moment zag ze wat er op het tv-scherm stond.

Heel even maar, nog geen seconde, een tekstregel onder aan het scherm, die meteen daarna werd vervangen door een andere tekstregel. Maar het was lang genoeg om haar te raken. Ze plofte op de bank.

Er had gestaan:

SLACHTOFFER VASTGEBONDEN OP BED EN DOOR UITDROGING GESTORVEN

En nu stond er:

POLITIE: MOGELIJK VERBAND MET EERDERE MOORDEN

Schokkend nieuws.

Mary pakte de afstandsbediening en zette het geluid aan.

'... op het ogenblik niet in de positie hier commentaar op te geven.'

Het was een persconferentie: twee politiemensen in pak zaten achter een brede tafel waar een wit laken op was gelegd. Voor hen stonden talloze microfoons.

'Kunt u bevestigen dat de doodsoorzaak uitdroging was?' vroeg een stem.

'Er wordt op dit moment een uitgebreide autopsie verricht. We hopen het antwoord op die vraag spoedig te kunnen geven.'

De man die het zei was halverwege de dertig en zag er indrukwekkend uit. Atletisch gebouwd, verzorgd en keurig gekapt: de soort politieman die een normaal mens het vertrouwen gaf dat de misdaad opgelost zou worden. Maar Mary's aandacht ging naar de andere man. Die was ouder – ongeveer vijfenveertig, schatte Mary – en zijn gezicht straalde zowel vriendelijkheid als een ondraaglijke droefheid uit. Toen er een camera flitste, bleven zijn ogen opvallend lang dicht.

'Maar u gelooft dat het slachtoffer op bed is vastgebonden en daar geruime tijd heeft gelegen?'

De jongere politieman knikte. 'Dat is een van de mogelijkheden die we onderzoeken,' zei hij.

Mary beefde. Ondanks alles wat ze had gedaan was de put binnen in haar weer opengegaan en waren al haar inktzwarte gevoelens teruggekeerd.

De tekst veranderde weer:

SLACHTOFFER VASTGEBONDEN OP BED EN DOOR UITDROGING GESTORVEN

Ze hoorde boven iets kraken.

Mary's hart sprong in haar keel.

Niks. Het is niks.

De ramen waren dicht en de deuren op slot. Ze trok haar benen onder zich op, sloeg haar armen eromheen en begon zachtjes voor- en achteruit te wiegen in een poging zichzelf te troosten. De woorden kwamen uit het tv-toestel en ze wist precies wat ze inhielden.

Het was een boodschap, een directe boodschap aan haar.

Je moet het hun vertellen.

Diep in haar hart wilde ze dat ook, maar tegelijkertijd wist ze dat het niets zou opleveren. Dat had het nooit gedaan, of wel soms? Ze had van haar eigen wrange ervaringen genoeg geleerd om te weten dat de politie niets zou doen. Niemand deed iets. De enige op wie je kon vertrouwen, was je zelf. En toch was ze machteloos. De tekst op het tv-scherm had haar tot niets gereduceerd; ze was weer het kind dat bang in een hoekje was gekropen. Niemand zou haar helpen, maar het was waanzin om te denken dat ze hier zelf mee overweg kon. Dat kon niemand toch van haar verwachten?

Je wéét niet dat ze niet naar je zullen luisteren, zei ze tegen zichzelf. Hij heeft een vriendelijk gezicht. Hij ziet eruit alsof hij echt om mensen geeft.

Dat soort hoop was gevaarlijk. Het was beter om niets te doen dan dat je uitgestoken hand werd genegeerd of werd weggeslagen.

Maar het gaat niet alleen om jou. Als hij nu eens iemand anders kwaad doet?

Daar had ze geen antwoord op. Wie kon hem anders tegenhouden? Ze was verplicht het aan de politie te vertellen, anders zou zij er voor een deel verantwoordelijk voor zijn als hij zijn volgende slachtoffer te grazen nam, en daarna nog een.

Mary's blik ging naar de telefoon op het tafeltje, maar van hieruit bellen was uitgesloten. Ze had de afgelopen jaren te veel haar best moeten doen om anoniem te blijven en wilde beslist niet dat haar ware identiteit uitkwam. Als ze geen vrijwilligerswerk deed, nam ze alleen baantjes aan die contant betaalden, en haar echte naam stond op geen enkele bon, bankrekening of huurovereenkomst. Want alles kon worden nagegaan.

Toch moest ze het op de een of andere manier melden.

Mary dacht enige tijd na, pakte haar jas en liep de trap af. Ze keek naar links en naar rechts voordat ze de straat op liep. Auto's reden ruisend voorbij en maakten haar aan het schrikken. Ze had de indruk dat iedereen naar haar keek.

Hij leek overal te zijn.

Hij is er niet.

Het kostte haar een halfuur om een telefooncel te vinden die op een veilige afstand van haar huis stond. Zonder acht te slaan op haar kloppende kuit nam ze de hoorn van de haak en draaide het nummer dat ze van het tv-scherm had overgeschreven.

Terwijl ze wachtte totdat er werd opgenomen, werd ze zich bewust van wat ze afgezien van haar angst binnen in zich voelde. Het was die gevaarlijke soort hoop die ze kende. Maar misschien zou het deze keer...

'Hallo,' zei een vrouwenstem. 'Met de politie, afdeling...'

Mary onderbrak haar. 'Ik weet wie die meisjes heeft vermoord,' zei ze.

5

Zondag 7 augustus

Buiten de auto begon de schemer te vallen en bracht een koel briesje de eerste voorboden van de avond met zich mee. Maar de warmte van de afgelopen dag was nog ruim voldoende om de mensen langer op straat te houden. Toen ik langs Hadden Park reed, zag ik ze in groepjes op het gras zitten, en in de verte trapte een stel jongens in sportkleding een bal naar elkaar. In de hoofdstraten zaten de mensen op de banken voor de pubs, zich op te maken voor de komende avond, nog niet bereid om naar binnen of naar huis te gaan.

Bij het stoplicht stopte ik achter de auto van Choc en Cardo en staarden de rode achterlichten me onbewogen aan, als de ogen van een rat in een tunnel. Elke keer wanneer we stopten had ik de aandrang mijn richtingaanwijzer aan te doen en af te slaan. Maar ik deed het niet. Als hun auto doorreed, haalde ik de handrem eraf en gaf ik gas om niet achter te raken.

Choc had me niet verteld waar we naartoe gingen, maar de plaats was niet belangrijk. Wat er ging gebeuren als we daar waren, dáár ging het om. Ik stelde het me ongeveer zo voor: we gingen met z'n drieën naar een huis, klopten op de deur, Eddie deed open en alle kleur trok weg uit zijn gezicht. Dat was het deel dat ik graag wilde zien. Daarna zou Choc een gesprekje met hem hebben. Ik wist best dat Chocs gesprekje niet uitsluitend verbaal zou verlopen, maar nadat ik Tori achter de piano had zien zitten zou ik ook daarmee weinig problemen hebben. Sterker nog, ik was er vrij zeker van dat ik ook dát wilde zien... hoewel ik misschien de grens zou trekken bij er zelf aan meedoen.

Als ik er op deze manier aan dacht was het niet zo moeilijk om achter hen aan te blijven rijden en mijn gezonde verstand tijdelijk uit te schakelen. Het was zelfs zo dat ik mijn schuldgevoel en tekortschieten bij elke afslag een fractie zwarter voelde worden, alsof achter Choc en Cardo aan rijden het enige lichtpuntje van het moment was.

We reden de stad door in oostelijke richting, totdat de hoofdstraten overgingen in smallere buitenwegen met minder verkeer. Na twintig minuten gaf hun auto links richting aan en kwamen we terecht op een secundaire weg, waar we langzamer gingen rijden en het grind knerpte onder onze banden. We reden een bocht om en volgden de weg naar een parkeerterrein. Aan de rechterkant lagen een paar grote bergen grind en de voorkant en linkerkant werden afgeschermd door een dichte rij bomen.

Een steengroeve, vermoedde ik. Verlaten op een zondag.

Er stond één auto op het parkeerterrein, zonder iemand erin, en Choc zette de zijne ernaast. Ik parkeerde naast hem en we bleven allebei even zitten, met lopende motor.

Nu begon het rationele deel van mijn hersenen zich zorgen te maken.

Dit is niet bij iemand op de deur kloppen, of wel soms? Dit is een afgelegen plek.

Maar we waren er nu eenmaal. Ik zette de motor uit en hoorde alleen nog de vogels, gevolgd door het slaan van de portieren toen Choc en Cardo uitstapten en naar het bos liepen. Toen ze bij de eerste bomen kwamen, keken ze ongeduldig om. Ik haalde een keer diep adem en haastte me achter hen aan.

'Als iemand ernaar vraagt,' zei Choc tegen me, 'ben je nu in het Korenveld. Afgesproken?'

'Oké,' zei ik onzeker. 'Waar gaan we naartoe?'

'Het is niet ver.' Hij en Cardo liepen langs de eerste bomen. 'Let op waar je je voeten neerzet.'

We liepen een stukje het bos in. Er was geen voetpad, alleen gras en boomwortels. Er waren dode takken van de bomen gevallen waar je gemakkelijk over kon struikelen, of die braken onder je voeten. Het bladerdak was dicht en de zon kwam er nauwelijks doorheen; hier en daar een streep licht die op de stammen en de grond viel. Dat zou een vredig, idyllisch beeld moeten opleveren, maar nu sprak er alleen dreiging uit. Toch kon ik me niet meer omdraaien en teruggaan.

Na een minuut kwamen we bij de inzittenden van de andere auto.

Ze waren met z'n drieën: gespierde zwarte gedaanten die met de armen over elkaar tegen een boom geleund stonden. Chocs mannen. Ze zagen eruit alsof ze al een tijdje stonden te wachten. De vierde aanwezige was Eddie Berries. Hij zat op zijn knieën in het gras, met het hoofd gebogen. Het merendeel van zijn lange haar was losgeraakt uit zijn paardenstaart en hing tot op zijn bovenbenen. Hij had zijn armen om zichzelf heen geklemd en beefde.

Ik aarzelde even en deed nog een paar stappen naar voren.

Choc en Cardo liepen naar Eddie toe. Ik keek om me heen. Je kon nauwelijks van een open plek in het bos spreken... niet meer dan een onderbreking in de begroeiing, maar net groot genoeg voor ons allen. En ver genoeg van alles vandaan om niet gestoord te worden, besefte ik.

Waar heb je je verdomme mee ingelaten?

De stilte nam plaats in mijn hart en liet het zachtjes zoemen toen ik op Eddie neerkeek. Wat hij Tori ook had aangedaan, hij bood nu een meelijwekkende aanblik: doodsbang en kwetsbaar.

'Hij dacht dat we hem niet zouden vinden.' Choc klonk trots. 'Maar junkies zijn niet erg slim, is het wel? Sta verdomme op.'

Toen Eddie niet reageerde, schopte Choc hem achteloos tegen zijn hoofd en viel Eddie omver.

De elektrische spanning schoot als een speer omhoog in mijn borstkas en bleef daar.

'Sta op, strontbaal.'

Na een seconde kwam Eddie wankelend overeind. Toen hij min of meer rechtop stond, klemde hij zijn armen weer om zichzelf heen, met het hoofd nog steeds gebogen en bevend over zijn hele lichaam.

Hij zei: 'Het spijt me...'

Choc raakte hem met zijn handpalm op zijn voorhoofd, waardoor zijn hoofd achterover klapte.

'Kijk me aan als ik tegen je praat. Gedraag je als een kerel.'

Eddie deed wat hem was opgedragen en hield zijn hoofd recht. Maar zijn blik vloog alle kanten op; hij keek verwilderd naar alles en niets, was te bang om iemand aan te kijken. Choc liep voor hem heen en weer, als een leeuw die door onzichtbare tralies werd tegengehouden.

'Je weet wat je hebt gedaan, hè?'

'Het spijt me. Ik weet niet waarom...'

'Wat? Heb je een reden nodig om ergens spijt van te hebben?'

Eddie schudde zijn hoofd. Hij besefte nog niet dat het niet uitmaakte wat hij zei, dat er geen toverwoorden bestonden die hem uit deze problemen zouden halen.

Voor jou ook niet, bedacht ik.

'Ik bedoel, ik weet niet waarom ik het heb gedaan.'

'Moet ik je een reden geven om er spijt van te hebben?' Choc sloeg hem op de zijkant van zijn hoofd. 'Wil je dát zeggen?'

'Ik had het niet zo bedoeld.'

'Wat? Wist je niet wat je deed?' Nog een klap. 'Zomaar opeens?'

Het waren geen klappen die hem zouden verwonden, maar de dreigende agressie die ervan uitging was minstens even groot als wanneer hij grondig in elkaar was geslagen. Choc was als de kat die met een muis speelde.

'Ik heb mijn vriendin vandaag in het ziekenhuis opgezocht. Ze heeft nooit een vlieg kwaad gedaan en toch vond jij het nodig om haar in elkaar te slaan.' Choc ging achter hem staan. 'En jij dacht dat je mijn vriendin zomaar kon afranselen?'

Weer een intimiderende klap.

'Vuile ellendeling die je bent.'

Opeens greep hij Eddie bij zijn haar en trok hem opzij, uit zijn evenwicht, met een grip zo strak dat de knokkels van zijn hand wit werden en de spieren in zijn arm opzwollen. Eddie slaakte een kreet, maar Choc sleepte hem naar een dikke boom, duwde zijn gezicht tegen de ruwe bast en leunde met zijn volle gewicht tegen hem aan alsof hij hem dwars door de boom probeerde te duwen. Schuurde Eddies gezicht langs de bast – vier, vijf, zes seconden lang – Chocs gezicht vertrokken van inspanning, zo concentreerde hij zich op het pijn doen...

Mijn hart maakte een sprongetje, haperde even en ging toen weer door.

Ten slotte liet Choc hem los.

Eddies gezicht was vuil en zat aan de ene kant vol bloedende schaafwondjes, zijn gezichtsuitdrukking verstrakt van de pijn, als een baby die op het punt staat het op een krijsen te zetten. Vol ongeloof bracht hij zijn hand naar zijn wang, maar Choc sloeg hem weg.

'Nog steeds een stoere jongen, hè?' Choc snoof, keek om naar mij en knikte naar Eddie. 'Kom hier. Dan kun je hem gedag zeggen.'

Ik voelde mijn knieën knikken, maar ik deed wat me gezegd was en ging voor Eddie staan, langzaam ademhalend in een poging kalm te blijven. Een sliert snot liep van Eddies neus naar zijn mond. Eerst durfde hij me niet aan te kijken, maar ten slotte keek hij op, met de tranen in zijn ogen.

Doe me alsjeblieft geen pijn.

En eerlijk gezegd was ik dat ook niet van plan... niet meer. Ik had niet gepland wat ik precies zou doen, maar het was uitgesloten dat ik hieraan ging meedoen, en zolang ik hem met rust liet was ik slechts een toeschouwer, er niet bij betrokken of strafbaar. Want in zekere zin was wat hier gebeurde net zo smerig als wat hij Tori had aangedaan.

Maar toen veranderde zijn gezichtsuitdrukking.

Ik kan er niet de vinger op leggen wat het was. Herkenning, misschien. Hij zag me, wist wie ik was van de paar keer dat we elkaar waren tegengekomen, en toen veranderde er iets op zijn gezicht. Ik zag hem bij zichzelf denken: wie denk je verdomme wel dat je bent, dat je hier namens haar optreedt? Jij stelt niks voor. En op dat moment balden al mijn emoties zich samen en zochten ze een uitweg.

Ik denk dat de klap mij net zoveel verbaasde als hem.

De bomen draaiden om me heen, mijn vuist was hard als steen – *dreun* – toen voelde ik niets meer en stond ik opeens voorovergebogen, met mijn linkerhand om de rechter, terwijl Eddie achterover in het groen viel. Ik keek verbijsterd toe toen hij op zijn rug terechtkwam, er een dode tak onder hem brak en hij zijn beide handen naar zijn gezicht bracht. Verder geen enkel geluid.

'Ha ha ha!' Choc schudde van het lachen en wees naar Eddie. 'Shit, man, volgens mij heb je zijn kaak gebroken!'

Wát heb je gedaan?

Mijn stem, toen ik die terugvond, was maar net te horen.

'Ik heb verdomme mijn hand gebroken.'

'Je meent het! Laat zien.'

Mijn hand trilde toen ik hem naar hem uitstak.

'Je zou weleens gelijk kunnen hebben,' beaamde hij opgewekt. 'Zo te zien wel. Maar je voet heb je nog niet gebroken.'

Ik keek naar Eddie. Terwijl ik dat deed, haalde hij langzaam zijn handen van zijn gezicht. Zijn ogen staarden me aan en hoewel er nog steeds angst in te zien was, had hij ook ergens haat vandaan getoverd.

Ik walgde van mezelf om wat ik had gedaan.

'Ik wil niet meer,' zei ik.

Choc keek me aan alsof hij me wilde overhalen om door te gaan, maar iets in mijn blik vertelde hem blijkbaar dat het zinloos was. Het enthousiasme en de bewondering verdwenen van zijn gezicht totdat het weer achteloos neutraal stond. In die ene seconde, besefte ik, was ik van iemand in niemand veranderd.

Het kon me niet schelen. Ik moest hier weg. Ik had nooit mee moeten gaan.

'Goed dan. Ga terug naar de auto's en wacht daar.'

Ik knikte, draaide me om en liep terug, tussen de bomen door, terwijl de pijn in mijn hand alsmaar erger werd. Het leek wel alsof hij in brand stond. Achter me hoorde ik het doffe geluid van een schop en toen ik omkeek, zag ik Choc een stap weg doen van Eddie en zijn voet optrekken om op hem te stampen. Eddie keek niet meer naar me. Ik draaide me om en liep door.

Wat er nu gaande was, had niets met mij te maken. Het enige wat ik had gedaan, was die ene stompzinnige dreun uitdelen, wat aanzienlijk minder was dan hij had verdiend. Een stuk minder dan wat hij Tori had aangedaan.

Dat bleef ik mezelf voorhouden. Van mijn goochelacts wist ik dat je mensen van heel veel kon overtuigen, als je maar genoeg je best deed.

Terug op het parkeerterrein bekeek ik mijn hand. De eerste twee knokkels brandden en jeukten, en toen ik ze aanraakte kromp ik ineen van de pijn. Het voelde alsof er een gloeiend heet muntstuk op mijn handrug lag.

Als er íéts is wat je als goochelaar niet moet doen, is het je hand breken. Ik probeerde mijn vingers te strekken en verging van de pijn. Wat had ik verdomme gedaan? Mijn truc met het muntje kon ik niet meer doen, om over die met het kaartspel maar helemaal te zwijgen.

Ik wilde een sigaret opsteken, maar volgens mij kon ik die niet eens vasthouden.

Op dat moment hoorde ik het.

Een enkel geluid, dat uit het bos kwam. Langzaam draaide ik mijn hoofd in de richting ervan. In de verte, boven de bomen, waren de vogels opgevlogen.

En toen hoorde ik het nog een keer: een droge, krakende knal.

De haartjes in mijn nek stonden onmiddellijk overeind en ik merkte dat ik heel langzaam ademhaalde.

Talloze ideeën schoten door mijn hoofd en maakten me allemaal even bang.

Maar ik verroerde me niet en bleef wezenloos naar de bosrand staren.

Alles was weer stil.

Dit kon toch niet zijn wat ik dacht? Zelfs Choc zou niet...

Je moet hier weg.

Verderop tussen de bomen hoorde ik een tak breken. Er kwam iemand terug.

Even bleef ik aan de grond genageld staan, maar toen ik in beweging kwam had ik het gevoel dat niets ter wereld me kon tegenhouden. Ik rende om de auto heen, zocht naar mijn sleutels, rukte het portier open.

Wierp mezelf naar binnen. De motor haperde en kwam toen tot leven. O, shit.

Het grind knerpte en spatte op achter de auto toen ik die te snel keerde, mijn gebroken hand trillend op het stuur lag en ik in mijn achteruitkijkspiegel het bos in beeld zag draaien. Niemand. Nog niet.

Ik schoot de secundaire weg op, reed hobbelend over de oneffenheden en draaide aan het eind de weg op zonder te kijken of er iemand aankwam. Het kan verdomme toch niet waar zijn dat ze hem hebben vermoord? Toen trapte ik het gaspedaal in.

De richting maakte niet uit, als ik maar weg was.

Een vinger wodka en een vinger water, in één slok achterover. Niet echt lekker, ook geen bijzonder aangename aanblik, dat geef ik toe, maar wel buitengewoon praktisch.

Nadat ik een tijdje doelloos had rondgereden in een poging mijn paniek tot bedaren te brengen, reed ik naar huis, zette de auto voor de deur en ging mijn doodstille woning binnen. De voordeur was op straatniveau, tussen twee winkels, en werd gevolgd door een trap die naar mijn flat van twee verdiepingen voerde. Emma had haar sleutel door de brievenbus gedaan en ik vond hem op de mat toen ik binnenkwam. Ik liep de trap op en zag dat ze het licht in de woonkamer aan had gelaten, maar alle dozen met haar kleren en boeken waren weg. Dat was dan dat.

Ik deed het licht uit en liep door naar de keuken.

Er lag een fles wodka in de koelkast en op de keukentafel stond een asbak. Mijn vingers trilden te erg om een sigaret met mijn rechterhand vast te houden, dus rookte ik links en was ik van plan zo snel mogelijk flink dronken te worden.

Het vijfde glas liet ik een tijdje staan terwijl ik mijn hand nog steeds zag trillen, hoewel de alcohol de pijn bijna helemaal had verdoofd, wat een merkwaardige gewaarwording was. De eerste twee knokkels waren zwart en de bloeduitstorting had zich over de rug van mijn hand uitgebreid tot aan de pols. Ik bracht mijn duim naar mijn vingertoppen en werd weer beloond met dat brandende gevoel alsof er een gloeiend heet muntstuk op mijn handrug lag, een pijn die dwars door de wodkaverdoving sneed.

Ik dronk mijn glas leeg en schonk er nog een in.

Er was niets gebeurd, zei ik tegen mezelf. Wat ik had gehoord waren geen pistoolschoten geweest. Ik had een dreun uitgedeeld, maar dat was alles.

Eddie had een pak slaag gekregen – en dat had hij verdiend – en daar hield het mee op.

Ik dronk mijn glas weer leeg en schonk het volgende in.

Zoals ik Tori had verteld op de avond dat ik haar had ontmoet, ging het bij goochelen vooral om misleiding. Je moest mensen zover zien te krijgen dat ze hun ongeloof tijdelijk negeerden en iets aannamen waarvan ze diep in hun hart wisten dat het niet waar was. Meer dan ooit was het nu het moment om die truc op mezelf toe te passen. Ik moest mezelf ervan overtuigen dat er niets was gebeurd.

Dus bleef ik drinken en tegen mezelf liegen, steeds weer opnieuw, totdat de woorden als een blauwdruk in mijn onderbewustzijn stonden geëtst. Er is niets gebeurd. Je bent naar het Korenveld geweest. Je moest een goocheltruc ongeveer drieduizend keer oefenen voordat je die zonder na te denken kon doen, en ik was nu bezig met het mentale equivalent daarvan. Mijn geest moest weten dat er niets was gebeurd zonder dat ik erover hoefde na te denken.

Uiteindelijk, in de vroege ochtend, toen ik nauwelijks nog op mijn benen kon staan, kroop ik de trap op en liet ik me op het bed vallen, en op een of ander onduidelijk moment daarna, na diverse golven van misselijkheid en paniek, viel ik in slaap.

Ik droomde van mijn broer Owen. Hij bevond zich in een ander bos en er klonk een pistoolschot dat ik nooit had gehoord maar dat wel degelijk echt was geweest, en daarna de herinnering aan de politieman die in mijn slaapkamer naast mijn bed gehurkt zat en op vriendelijke toon tegen me praatte, me vertelde dat mijn broer dood was.

6

Vrijdag 19 augustus

Toen Sam Currie twee jaar daarvoor naar de woning van zijn zoon in het Grindlea Estate was gegaan, was het een warme augustusdag geweest, ongeveer zo'n dag als vandaag. De hemel egaal leigrijs, zonder wolken, met een vage zon die als een koperen munt achter een plaat matglas stond. Currie was geïrriteerd geweest toen hij naar zijn zoons huis reed. Hij was kwaad geweest op Neil, en op zijn vrouw Linda.

De laatste keer dat hij zijn zoon had gezien was twee weken daarvoor, toen Neil bij hen was langsgekomen. Een bezoek dat werd gekenmerkt door spanning en ergernis, zoals altijd. Currie had nauwelijks zijn afkeer kunnen verbergen over hoe zijn zoon eruitzag. En hoe hij had geroken, want Neils verslaving hing als een wolk om hem heen, een ongewassen, dierlijke stank. Zijn lichaam was mager en bleek als kraakbeen. Soms, wanneer Currie de foto's van Neils verjaardagspartijtjes van vroeger bekeek, dat blije, lachende kind, probeerde hij zich voor te stellen waar het fout was gegaan. Er waren dagen dat hij zich bedroefd en schuldig had gevoeld over het smerige, primitieve bestaan dat zijn zoon leidde, maar andere keren maakte het hem gewoon woedend. Neil zwalkte heen en weer tussen slachtoffer en kleine crimineel, en Curries mening over zichzelf veranderde dienovereenkomstig.

Tijdens dat laatste bezoek hadden ze niets tegen elkaar te zeggen gehad. Currie had zijn zoon in de ogen gekeken en de jachtige, berekenende blik van de verslaafde herkend. Niets wat ook maar in de buurt van genegenheid voor zijn ouders kwam. Maar er was tenminste ook nog goed nieuws geweest: Neil was van de straat, hoewel een huis in de Grindleas als verre van ideaal kon worden gezien. Hij had ook gezegd dat hij van de heroïne af was, maar het was duidelijk te zien geweest dat hij loog, en toen hij die dag was vertrokken, hadden ze ontdekt dat er geld en sieraden waren verdwenen. Linda had gehuild. Curries hart, in de loop der jaren al zo vaak beschadigd, had zich verhard tot stug littekenweefsel, maar dat van zijn vrouw had zich altijd weer hersteld, om opnieuw gebroken te worden.

Die avond hadden ze gepraat over wat ze moesten doen en waren ze tot de moeilijke beslissing gekomen dat ze het contact met Neil moesten verbreken. Hij was hun zoon en ze hielden van hem, maar Currie had Linda ervan overtuigd dat dit de enige mogelijkheid was. Maar al na een week zonder contact was ze zich zorgen gaan maken. Ze had Neil gebeld, achter Curries rug om, en er was niet opgenomen, en ze had haar man gevraagd bij hem langs te gaan om te zien of alles in orde met hem was. Eerst had hij dat geweigerd – hun zoon had haar niet teruggebeld, had hij tegen haar gezegd, omdat ze hem nu niet meer van nut was – en de hele week lang had hij zijn poot stijf gehouden en het onderwerp afgekapt zodra zijn vrouw erover begon. Uiteindelijk had ze hem bijna in tranen gesmeekt bij Neil te gaan kijken, en had Currie alsnog toegegeven.

Dus was hij naar de Grindleas gereden, geïrriteerd omdat hij wist dat het pure tijdverspilling was, had zijn auto halverwege de heuvel geparkeerd en was het pad tussen de woningbouwflats op gelopen om het adres van zijn zoon te vinden. Maar ergens tussen de auto en Neils voordeur had hij een lichte tinteling in zijn achterhoofd gevoeld. Misschien was het zijn verbeelding, die het er naderhand aan had toegevoegd, maar toch meende hij het zich duidelijk te herinneren. Er was niets veranderd en hij kon onmogelijk weten dat er iets mis was, maar toch voelde hij het. Toen hij bij het juiste huisnummer kwam en zag dat er een schaduw over de voorgevel viel, voelde hij zijn maag verkrampen. De stank die hij rook kon van de vuilnisemmers in de tuin afkomstig zijn, maar hij wist meteen dat dat niet zo was.

Er kwam geen reactie toen hij op de deur klopte; Currie moest hem intrappen. Toen het hout versplinterde en de deur naar binnen openvloog, stoven duizend vliegen in één zwerm op, wat een hard ruisend gezoem voortbracht, en kwam er een golf warme lucht naar buiten die als vet aan zijn huid en de opstaande haartjes van zijn armen bleef kleven. Neil was al bijna een week dood geweest. Currie vond het lijk van zijn zoon onderuit hangend op de bank, met een roodgloeiend elektrisch kacheltje ernaast.

In de dagen daarna zou er een schoonmaakploeg komen om de bank, de vloerbedekking en tien van de vloerplanken te verwijderen. Mannen met zuurstofmaskers en dikke handschoenen zouden de tientallen injectienaalden uit de bergen huisvuil halen. De uitwerpselen uit de gang schrapen. Maar voor het zover was, was er alleen Sam Currie. De betekenis van wat er met zijn zoon was gebeurd moest even wachten terwijl zijn professionele instinct het commando overnam en bepaalde wat er eerst moest gebeuren. Hij liep rustig naar buiten, de verwaarloosde tuin in, en trok de voordeur achter zich dicht. Diep in zijn hart begreep hij dat zijn huwelijk voorbij was, zijn leven voor eeuwig ontwricht, maar het enige wat hij op dat moment deed, was tegen de buitenmuur leunen en zijn partner bellen.

Hij dacht aan niets. Helemaal niets.

Een week was een lange tijd om onopgemerkt dood in een huis te liggen. Wanneer Currie zichzelf een paar glazen sterkedrank toestond, wat nu minder vaak gebeurde dan kort na Neils dood, dacht hij na over die week. In zijn gedachten was Neil toen nog in leven: dood, in praktische zin, maar toch had hij nog gered kunnen worden, door de man die te koppig was om bij hem langs te gaan. Een man die prioriteiten had, zoals het altijd was geweest. Elke seconde van die weigering droeg bij aan de droefenis die Currie voelde wanneer hij voor zich uit staarde, naar om het even welke muur zich op dat moment voor hem bevond.

Dan zag hij zijn zoon voor zich zoals hij op de oude foto's had gestaan: jong maar verloren, eenzaam en in tranen. Dat deed de dood met je. Mensen werden vereeuwigd als slachtoffer, bijna altijd. Vraagtekens aan het eind van betekenisloze zinnen, die je zelf moest invullen.

Nu, twee jaar later, reden ze de Grindleas in en keek Currie naar de huizen links van hem. Neils vroegere flat was niet te zien, maar hij voelde de aanwezigheid, of tenminste, dat dacht hij.

Swann zat achter het stuur. 'Alles oké?'

'Ja,' zei Currie.

'Bang voor een hinderlaag?'

Currie grijnsde.

Er waren armere buurten, maar de Grindleas hadden een slechte naam, die van een kwaadaardige concentratie van armoede en criminaliteit gelegen tussen twee buitenwijken. Met maar één behoorlijke weg erin en eruit. Er waren politiemensen die zeiden dat als de bewoners het wilden, ze onder aan de heuvel een barricade konden oprichten en ze de politie minstens een paar dagen konden tegenhouden. Er woonden hier zeker vijftig tot zestig mensen, waarvan velen over wapens beschikten, die daar graag aan zouden meewerken. Charlie Drake woonde hier, net als het merendeel van zijn mannen.

En iemand die Frank Carroll heette.

'Ik ben alleen moe,' zei Currie.

Swann trok zijn wenkbrauwen op. Dat zal wel.

De week nadat ze het lijk van Alison Wilcox hadden gevonden was gekenmerkt door drukke werkzaamheden en frustratie. De technische recherche had hun weinig gegeven waarmee ze aan de slag konden gaan, en de meerderheid van Alisons vrienden en bekenden had hun niets kunnen vertellen.

Wel was er een bekend beeld ontstaan. Alison was een intelligente, aantrekkelijke studente geweest... populair ook, hoewel ze de laatste tijd bij diverse mensen van de radar was geraakt, zoals dat nu eenmaal gaat. Voor zover iedereen had geweten ging het goed met haar en dus hadden ze haar, zonder het bewust van plan te zijn, in hun hoofd op stand-by gezet: alles was oké en ze zouden binnenkort wel weer eens contact met haar opnemen, als ze eraan dachten. Enkele van haar betere vrienden hadden haar onlangs een sms'je of een e-mail gestuurd. Ze hadden allemaal antwoord gekregen, antwoorden die op exact dezelfde manier waren geformuleerd. Maar de laatste keer dat iemand haar echt had gezien of aan de telefoon had gehad, was meer dan twee weken voor haar dood geweest.

De sms'jes en e-mails boden een gruwelijk beeld van wat zich in die tijd had voltrokken. Die betekenden namelijk dat Alisons moordenaar gebruik had kunnen maken van haar mobiele telefoon en haar e-mailaccount, en dat hij, terwijl zij daar langzaam lag dood te gaan, had gedaan alsof hij haar was en de noodzakelijke contacten had onderhouden om eventuele bezorgdheid weg te nemen.

Het was een afschrikwekkend besef voor de mensen die deze berichten hadden ontvangen, wanneer ze erover nadachten, maar het was nog veel erger gemaakt door wat er daarna was gebeurd. Alisons dood had niet het einde van het contact betekend. Op de ochtend dat haar lijk was gevonden hadden zes van haar vrienden een sms'je van haar mobiele telefoon ontvangen. Een kort bericht dat luidde: JIJ HEBT HAAR LATEN DOODGAAN.

Natuurlijk waren al die sms'jes getraceerd. Net als bij de eerdere moorden had de moordenaar de e-mails verzonden vanuit het huis van het slachtoffer en de sms'jes vanuit anonieme, drukke straten, waarbij hij de beveiligingscamera's van CCTV zorgvuldig had vermeden. Hij had precies geweten wat hij deed. Voor de derde keer vermoedde Currie dat het hem zou lukken om niet gepakt te worden.

Swann naderde de rotonde boven aan de heuvel. Daar waren het post-kantoor, een slijterij en een pub – de Cockerel – die eruitzag alsof je er beter kon wegblijven. Achter de rotonde de Plug: drie hoge flats waar handdoeken uit de ramen hingen en vloerkleden die over de waslijnen op de pokdalige balkons waren gehangen. De onderkant van de flats zat vol graffiti, die er als klimop tegen omhoog kroop. Swann stuurde om de rotonde, reed de flats voorbij en stopte links ervan.

Toen ze uitstapten, hoorde Currie muziek uit een van de open ramen komen.

'Dus,' zei hij. 'Frank Carroll. Vertel me nog eens waarom we hier zijn?'

'Omdat we brave smerissen zijn die alle aanwijzingen nagaan.'

'Ah, juist. Ik begrijp het.'

Swann deed zijn portier dicht.

'En omdat we wanhopig zijn,' zei hij.

Volgens het Daderregister Seksuele Vergrijpen woonde Frank Carroll in het huis waar ze nu voor de deur stonden: een gemeentewoning van één verdieping, met een plat dak en een grauwe tuin vol onkruid. Iemand had in witte letters GORE SMEERLAP - KINDEREN: PAS OP! op de voordeur geverfd. Daaronder waren nog vaag de kreten te zien die eerder aange-bracht waren.

'Wat denk je, is dit het juiste adres?' vroeg Currie.

Swann grijnsde naar hem en deed het tuinhekje open.

Op het eerste gezicht leek de tip niet veelbelovend. Carrolls naam was genoemd in een anoniem telefoontje dat was binnengekomen op de avond nadat ze Alison hadden gevonden, maar het gebrek aan details had ervoor gezorgd dat ze de melding pas gisteren op hun bureau hadden gekregen. Toen Currie de grote lijnen van Carrolls dossier had doorgenomen was hij wel geïnteresseerd geweest, hoewel verre van overtuigd. Maar ze waren brave smerissen. En ze waren wanhopig.

Bij de voordeur hoorde Currie het geluid van een tv, die flink hard stond. Het klonk alsof er iemand werd vermoord; kreten die door de kieren in het hout en de gaten in het metselwerk naar buiten kwamen.

Hij klopte op de deur en het werd onmiddellijk stil binnen.

En dat was het moment waarop bij Currie het gevoel begon. Er was geen rationele reden voor, maar hij voelde zich nerveus. Niet echt bang, maar het zat er niet ver vanaf. De snelheid waarmee het geluid van de tv uit was gezet deed hem denken aan een spin die zich niet verroert zodra er een vlieg in zijn web terechtkomt. Hij kon de man bijna voor zich zien, net zo roerloos. Luisterend.

Na een minuut werd er opengedaan. Ze stonden tegenover een lange, magere man. Hij had een wit hemd aan, dat te groot voor hem leek, en een oude joggingbroek van een rubberachtige stof.

Currie herkende hem eerst niet. Op de foto in het dossier had hij een man gezien van bijna veertig, die een knap, symmetrisch gezicht had. Zijn hoekige onderkaak had hem een wrede uitstraling gegeven, wat was versterkt door de blik in zijn ogen, die intelligent en vol haat was. Twaalf jaar geleden had Frank Carroll – toen pas enkele uren van zijn functie van politieman ontheven – de wereld in gekeken alsof hij wel honderd manieren kende om je te slopen, en alsof hij van al die manieren evenveel zou genieten. En met zijn forse, krachtige lichaamsbouw had hij er ook uitgezien alsof hij daartoe in staat was.

Maar de gevangenis was hem duidelijk niet welgezind geweest. Zijn huid was grauw en slap geworden en zijn haar was grijs en had zich hoger op zijn schedel teruggetrokken. Hij was ook heel wat kilo's kwijtgeraakt. Die sterke, massieve man had nu een kippenborst en zag er ronduit zwak uit. Hij stond ook iets voorovergebogen, alsof hij iets aan zijn rug had. De oude spieren hingen als slappe, nutteloze kabels aan zijn botten. Hij had nog wel die wrede blik, maar ook daarmee was iets aan de hand, alsof een van zijn ogen uit zijn hoofd was gehaald en verkeerd was teruggezet.

Currie voelde zijn onrust toenemen. Een onprettig gevoel zoemde binnen in hem.

'Meneer Carroll?' Hij hield zijn legitimatie op. 'Rechercheur Currie, rechercheur Swann. We willen je graag een paar vragen stellen.'

Frank Carroll bleef hem aanstaren.

Currie voelde een absurd verlangen zichzelf te krabben.

'Kom binnen.'

Hij keek Swann even aan toen ze achter Carroll aan de woning binnengingen, de deur achter zich dichtdeden... en trok een vies gezicht toen hij de stank rook. Het leek wel of iemand een fles ammonia onder zijn neus hield. De korte gang rook naar oud zweet.

Traag en behoedzaam ging Carroll de woonkamer binnen. Het vertrek bevond zich in een erbarmelijke staat. Op de vloerbedekking lag een dikke laag stof – en de vlooien sprongen er waarschijnlijk uit, dacht Currie – en het behang zat vol gele vochtplekken. Op de gore salontafel stond een asbak vol peuken en langs de wanden lagen stapels oude kranten en tijdschriften. Het was alsof er een grijze mist in huis hing.

Voorzichtig liet Carroll zich op de tweezitter zakken, waarbij zijn magere knieën de stof van zijn vettige joggingbroek oprekten.

'Ik weet waarom jullie hier zijn,' zei hij.

'O ja? Waarom dan?'

'Jullie zijn hier vanwege die meisjes.' Carroll snoof afkerig. 'Ik heb jullie op tv gezien. Toen jullie het over die meisjes hadden. Daar herken ik jullie van.'

'Dat is heel opmerkzaam van je. Eens een smeris, altijd een smeris, hè?'

'Ik ben geen politieman meer.'

'Nee, dat weten we.' Currie keek om zich heen en nam de details van de woonkamer in zich op. En ook geen interieurverzorger, dacht hij, en hij keek de oude man weer aan. 'Maar dat verklaart nog niet dat je ons had verwacht.'

Carroll bleef hem alleen aankijken, en er kwam een net zichtbare geamuseerdheid in zijn blik. Currie bladerde zijn mentale lijst van reactiekenmerken door om te bepalen wat hij zag, en vond al snel wat hij zocht. De sluwe oude man, die alles al had meegemaakt, hield audiëntie. Je maakt op mij geen indruk, jongen, scheen hij te denken.

'We waren geïnteresseerd in je dossier. We zijn op een paar merkwaardige overeenkomsten gestuit. Maar ach, dat weet je zelf ook wel, toch? Als opmerkzaam man?'

Carroll glimlachte, waarbij zijn lippen heel smal werden. 'Maar dat verklaart niet waarom jullie in mijn dossier geïnteresseerd zouden zijn. Jullie zijn gebeld, hè?'

Swann ging bij de muur staan en liet de neus van zijn schoen langs een stapel tijdschriften gaan. Carrolls blik schoot zijn kant op, zo snel als de spin die Currie zich eerder had voorgesteld. Swann glimlachte.

'Je hebt hier toch geen dingen waar we van zouden moeten weten, hè, Frank?'

'Alleen nieuws, veel nieuws.' Hij sprak het woord uit alsof het voor het eerst was.

'Nieuws is fascinerend,' beaamde Swann. 'Hoe ouder, hoe beter. Of ben je soms van plan iets van papier-maché te maken?'

'Er zijn hier geen verboden zaken, als je dat soms bedoelt,' zei Carroll. 'Waarom zou dat zo zijn?'

'Omdat je van kleine meisjes houdt,' zei Currie. 'Tenminste, dat deed je vroeger. Van vijftien jaar, tien jaar zelfs. Ik was diep geschokt toen ik je dossier las. Je eigen dochter, Frank.'

Hij had in het dossier ook een foto van Mary Carroll gezien. Ze zag er veel jonger uit dan vijftien. Toen de foto was genomen, had ze een wit T-shirt aan en had ze een bleek, mager gezicht met donkere kringen om haar angstige ogen. Een van die ogen zat bijna dicht. Het blonde haar had eruitgezien alsof het in geen week was gewassen of was gekamd.

'Ik heb geen dochter,' zei Carroll.

'Helaas voor haar heb je er wel degelijk een,' zei Currie. 'En een zoon ook. Hoewel ik betwijfel of je weleens een verjaardagskaart van een van beiden krijgt. Gebeurt dat vaak?'

'Voor mij zijn ze dood.'

'Nou, we weten allemaal wat je met haar hebt gedaan.'

Langzaam keek Carroll naar hem op. 'Allerlei dingen.'

Currie probeerde vriendelijk te glimlachen. Hij was gewend geraakt aan de omgang met dit soort tuig, maar soms choqueerden ze hem nog steeds. De dingen die ze anderen aandeden, en hoe ze daar naderhand over dachten.

'We hebben het over één specifiek ding,' zei hij. 'Dat je haar op het bed vastbond, is dat niet zo? En dat je haar dan dagenlang liet liggen, zonder eten of water.'

'Dat is een van de minder interessante dingen.'

Swann duwde weer met zijn schoen tegen de stapel tijdschriften en keek niet eens om. 'Je bent twee jaar geleden vrijgekomen, Frank. En heel toevallig zijn er daarna soortgelijke dingen met andere meisjes gebeurd. Wij zijn héél geïnteresseerd in die dingen, ook al ben jij het misschien niet.'

Carroll had al die tijd naar Currie zitten kijken. De uitdrukking op zijn gezicht was volstrekt neutraal.

'Heeft iemand jullie gebeld?' vroeg hij weer.

'Nee,' zei Swann. 'We hebben een computer die namen voor ons uitspuugt. En dat bedoel ik letterlijk...' De stapel tijdschriften viel om. 'Oeps. Sorry.'

Carroll keek naar hem op, schudde zijn hoofd en keek naar de vloer voor zijn voeten. Zijn handen zochten elkaar – als vogels met gebroken vleugels – hij zette zijn vingertoppen tegen elkaar, voor zijn gezicht, en plaatste zijn knokige ellebogen op zijn magere knieën.

'Weten jullie wat ze in de gevangenis met politiemensen doen?' vroeg hij.

'Ik neem aan dat jij ons dat kunt vertellen,' zei Swann.

'Ze breken je,' zei Carroll. 'Mijn linkeroog is van glas en die helft van mijn gezicht is verlamd. Ik sta geregistreerd als invalide. Het kost me een halfuur om van de ene kant van de kamer naar de andere te lopen. En jullie denken dat ik nog iemand kwaad kan doen?'

Goed punt, dacht Currie. Alle slachtoffers leken handmatig overmeesterd te zijn en Carroll zag eruit alsof hij amper zijn armen kon optillen. Dus hier bleef het bij? Een sadistische, gebroken oude man die zijn tijd uitzat, of ging het toch om meer dan alleen zijn leeftijd en zijn vieze lijflucht?

'Ik ben bang dat je met ons mee zult moeten komen, Frank.'

Carroll schudde zijn hoofd weer. Toen boog hij zich langzaam voorover, trok de pijp van zijn joggingbroek op en ontblootte een bleek, haarloos onderbeen. Er zat een zwarte band omheen en het duurde even voordat Currie wist wat hij zag. En toen Carroll naar hem opkeek, leek hij intens tevreden met zichzelf.

Een elektronische enkelband, op de plek waar hij hoorde: gps. Surveillance.

'Jullie kunnen nagaan waar ik ben geweest.'

Currie keek naar Swann, die zijn hoofd schuin hield alsof hij wilde zeggen: nou jij weer. Currie draaide zich om naar Frank Carroll en dwong zijn mond weer in een glimlach die hij niet voelde.

'Dat zullen we zeker doen, meneer Carroll,' zei hij. 'Als je in de tussentijd, in je eigen tempo, je jas wilt gaan pakken?'

7

Maandag 22 augustus

Twee weken nadat ik Tori in het ziekenhuis had opgezocht reed ik door de stad, op weg naar een plek waar ik bijna een jaar niet was geweest.

De afgelopen veertien dagen waren warm en benauwd geweest, maar vandaag werden we er voor het eerst aan herinnerd dat de zomer niet eeuwig zou duren. De zon had zich vanochtend achter een grijze mist verstopt. Het was nog steeds warm, maar er zat ook een vleugje winter in de lucht, de voorbode dat kou en vorst aan hun reis hiernaartoe waren begonnen. Ik vond dat wel prettig. Het gaf aan dat de tijd doorging.

De afgelopen twee weken had ik zo veel mogelijk als een kluizenaar geleefd, opgesloten in mijn flat, in de verwachting dat er ieder moment op mijn deur kon worden geklopt. Ik had daarvoor al moeite met slapen gehad, maar de eerste paar dagen na mijn tocht naar het bos had ik helemaal geen oog dichtgedaan. En toch was er niets gebeurd. De politie had niet voor de deur gestaan om me te arresteren en van Choc had ik ook niets gehoord. Ik keek dagelijks naar het nieuws, maar voor zover ik wist was Eddies lichaam nog steeds niet gevonden.

Al die tijd bleef ik mezelf inprenten dat er niets was gebeurd. Ik wist niet of dit enig effect had gehad, maar om de een of andere reden – misschien alleen het verstrijken van de tijd – waren mijn schuldgevoel en angst iets afgenomen, lukte het me om de dingen een plaats te geven in mijn hoofd en gingen er soms uren voorbij waarin ik mezelf kon wijsmaken dat ik een normaal mens was, met normale zaken om me zorgen over te maken. Maar diep in mijn hart wist ik dat dit slechts tijdelijk was, en misschien had dat iets te maken met waar ik nu naartoe ging.

Ik reed de Washmores in en voelde de eerste tinteling van herkenning. Dit was de omgeving waar ik was opgegroeid. Alles was hier vertrouwd en toch ook een beetje anders, alsof de helft van de huizen was geschilderd en van een of andere uitbouw was voorzien. De weg waarop ik reed eindigde bij een rij meerpaaltjes, vlak bij de brug over de rivier, die ik verderop kon horen ruisen. Ik sloeg rechts af, een smalle, met kinderhoofdjes bestrate laan in. Aan de ene kant was een muur, met mos begroeid, en halverwege stond de oude straatlantaarn: een glazen kubus met een lamp, twee zijarmen eronder, en een vrij dunne paal waar de groene verf grotendeels af was gesleten. Als kind was ik er talloze keren in geklommen en had ik aan de zijarmen gehangen. Als ik er nu naar keek was het vreemd om te bedenken dat ik ooit zo klein was geweest.

Een minuut later naderde ik een groot victoriaans huis dat een stukje van de rijweg stond. De buitenmuren waren donker van ouderdom en roetaanslag, en er was een oprit die erachter uit het zicht verdween.

Als ik mijn ogen dichtdeed, zag ik het allemaal voor me.

Achter het huis de grote tuin, die afliep in drie niveaus, nu grotendeels verwaarloosd en verwilderd. Bovenaan de waslijn die de herinnering aan mijn moeder opriep, dat ze zich moest strekken om het natte wasgoed op te hangen, en de wasknijpers die ze al aan haar mouw had gedaan. Het tweede deel, met in het midden nog steeds de kale plek waar mijn vader zijn grote vuren had gemaakt, om redenen die alleen hem bekend waren. Ik was achtentwintig geworden zonder ooit de behoefte te voelen om een vuur te maken, maar hij moest altijd iets verbranden. En ten slotte de helling met het lange gras, die eindigde bij de bosjes en de afrastering die de grens van het land van mijn ouders markeerden. Daarachter het bos waar Owen was doodgeschoten.

Mijn broer stond voor altijd op twaalfjarige leeftijd in mijn geheugen gegrift. Hij was in zijn eentje in het bos gaan spelen en mijn ouders hadden niet in de gaten gehad dat er iets mis was totdat rond theetijd de politie ineens voor de deur stond. Owen was in zijn zij geschoten met een zware luchtbuks. Een wandelaar had hem gevonden, liggend in het zand, opgerold als een rups. Automobilisten hadden die middag een groep oudere jongens het bos uit zien komen, aan de andere kant, bij de ringweg, maar ze hadden nooit kunnen ontdekken wie het waren geweest. In de loop der jaren heb ik me vaak afgevraagd of ze wel beseften wat ze hadden gedaan.

Ik parkeerde achter het busje van De Schoonmaakfee en liep het lange tuinpad op. Aan weerskanten van de eerste treden stonden kleine bomen waarvan de takken in elkaar waren gegroeid, zodat ze een soort poort vormden. Ik bleef staan en keek naar de donkere bladeren boven me. Als kind, wist ik nog, was ik in deze bomen geklommen, en nu kon ik de takken, die mijn gewicht niet meer konden dragen, bijna aanraken als ik op mijn tenen ging staan.

De tijd staat niet stil.

De oude waslijn van mijn moeder hing nog steeds in de bovenste tuin, slap, tussen een verroeste haak in de buitenmuur en de dikke groene boom bij de schutting, met het pad van grijze stoeptegels eronder. Dat liep naar de voordeur, met daarnaast het roestige hekje dat het afstapje naar de tweede tuin afschermde.

De voordeur stond open. Binnen werd gestofzuigd, hoorde ik.

Het was meer dan drie jaar geleden dat mijn moeder was overleden, een jaar na mijn vader, en het enige wat ik al die tijd met het huis had gedaan, was Linda – De Schoonmaakfee – aannemen om het eens per maand schoon te maken. Het huis werd min of meer op orde gehouden terwijl ik probeerde te bedenken wat ik ermee moest doen. Wat erin stond moest worden ingepakt en weggedaan. En alles moest opgeknapt worden.

Een hele klus, en ik kon net doen alsof dát de reden was. In werkelijkheid was het niet de omvang van de taak die me ervan weerhield eraan te beginnen, maar de details. Ik had goede herinneringen aan de eerste helft van mijn kindertijd, maar die werden overschaduwd door hoe ons gezin was veranderd nadat Owen was gestorven. Ik was er niet helemaal zeker van of ik de klus op dit moment wel aankon, hoewel de gebeurtenissen van de afgelopen paar weken mijn plannen iets meer op scherp hadden gezet.

Als ik het nu niet deed, wanneer dan?

'Linda?' riep ik, en ik klopte twee keer op de open deur voordat ik naar binnen ging. Ze wist dat ik zou komen. Ik hoorde een klik en het gejank van de stofzuiger verstomde.

Linda was begin veertig en had aangename, ronde vormen: een opgewekte, hartelijke vrouw, altijd gekleed in een trui en een oude spijkerbroek, die een kick leek te krijgen van schoonmaakwerk. Wat een eigenschap was die je kon benijden. Ze stond bij de keukendeur en veegde het zweet van haar voorhoofd. Toen ze me zag, glimlachte ze en blies het haar uit haar ogen.

'Bijna klaar.'

'Het ziet er prima uit.' Aarzelend keek ik naar de gangloper, naar het grijze slijtagespoor in het midden, en daarna naar het vergeelde rauhfaserbehang. 'Het moet er toch allemaal uit.'

Linda knikte.

'Het zal er vast mooi uitzien als het is gedaan. Ga je het verkopen?'

'God, ja.'

Ik schrok van het idee dat ik er zelf in zou trekken.

'Nou, íémand zal er een prima huis aan hebben,' zei ze.

'Wie weet?'

Naast Linda, tegenover de keuken, was de dichte deur van de vroegere slaapkamer van mijn broer. Het was het enige vertrek in huis waarvan ik Linda had gevraagd het ongemoeid te laten. Sinds de dag van Owens dood was er nooit iemand binnen geweest. Mijn ouders hadden niets van zijn spullen weggegooid en de deur was altijd dicht gebleven. Dat was een ongeschreven wet. De kamer was afgesloten en verzegeld, als een tijdcapsule.

Soms had ik mijn moeder in de keuken zien staan, met haar handen in het sop in de spoelbak, en had ze ineens omgekeken, geschrokken, alsof ze iets belangrijks was vergeten. En als ze dan die dichte deur zag, was het alsof ze zich herinnerde dat Owen helemaal niet dood was. Hij was gewoon op zijn kamer, waar ze hem niet kon zien, en alles was in orde. Vrijwel alles wat mijn ouders na zijn dood hadden gedaan, was op dat principe gebaseerd geweest.

'Het was vijftig, hè?' Ik haalde het geld uit mijn portefeuille.

Linda knikte, pakte het aan en trok de stekker van de stofzuiger uit het stopcontact. Ze zette de neus van haar schoen op een knop en het snoer vloog klapperend het apparaat in.

Buiten, op het tuinpad, gaf ze me de reservesleutels terug en keek ze met iets van spijt tegen de hoge voorgevel op.

'Ik zal het missen, het schoonmaken.'

'Je hebt het geweldig gedaan.'

Ik meende wat ik zei. Ik betaalde haar natuurlijk voor haar werk, maar het was meer geweest dan alleen dat. Toen ik haar bijvoorbeeld de eerste keer het huis had laten zien, had ik niet geweten dat er in de bijkeuken meer dan vijftig lege wodkaflessen hadden gestaan. Die waren inmiddels opgeruimd, maar Linda had er nooit een woord over gezegd, noch had ze ook maar iets gedaan om me te herinneren aan de gecompliceerde schaamte die ik op dat moment had gevoeld. Hoe kan het dat jij niet wist hoe je vader de laatste maanden van zijn leven heeft doorgebracht?

'Het wordt tijd dat ik de zaak afhandel.'

'Ik begrijp het. Het beste, Dave. Pas goed op jezelf.'

'Jij ook.'

Toen ze was weggereden, sloot ik het huis af en bedacht ik dat de verantwoordelijkheid ervoor nu weer geheel op mij rustte. Moest ik weer naar binnen gaan en nog eens goed rondkijken? Ik besloot het niet te doen. Ik wist allang hoeveel werk er te doen was en vond dat ik vandaag genoeg had gedaan. Eén ding tegelijk.

Ik stapte in de auto, zette de radio aan en stak een sigaret op. Ik had hem half op toen het plaatselijke nieuws begon: een truck met aanhanger was geschaard op de snelweg in zuidelijke richting; een gemeenteambtenaar was betrapt op het rondsturen van een e-mail waarin Aziaten belachelijk werden gemaakt; en de politie was weinig opgeschoten met het onderzoek van de moord op Alison Wilcox.

Ik maakte mijn sigaret uit. Terwijl ik dat deed, trilde de mobiele telefoon in mijn zak.

HOI. GAAT HET NOG DOOR STRAKS? HOOP HET WEL; VERHEUG ME EROP. TOR XX

Ik glimlachte – zo eindigde ze haar sms'jes altijd – en stuurde een antwoord terug.

GAAT ABSOLUUT DOOR; VERHEUG ME ER OOK OP.

Dat was het enige goede wat er de laatste tijd was gebeurd. Tori was eind vorige week uit het ziekenhuis ontslagen en vanavond gingen we wat drinken en een beetje bijpraten.

Als het met haar niet werkt, heb je altijd mij nog.

Er kwam een brok in mijn keel toen ik daaraan dacht, en ik dwong mezelf het te vergeten. Ik legde de telefoon op de zitting van de passagiersstoel en startte de motor.

Ik had om halfzeven met Tori afgesproken in de Sphere. Dat was een overdekt winkelcentrum midden in de stad, dat vrijwel geheel bestond uit kledingzaken, juweliers en een handvol dure restaurants waarvan ik nooit de behoefte had gehad er te gaan eten. Ik zat op een bankje op de begane grond. Om deze tijd waren de winkels al dicht of net aan het sluiten, maar in de passages was het nog druk van de mensen die ze na hun werk als kortere route gebruikten: kantoormensen in pak en studenten. Op een van de hogere verdiepingen, achter de roltrappen, hoorde ik het rumoer van wachtende mensen bij de bioscoop en het gerinkel van gokautomaten. Een eindje van me vandaan ruimde een serveerster borden af op het terras en liep ermee naar binnen, en er slenterde een beveiligingsbeambte langs.

'Hoi.'

Tori legde haar hand op mijn schouder en ik draaide me om.

'Hé,' zei ik. 'Ik had verwacht dat je van de andere kant zou komen.'

Ze glimlachte. 'Om je scherp te houden.'

Ik stond op en we omhelsden elkaar. Ze drukte haar gezicht tegen mijn borst en zo bleven we even staan – ik ben zo blij je weer te zien – totdat ik met mijn hand over haar rug wreef en we ons weer van elkaar losmaakten. Ik bleef haar bovenarmen vasthouden en glimlachte naar haar.

'Je ziet er goed uit.'

'Dank je, maar ik zie er helemaal niet goed uit en dat weet ik best.'

Nou ja, een beetje dan, dacht ik. Haar gezicht was bleek en de make-up die ze had gebruikt wat vlekkerig, maar het maakte niet uit. Een deel van Tori's aantrekkingskracht was voor mij altijd geweest dat ze een leuke ver- schijning was, maar dat het haar niet al te veel kon schelen dat ze niet vol- maakt was... net zo eerlijk tegenover zichzelf als tegenover al het andere.

'Ik vind dat je er goed uitziet.' Ik bood haar mijn arm aan. 'Zullen we?'

Ze haakte de hare erin. 'Ja.'

We gingen naar de Ivy, een trendy wijnbar aan het eind van het winkel- centrum. Die was in een vorig leven de lobby van een chic hotel geweest en scheen met enige rancune aan die betere tijden terug te denken, als een ouderwetse, smetteloos geklede butler die gedwongen was een gezin van proleten te bedienen. De palmbomen in de grote, ronde potten, die hier en daar stonden, vielen nogal uit de toon. De tafeltjes en stoelen waren van zwart smeedijzer en ongeveer de helft ervan werd bezet door goedgeklede echtparen en zakenmensen die indruk op hun gasten probeerden te maken. Ik haalde een Guinness voor mezelf en een Cola light voor Tori – kreeg schandalig weinig wisselgeld terug van mijn biljet van tien pond – en we zochten een plekje. Boven ons hoofd ruiste een vergulde plafondventilator.

'Proost,' zei ik, en we tikten onze glazen tegen elkaar. 'Op je vrijheid.'

'Bedankt. Ik was blij dat ik daar weg mocht.'

'Gaat het nu weer goed met je?'

Ze trok een gezicht alsof ze niet goed wist wat ze daarop moest antwoor- den. Ik dacht terug aan de eerste keer dat ze me over haar ziekte had verteld en probeerde me voor te stellen wat ze nu voelde.

'Ik ben op de weg terug,' zei ze. 'Er is iemand die af en toe naar me komt kijken, maar het gaat de goede kant op.'

'Goed om te horen.'

'Tot nu toe in ieder geval.'

'Het was raar om je daar te zien. Het was niet wat ik had verwacht.'

Tori hield haar hoofd schuin en keek me licht verbaasd aan.

'Ik wist niet dat je was geweest. Wat lief van je.'

'Weet je dat niet meer?' Ik probeerde niets te laten blijken, maar ik was verbijsterd. Als ze niet wist dat ik op bezoek was geweest, wist ze ook niet meer wat ze had gezegd. 'Ik was er toen Choc er ook was.'

'Choc kwam heel vaak.' Ze fronste haar wenkbrauwen. 'Hoe gedroeg ik me?'

Ik bleef even zwijgen, dacht na over wat ik moest antwoorden, maar diep in mijn hart dacht ik: *als het met haar niet werkt, heb je altijd mij nog.* Eerlijk gezegd had ik die opmerking serieus genomen, maar nu voelde ik me dom en terechtgewezen.

'Je deed het prima,' zei ik. 'Het deed me verdriet dat je daar was, maar het was goed om te zien dat je aan de beterende hand was.'

Ik glimlachte naar haar. Ondanks al het andere was dat in ieder geval waar. 'Eigenlijk is het altijd goed om je te zien.'

Ze glimlachte terug. 'Vind ik ook van jou.'

Ik haalde nog een paar drankjes en we praatten nog wat. Een van de problemen toen we samen waren was dat we elkaar eigenlijk niet zoveel te vertellen hadden, en dat we elkaar ook nog niet zo goed kenden dat we ons prettig voelden bij de stiltes die er vielen. In de jaren daarna hadden we ons meer ontspannen bij elkaar gevoeld en als er een tijdje niets werd gezegd, gaf dat niet. Maar vanavond voelde het anders. Ik deed mijn best, maar toch had ik het gevoel dat ik een masker met een nepglimlach op had, en dat zij dat elk moment kon merken. Naarmate het later werd begon ik te zoeken naar tekens die erop moesten wijzen dat dit meer was dan een snel drankje met een vriendin. Maar ik vond ze niet. Ik was dom geweest, en de gebeurtenissen van de afgelopen maand – alles, van Emma's vertrek tot wat er met Eddie was gebeurd – waren opeens weer duidelijk aanwezig en voelden ondraaglijk zwaar.

Het was bijna negen uur toen ze geeuwde.

'Tijd om naar huis te gaan?' vroeg ik.

'Ja. Sorry.'

'Geeft niks. Ik breng je naar de bus.'

Arm in arm liepen we het winkelcentrum uit en toen we bij haar halte kwamen, stond de bus er al, met een rij passagiers die langzaam instapten. Ze draaide zich naar me om en omhelsde me, stevig en vol genegenheid. 'Het was fijn om je weer te zien. Bedankt voor alles.'

Ik wreef weer met mijn hand over haar rug. 'Ik vond het ook fijn. Ga maar... straks ben je te laat.'

'Oké. Hou contact, hoor je me?'

Ze stapte in, de deuren gingen sissend dicht en de leegte in mijn maag voelde opeens twee keer zo groot omdat ik net iets had beseft: dat ik géén contact met haar zou houden. Dat besef bracht een onmiskenbare droefheid met zich mee, maar ik wist dat daar niet aan te ontkomen was; het moest zo zijn. De mentale druk die zich in de afgelopen uren had opgebouwd zette alles in een ander licht, waardoor de oppervlakken, daarvoor nog glad en overzichtelijk, scherpe en ingewikkelde hoeken hadden gekregen.

Tori zwaaide naar me vanaf het middenpad toen de bus wegreed. Ik zwaaide terug en dacht, vreemd genoeg: ik hou nog steeds van je. Ik denk dat dat nooit is opgehouden.

Dus lijkt het me beter dat ik je niet meer zie.

En even later was ze weg.

8

Dinsdag 23 augustus

Toen Mary langs de huizen liep, met twee volle boodschappentassen zo zwaar dat het plastic van de hengsels in haar handpalmen sneed, dacht ze terug aan de nacht waarin er een eind aan haar kindertijd was gekomen.

In haar herinnering zag ze twee rillende kinderen door het duister strompelen. Het meisje was vijftien, liep op blote voeten door de sneeuw en had alleen een T-shirt aan. Met haar ene hand trok ze de katoenen stof strak over haar huid, in een poging een beetje warm te blijven, en met de andere hield ze de hand van haar broertje vast, die achter haar aan liep. Hij was in een shocktoestand en liet zich apathisch meevoeren, zonder te weten waar ze naartoe gingen en zich onbewust van de tranen die over haar wangen liepen en de geschaafde huid van haar polsen.

In alle huizen die ze passeerden was het donker. Het meisje had geen idee waar ze naartoe moesten. Het enige wat ze wist was dat niemand hen zou helpen en dat ze ook niet terug naar huis konden. En toch zou ze op de een of andere manier moeten zorgen voor het jongetje dat ze achter zich aan sleepte.

Ze was doodsbang.

Nu, twaalf jaar later, toen ze de hoek om liep en haar straat in kwam, had ze een soortgelijk gevoel. In de afgelopen twee weken had ze er steeds aan moeten denken. Sinds ze die zondag de politie had gebeld, was haar leven in een wankel evenwicht geraakt en kon het elk moment naar een van beide kanten doorslaan. Ze bevond zich tussen paniek en hoop, en diep in haar hart wist ze dat beide emoties even gevaarlijk waren. Ze mocht niet in paniek raken, want dat zou haar verlammen, en ze moest blijven doorgaan. En ze mocht ook niet hopen, want niemand kon haar helpen...

En toen Mary hem zag – hij stond voor het huis, een eindje verderop – voelde ze het evenwicht verschuiven. Ze herkende hem. Het was de politieman van de persconferentie die ze die dag op tv had gezien, en hij keek haar recht in het gezicht. Zelfs toen ze het probeerde te onderdrukken, voelde ze hoop gloeien onder haar handen. Het deed haar vingers tintelen, en ze gaf haar verzet op.

Ze hadden hem gevonden.

Het leek wel alsof haar hart een dansje maakte.

Ze hebben naar je geluisterd.

Toen Mary het huis naderde, drong het tot haar door dat ze ook haar hadden gevonden, wat minder goed was, dus nam ze zichzelf kwalijk dat ze haar concentratie had laten varen en zich had blootgegeven. Na al die jaren over haar schouder kijken had ze er beter op voorbereid moeten zijn. Ze was in het verleden altijd zo voorzichtig geweest, zelfs als er geen reden voor was. Je moest juist op je hoede zijn wanneer het niet nodig was, zodat je voorbereid was wanneer het erop aankwam. En toch, nu het er meer toe deed dan ooit, leek al die training voor niets te zijn geweest. Ze kon zich niet veroorloven haar pantser op die manier te laten zakken.

Want als het nu eens iemand anders was geweest?

De politieman deed een stap opzij. 'Mary Carroll?'

'Ja.'

Op elk ander moment zou ze zich doodgeschrokken zijn wanneer iemand haar naam hardop had uitgesproken. Misschien zou ze het wel glashard hebben ontkend, zelfs tegen iemand van de politie. Maar vandaag knikte ze en zette ze met een dankbaar gevoel de boodschappentassen op het stoepje, waar ze als half leeggelopen luchtballonnen in elkaar zakten.

De politieman glimlachte.

'Ik meende je al te herkennen... van de foto in je dossier. Ik ben rechercheur Sam Currie. Ik zou graag met je willen praten over je telefoontje van twee weken geleden.'

Hij heeft ook een vriendelijke stem, dacht ze.

'O ja?'

'Het hoeft niet lang te duren. We hebben gereageerd op de informatie die je ons hebt gegeven en ik wilde je alleen laten weten dat we je bezorgdheid serieus nemen.'

Je bezorgdheid, dacht ze.

Opeens voelde alles binnen in haar morsdood.

Ze was nog liever in paniek dan wat ze nu voelde.

'Komt u dan maar binnen,' zei ze.

Vijf minuten later kwam Mary met twee mokken koffie de woonkamer in. Met haar ellebogen op het aanrecht, haar handen voor haar gezicht en een lok haar in de korreltjes gemorste suiker naast haar mok had ze gewacht tot het water kookte. Diep ademhalend in een poging zichzelf enigszins onder controle te krijgen. Hoe had ze zo dom kunnen zijn?

Je zult hem moeten overtuigen.

Die gedachte vatte post in haar hoofd, ook al wist ze dat het een zoveelste opleving van hoop was, die haar des te harder zou doen neerkomen. Maar wat moest ze anders?

De politieman – Currie – zat in de fauteuil, voorovergebogen, en bladerde in een boek. Hij hield het op toen ze binnenkwam.

'*De Dolende Ridder*,' zei hij. 'Ik ken het. Dit heb ik mijn zoon voorgelezen toen hij klein was.'

Ze nam het zichzelf kwalijk dat ze het had laten slingeren. Het was maar een kinderboek, maar ze vond het geen prettig idee dat anderen wisten dat ze het nog steeds las. Zeker niet in omstandigheden als deze.

'Het was mijn lievelingsboek toen ik jong was,' zei ze.

Hij legde het boek neer, pakte de mok van haar aan en vouwde zijn beide handen eromheen alsof hij dagenlang buiten in de kou had gestaan.

Mary nam plaats in de uiterste hoek van de bank en trok haar benen onder zich op.

'Hoe wist u waar ik woonde?'

'Je broer,' zei Currie.

Daar schrok ze van. In plaats van de herinnering aan hoe ze samen door de sneeuw hadden gelopen dacht ze nu aan de nachtmerrie die ze had gehad. Haar broer, het kleine, weerloze jongetje dat ze geprobeerd had te beschermen tegen de gewelddaden van hun vader.

'John,' zei ze. 'Ik heb hem al een tijdje niet gezien. Hoe gaat het met hem?'

'Zo te horen goed.'

'U hebt hem niet gezien?'

Currie schudde zijn hoofd. 'Hij woont in Rawnsmouth. Ons budget staat niet toe dat we reisjes van achthonderd kilometer maken.'

'Nee, natuurlijk niet.'

'Maar ik heb hem over de telefoon gesproken. Hij vond het niet leuk om over jullie vader te praten.'

'Hij moet door met zijn leven.'

'Hebben jullie geen contact meer?'

'Al lange tijd niet meer.'

Ze werd er bedroefd van wanneer ze aan haar broer dacht. Ze waren zo close geweest toen ze jong waren, en daarna waren ze steeds verder uit elkaar gegroeid. Ook iets wat ze aan hun vader te danken had. Iets wat haar hart had gebroken en haar met een bijna ondraaglijk schuldgevoel had opgezadeld.

'Ik wist niet eens dat hij dit adres kende,' zei ze.

'Dat kende hij ook niet. Alleen je telefoonnummer.'

Mary knikte. Zo was het dus gegaan. Het ergerde haar dat hij haar privacy zo gemakkelijk had prijsgegeven; hij had beter moeten weten. Maar daar wilde ze niet met Currie over praten.

'U zei dat de politie heeft gereageerd op mijn telefoontje.'

Hij knikte één keer en rolde de mok tussen zijn handen.

'Ja. We zijn je vader gaan opzoeken. Nadat we zijn dossier hebben door-genomen kan ik goed begrijpen waarom je dacht dat hij het had gedaan.'

Ze vroeg zich af wat er allemaal in dat dossier stond.

Kon hij dat écht: begrijpen hoe het voelde om twee dagen lang op bed vastgebonden te liggen, zonder voedsel of water? Ze betwijfelde het.

'Maar?'

'Nadat we de kwestie grondig hebben onderzocht, hebben we je vader moeten laten gaan. Het spijt me, maar hij is niet verantwoordelijk voor deze misdaden.'

Je moet doorzetten.

'Dan hebt u iets over het hoofd gezien.'

'Sorry.'

'Hij stuurt me een boodschap. U ziet dat niet in omdat u niet weet... wat ik heb meegemaakt. Met hem. U weet niet wat voor iemand hij is.'

Currie fronste zijn wenkbrauwen. 'Heb je hem gezien nadat hij is vrijge-komen?'

Alleen al het idee deed haar hart sneller kloppen.

'Nee, natuurlijk niet.'

'Nou, je vader is een gebroken mens, Mary. Ik beweer niet dat dat alles betekent, maar zonder wandelstok haalt hij nauwelijks de andere kant van de kamer. Ik heb de foto gezien van toen hij was gearresteerd, en hij is heel veel veranderd. Hij is niet meer de man die jij je van vroeger herinnert.'

Kon dat waar zijn?

Nee. Hij had waarschijnlijk gezien wat haar vader had gewíld dat hij zag.

'Mensen hebben hem altijd onderschat,' zei ze. 'Mijn vader kan iemand in stukken scheuren als hij dat wil. Hij ziet er nu misschien oud en verzwakt uit, maar dat is een truc. Hij probeert jullie te misleiden. Hij is het die die meisjes heeft vermoord.'

Ze hield op met praten, was zich bewust dat ze bijna op hol sloeg. Currie zat haar meelevend aan te kijken en dat beviel haar helemaal niet. Het kon haar niet schelen wat hij van haar dacht, maar het was het gezicht van de man die haar het slechte nieuws voorzichtig probeerde te brengen wat ze niet kon verdragen.

'Alstublieft.'

'Ik mag eigenlijk niet op de details ingaan,' zei Currie, 'maar ik doe het toch, al was het alleen maar om je gerust te stellen. Je vader heeft een elektronische surveillanceband om zijn enkel, Mary.'

'Wat?'

'Dat was de voorwaarde voor zijn vrijlating. Hij is niet verantwoordelijk voor deze moorden. Hij kan het gewoon niet gedaan hebben.'

'Nee?'

Mary keek hem aan, knipperde met haar ogen terwijl ze de informatie verwerkte, en wat die inhield. Een elektronische enkelband? Ze had verwacht dat ze misschien niet genoeg bewijs hadden om hem te arresteren, óf dat hij ergens een of ander nepalibi vandaan had gehaald. Maar niet dit. Hij kon het gewoon niet gedaan hebben.

'Dan heeft hij zich op de een of andere manier aan die surveillance onttrokken.'

'Nee. We hebben een compleet verslag van zijn doen en laten.'

'Dan moet het hem gelukt zijn dat ding af te doen. Jullie weten niet hoe slim hij kan zijn.' Ze moest aan iets denken en greep de strohalm onmiddellijk vast. 'Of misschien heeft hij nog steeds vrienden bij de politie. Dat die hem hebben geholpen.'

'Het spijt me. Ik begrijp heel goed waarom je denkt dat hij de dader zou zijn, maar dat is niet zo.'

'Wel waar.' Ze wilde haar handen tot vuisten ballen en op iets slaan totdat hij haar geloofde. 'Ik wéét dat hij het is.'

Currie schudde zijn hoofd en zei niets. Hij probeerde vriendelijk te blijven, maar hij begreep het niet. Mary vroeg zich af hoe hij haar op dit moment zag. Als de zoveelste beschadigde persoon, waarschijnlijk. Vooral niet te hard aanpakken. Maar toch wilde ze nog niet van ophouden weten.

'U had niet hiernaartoe moeten komen.'

Hij keek haar oprecht verbaasd aan. 'Waarom niet?'

'Omdat hij u gevolgd kan zijn.'

'Je vader? Ik denk dat je je daar geen zorgen over hoeft te maken.'

Op dat moment sloegen bij haar de stoppen door.

'U hebt geen idee wat ik wel of niet hoef!'

'Mary...' Hij zocht naar woorden. 'Mensen volgen de politie niet. Dat doen ze gewoon niet. En trouwens, het was vorige week dat ik je vader heb gesproken.'

'U denkt dat hij daar niet toe in staat is? Niets is hem te veel. Hij zou u een jaar volgen als hij dacht dat hij mij daarmee kon vinden. Al moet hij er de rest van zijn leven aan besteden. Ik ben de enige aan wie hij kan denken.'

'Ik begrijp je bezorgdheid.' Currie maakte een wat opgelaten indruk. 'Maar je moet de dingen in het juiste perspectief blijven zien, voor je eigen bestwil.'

'O ja, moet ik dat?' De druk op haar keel werd steeds groter; ze kon elk moment in tranen uitbarsten. 'U hebt geen idee wat voor iemand mijn vader is, of waartoe hij in staat is.'

'Ik weet dat hij gevaarlijk was, maar...'

'Nee, u weet de helft nog niet. Voor de buitenwereld was hij misschien politieman, maar in het dossier staat niet dat hij net zo goed een crimineel was. Iemand die de hele buurt afperste.'

'Mary...'

Ze zette haar ellebogen op haar knieën en drukte de muis van haar handen in haar ogen. Hard.

'Toen ik elf was,' vertelde ze, 'kwamen er twee mannen naar ons huis. Het waren drugsdealers, weet ik nu. Ik vermoed dat ze hem duidelijk kwamen maken dat hij zich te ver op hun terrein had begeven. Dat hij te veel geld opstreek. Ze onderschatten hem. Dat deden de mensen altijd.'

De scherpe knal van haar vaders pistool echode kort door haar hoofd. Ze had het geluid toen niet herkend, maar had wel geweten dat het betekende dat er iets ergs gebeurde. Maar haar broer John, toen pas acht, was langs haar heen gerend.

'Hij schoot een van de mannen neer in de keuken. Die was al dood toen ik hem zag. De andere sloeg die man met het grootste gemak tegen de grond. En toen zette hij de oven aan...'

Eindelijk kwamen de tranen. Twee weken van angst en paniek welden in haar op en zochten een weg naar buiten. Ze kon nog net praten, dus zei ze: 'Dat is een van mijn vroegste herinneringen. Ik heb er nog veel meer, als u ze wilt horen.'

'Ik vind het heel erg voor je,' zei Currie zacht. 'Ik kan me nauwelijks voorstellen hoe het voor je geweest moet zijn.'

Ze wilde hem al het andere ook vertellen. Over de politiemannen die ze beneden in de woonkamer had horen lachen terwijl zij in haar slaapkamer in een hoekje was gekropen. Over de mensen die haar vader joviaal op de schouder sloegen en zich bij hem inlikten, óf omdat ze bang voor hem waren, óf omdat ze iets van hem nodig hadden. De korte gesprekjes die de mensen op straat met hem hadden, en hoe hij dan knikte en zei: 'Maak je geen zorgen; ik regel het wel.' Agent Carroll, een prima vent. Hard maar rechtvaardig. Niemand durfde zich uit te spreken over hem en wat hij allemaal had gedaan, maar iedereen wist het.

Maar wat had het voor zin? De hoop die ze had durven voelen toen ze Currie voor de deur zag staan was compleet de grond ingeboord, wat voelde alsof ze een dood kind binnen in zich had. Ze kon hem al die dingen wel vertellen, maar wat schoot ze ermee op? De mensen hoorden je wel, maar ze luisterden niet echt. Je kon recht voor ze gaan staan en om hulp schreeuwen, en dan keken ze dwars door je heen...

'Jullie geloven me niet totdat hij bij me voor de deur staat.'

'Het spijt me.'

'Gaat u nu maar, alstublieft.'

Currie stond op. Ze hoorde de vloerplanken kraken toen hij door de kamer liep. Maar de traptreden hoorde ze niet. Ze keek op en zag dat hij nog in de deuropening stond.

'Ik moet je nog één ding vragen,' zei hij. 'Ik zag het toen ik binnenkwam.' Hij wees naar de deurknop.

'Wat dan?' vroeg ze.

'Er zit bloed op.'

Wat wilde hij nog meer van haar? Ze bleef hem even aankijken, door haar tranen, dacht erover na, boog zich naar voren en trok de pijp van haar spijkerbroek op. Ze draaide haar been en liet hem de littekens op haar kuit zien. Die waren inmiddels geheeld, maar in het licht waren ze nog goed zichtbaar. Ze hoopte dat hij ze mooi vond.

'Heb jij dat gedaan?'

'Ja,' zei ze. 'Het helpt.'

Currie bleef haar aankijken en er kwam een onuitsprekelijke droefheid op zijn gezicht. Maar toch vermoedde ze dat hij haar begreep. Hij had misschien zelf geen littekens, maar hij had wel iets. Hij knikte, in zichzelf.

'Bedankt voor je tijd, Mary. Pas goed op jezelf.'

Toen ze zijn voetstappen op de trap hoorde, liet ze haar broekspijp weer zakken. De voordeur ging open en dicht en toen was Mary – zoals altijd, wist ze – weer helemaal alleen.

DEEL 2

9

Zondag 28 augustus

Op een eerste afspraakje met iemand zijn er twee vragen waarvan ik zeker weet dat ze me gesteld zullen worden. Nadat we ons door een heel aangename pastaschotel hadden gewerkt, daarbij het grootste deel van een fles rode wijn hadden genuttigd en het bekende gesprek van 'raar, vind je niet, om iemand van het internet in het echt te ontmoeten' achter de rug hadden, stelde een meisje dat Sarah Crowther heette me de eerste vraag.

'Wil je me een goocheltruc laten zien?'

'Gaat je geld kosten,' zei ik. 'Goochelaars moeten ook eten.'

Ze glimlachte. 'Je hebt net gegeten.'

'En heel lekker zelfs.'

'Dat was het zeker, maar wat ik bedoel is dat je excuus dus niet opgaat.'

Ik had haar meegenomen naar Al Bacio, mijn favoriete Italiaanse restaurantje. Hoewel het midden in de stad was, zag je er zelden iemand: een goed bewaard geheim, waarvan de Italiaanse familie die het bestierde ongetwijfeld wilde dat het iets minder goed bewaard zou zijn. De ober stond vaak buiten te roken, wat waarschijnlijk niet meehielp de mensen binnen te krijgen, maar het eten was er fantastisch en ze hadden een open keuken, zodat je je eten al kon ruiken voordat het werd opgediend. Ik kwam er vaak.

Sarah en ik hadden een tafeltje voor twee in de hoek, met één kaars die haar ogen deed fonkelen. Hoewel ik al vrij veel van haar wist – drieentwintig jaar oud, gelegenheidsdrinker, gelegenheidsroker, niet gelovig, thans in het tweede jaar van haar studie Beeldende Kunsten – en haar foto op het net had gezien, was dit de eerste keer dat ik haar in het echt zag. Die middag had Rob, die een grote afkeer had van mijn pogingen tot dating per internet, me mentaal voorbereid op een afzichtelijke sociale outcast van tweehonderd kilo met een ijspriem in haar tasje. Of misschien wel een man.

Maar hij zou zichzelf voor zijn hoofd hebben geslagen, want Sarah was intelligent en aantrekkelijk, met donkerblond krullend haar dat een vriendelijk gezicht omlijstte. Ze was gekleed in een modieus zwart shirt en een strakke, donkere spijkerbroek. In een van onze flirtende e-mails had ik haar gevraagd zichzelf in twee woorden te beschrijven, en ze had geantwoord: 'lachen' en 'krullen'. Tot nu toe klopte dat precies en had ik een prima avond. Natuurlijk bestond nog steeds de kans dat die ijspriem uit haar tasje zou komen, maar dan zou ik in elk geval als een blij mens sterven.

'Toe nou,' zei ze. 'Ik kan zien dat jij het ook wilt.'

'Goed dan. Doe die ring af en geef hem aan mij.'

Ze deed wat ik haar vroeg. Ik legde de ring op tafel, keek haar glimlachend aan en liet een stilte vallen.

'Nog een beetje wijn?' vroeg ik.

Ze grinnikte. 'Je probeert me af te leiden. Maar oké, doe maar.'

Ik verdeelde de rest van de fles over onze glazen, schraapte mijn keel en begon heel demonstratief mijn vingers los te maken. Mijn rechterhand was sneller genezen dan ik had verwacht, maar hij voelde nog steeds wat vreemd.

'Goed opletten.'

Ik schoof de ring naar me toe, pakte hem met mijn rechterhand op en liet hem haar heel even zien. Deed hem over in mijn linkerhand, sloot mijn vingers eromheen en staarde naar mijn vuist terwijl ik mijn beide handen voor haar ophield, zodat ze die goed kon zien. Er kwam een uitdrukking van concentratie op mijn gezicht, een die ik al duizend keer in de spiegel had gezien. Het had me ongeveer vijfhonderd keer oefenen gekost voordat die overtuigend begon te worden.

'Bijna.'

Ik deed mijn ogen dicht, trok mijn mond in een grimas en...

... ontspande me weer, want het ging niet gebeuren.

'Het lukt niet.'

Ik legde de ring op tafel. Sarah keek me met een geamuseerde glimlach aan.

'Sorry,' zei ik. 'Het is al een tijdje geleden.'

'Ik begin te begrijpen waarom je ermee bent opgehouden.'

'O, ga je sarcastisch worden?'

Ik deed alsof ik beledigd was, maar ik genoot van het ontspannen geflirt tussen ons. Na die avond met Tori had ik overwogen me een tijdje terug te trekken uit de dating scene. Nu was ik blij dat ik meteen weer in het diepe was gedoken.

'Goed dan. Ik probeer het nog een keer.'

Ik schoof de ring weer naar me toe en pakte hem op. Net als daarvoor eerst in mijn rechterhand en daarna in de linker. Ik staarde een paar seconden naar mijn vuist, deed mijn ogen dicht en verbeeldde me dat de ring steeds warmer werd, totdat hij begon te smelten. De brandende pijn werd erger en erger...

... ik zou de jury graag willen bedanken...

... toen deed ik mijn ogen open en was ik erg ingenomen met mezelf.

'Weg.'

Ik strekte de vingers van mijn linkerhand en liet zien dat die leeg was. Deze keer was Sarah onder de indruk.

'Heel goed.' Ze tikte op mijn rechterhand. 'En deze?'

Ik opende mijn rechterhand. Ook leeg.

Er vond een subtiele verandering in haar gezichtsuitdrukking plaats. Ze leek nu zowel blij als in verwarring. Ik stelde me voor wat ze dacht: ze had de ring in mijn rechterhand gezien nadat ik hem had opgepakt, mijn beide handen waren voortdurend zichtbaar gebleven en de mouwen van mijn shirt waren opgerold. Wat ik de eerste keer fout had gedaan, was gebeurd terwijl ik de ring in mijn hand had. Dus hoe had ik dat in hemelsnaam geflikt?

'Heel knap.' Ze fronste haar wenkbrauwen. 'En? Waar is mijn ring?'

Heel onschuldig nam ik een slokje wijn. 'Die komt straks wel tevoorschijn.'

Ze zag eruit alsof ze daar geen genoegen mee nam, maar ik werd gered door de ober.

'Alles naar wens met het eten?'

'Het was heerlijk, bedankt.'

Ik legde mijn servet op mijn bord en hij begon af te ruimen. Sarah kreeg een strenge blik in haar ogen. 'Ik krijg de waarheid wel uit je.'

'Is dat een voorstel?'

'Nee, een dreigement.'

'Ik verheug me erop.'

Ze nam een slokje uit haar glas. 'Maar, hoe lang doe je het al?'

'Wat? Dreigementen incasseren?'

'Nee, goochelen.'

'Vanaf mijn twaalfde.'

'O, had je met Kerstmis een goocheldoos gekregen?'

Ik schudde mijn hoofd. 'Het is allemaal begonnen toen ik van mijn vader moest proberen een lepel krom te buigen.'

Sarah lachte. 'En lukte dat?'

'Nou... nee, vreemd genoeg. Hij had het op tv iemand zien doen, en ik was te jong om beter te weten. Het stelde hem teleur dat ik het niet voor elkaar kreeg. Dus heb ik geleerd hoe het moest, alleen om hem te laten zien dat het nep was.'

'Hoe doe je dat dan, een lepel krombuigen?'

'Er zijn diverse manieren, allemaal even saai. Dat is het leuke van goochelen... dat mensen niet zien wat ze niet wíllen zien. Verbazingwekkend. Mijn ouders waren ervan overtuigd dat ik het echt had gedaan. Toen ze ontdekten dat dat niet zo was, bleven ze die knaap van de tv toch geloven. Kun je nagaan.'

'Mensen zitten raar in elkaar.'

'Zeg dat wel.'

Wat ik haar vertelde was in grote lijnen waar, maar ik had het verhaal iets afgezwakt. Ik vertelde haar niet over de boze opzet waarmee ik het had gedaan, het feit dat ik er in die tijd een kwaadaardig genoegen in schepte om de goedgelovigheid van mijn vader onderuit te halen. Het was niet iets waar ik trots op was, maar ik was pas twaalf.

Na Owens dood waren mijn ouders geen occulte beweging tegengekomen waar ze niet onmiddellijk voor waren gevallen, en vooral met het spiritisme hadden ze een warme liefdesrelatie. Ze werden heel andere mensen. Ze gingen naar mediums die hun vertelden wat ze wilden horen: dat Owen nog steeds bestond, dat hij glimlachend naar hen keek en dat hij nu gelukkig was. Oplichters en amateurs, voornamelijk, die hun geld opstreken en er valse hoop voor teruggaven. Ik was woedend op die lui.

Natuurlijk, als ik er als volwassene op terugkijk, kan ik begrip opbrengen voor wat mijn ouders deden, want het was hun manier om met het onbeschrijflijke verdriet van de dood van hun kind om te gaan. Maar mijn eigen reactie van toentertijd was even begrijpelijk. Want ik was niet alleen mijn oudere broer kwijtgeraakt, ik had het gevoel dat ik mijn ouders ook kwijt was. Na zijn dood waren ze altijd meer bezig geweest met zijn afwezigheid dan met mijn aanwezigheid, en me tegen hen afzetten was een houding geweest die vanaf dat moment als een rode draad door mijn leven was gelopen, tot aan het heden toe. Ik was nu ouder en begreep het leven beter dan toen, maar bepaalde gewoonten raken in de loop der jaren zo ingesleten dat je er moeilijk weer van afkomt. Tot aan het moment dat ze overleden was ik mijn ouders, vooral mijn vader, altijd blijven zien als tegenstanders.

'Dus je bedrevenheid in het goochelen,' zei Sarah, 'is puur te danken aan tienerrebellie.'

Ik lachte, maar mijn lach verdween weer snel. 'Zo zou je het kunnen zeggen, ja.'

'En je tijdschrift ook.'

Ik had haar per e-mail verteld over mijn werk, voornamelijk om haar de gelegenheid te geven informatie over me in te winnen, zodat ze wist dat ik geen bedrieger was. Ik was er redelijk zeker van dat het percentage mannen op het internet die met een ijspriem liepen te zwaaien een stuk hoger lag dan dat van hun vrouwelijke tegenvoeters.

'Ik ben het tijdschrift begonnen als hobby, meer niet. Het is nooit mijn bedoeling geweest om me fulltime tegen mijn ouders af te zetten.'

Ik denk dat dat de ultieme ironie van de situatie was. Toen mijn moeder overleed ging het meeste geld naar mijn vader, maar ze had ook mij een aanzienlijke som nagelaten. Later, toen ook hij overleed, kwam alles bij mij terecht. Zonder dat geld zou ik nooit in staat zijn geweest de flat te huren waar ik nu woonde, of om lang te overleven van het weinige dat ik verdiende met mijn goochelact en het tijdschrift. Het was mijn erfenis, in alle betekenissen van het woord.

'Het lijkt me leuk,' zei Sarah. 'Al die zaken onderzoeken, bedoel ik.'

'Geesten en demonen en mediums? Ik had er vroeger meer plezier in dan nu. Het kan soms een aanslag op je ziel zijn.'

'Een aanslag op je ziel?'

'Niet dat ik in het bestaan van de ziel geloof.' Ik zette mijn glas neer. 'Maar het is gewoon moeilijk te verdragen dat mensen zo gemanipuleerd worden. Door mediums, bijvoorbeeld. Die maken misbruik van het verdriet van mensen en verdienen er flink aan. Dat zit me meer dwars dan al het andere.'

Ik stopte met praten, wist dat er een kans bestond dat ik te ver ging.

'Je moeder is toch geen medium, hè?' vroeg ik.

Ze trok haar ene wenkbrauw op. 'Nee, maak je geen zorgen. En ik begrijp waar het bij jou vandaan komt. Maar om eerlijk te zijn heb ik een nogal afwijkende opvatting als het om dat soort dingen gaat.'

'En die is?'

'Dat ik er niet zeker van ben dat de waarheid altijd zaligmakend is.' Ze haalde haar schouders op. 'Begrijp je wat ik bedoel? Mensen liegen voortdurend tegen zichzelf. Ik bedoel, ik doe het. Ik durf te wedden dat jij het ook doet. We houden onszelf voor de gek om ons beter te voelen, waar of niet?'

Ik glimlachte. 'Ja. Op mijn meer heldere momenten besef ik dat. Maar voor de rest is het: als je de dag maar doorkomt.'

'Precies. Of de nacht.' Ze pakte haar wijnglas op maar zette het meteen weer neer. 'Niet dat ik ons uitje zo zie, trouwens. Ik ben zelfs aangenaam verrast. Ik zit er eigenlijk al op te hopen dat we dit nog een keer kunnen doen.'

'Dat zou ik leuk vinden. Volgende keer zal ik me niet meer over dingen opwinden, dat beloof ik je.'

'Dat geeft niks. Ik vind het wel leuk.' Ze nam een slokje wijn en keek me recht aan. 'Ik hou wel van een beetje passie.'

Die opmerking lieten we even tussen ons in hangen en daarna keek ik op mijn horloge. Het was bijna negen uur. We hadden elkaar pas twee uur geleden ontmoet – kort dag, zelfs voor een fruitvliegje – maar het was duidelijk dat er een vonk tussen ons oversloeg. Ons gesprek verliep zonder aarzelingen. Sarah was aantrekkelijk, welbespraakt en intelligent. Ze maakte me aan het lachen en was in elk geval zo genereus om te doen alsof ze mij ook humoristisch vond. Het leek allemaal heel veelbelovend.

Kort dag, hield ik mezelf voor.

'Misschien moeten we dan maar naar een taxi op zoek gaan?' zei ik.

'Klinkt goed.'

'Dan zal ik even afrekenen.'

Ik liep naar de counter om te betalen. Sarah liep alvast naar de deur, bleef staan en draaide zich om.

'O ja,' riep ze. 'Mag ik nu mijn ring terug?'

'Maar natuurlijk.' Ik keek achterom. Aan weerskanten van de deur stonden twee potten met bloeiende planten. Ik aarzelde even en wees naar de linker. 'Kijk in die bloempot.'

Ik draaide me om naar de counter en wachtte op de rekening.

'Hé!'

'Wat is er?'

Sarah stond me met haar handen in de zij aan te staren. Het was me niet alleen gelukt de ring te laten verdwijnen, maar ook om hem terug te toveren op een plek op enkele meters afstand van waar ik had gezeten, zonder op te staan. Was dat geniaal of niet?

Dat was het moment waarop ze me de tweede onvermijdelijke vraag stelde.

'Hoe heb je dát voor elkaar gekregen?'

'Je hebt geen idee hoeveel inspanning het me heeft gekost.'

Ik legde vijftig pond op de counter; veertig voor de rekening, plus de tien die ik vooraf met de ober had afgesproken om de ring in de bloempot te leggen toen hij naar buiten ging om een sigaretje te roken. Hij had hem gevonden in mijn servet, waar ik hem in had laten vallen de tweede keer dat ik hem zogenaamd van tafel pakte. Saai, eigenlijk.

Maar het is goed om in het begin een lichte air van geheimzinnigheid te behouden en niet meteen de saaie waarheid op tafel te gooien, of het nu om een goocheltruc of om iets anders gaat. Ik was niet van plan haar te vertellen dat ik het personeel had omgekocht, net zomin als ik van plan was seksueel getinte opmerkingen tegen haar te maken of ook maar een poging te doen haar in bed te krijgen. Dat soort dingen deed je op z'n vroegst tijdens je derde afspraakje.

Sarah en ik gingen op weg naar de taxistandplaats verderop in de straat, terwijl zij naar de waarheid bleef vissen en ik me speels bleef verzetten. Er waren veel mensen op straat, stellen en groepen, maar in het centrum was de avond om deze tijd nog maar net begonnen en zou er geen rij wachtende mensen bij de taxi's staan. Er stonden er drie, met stationair draaiende motor. Sarah gaf me een arm. Het was het eerste lichamelijk contact dat we hadden, en het voelde goed. Toen we de standplaats naderden ging ze langzamer lopen, gebruikte ze haar lichaamsgewicht om ons tot stoppen te dwingen voordat we bij de taxi's waren.

'Misschien kunnen we dit eerst afhandelen?'

Ze draaide zich naar me toe, sloeg een arm om me heen en kuste me. Mijn handen lagen op haar rug en ik hield haar vast, verbaasd over het plotselinge gevoel van haar lippen op de mijne, en hoe slank ze was. Ze had zo'n sterke persoonlijkheid dat je lichamelijk ook meer zou verwachten, maar ik kon haar ruggengraat door de stof van haar shirt voelen. Zo licht als een veertje. Toen rook ik een vleugje van de geur.

Het flesje met de bloem.

Tori's parfum.

Maar dat gaf niet. In de anderhalve week nadat ik Tori voor het laatst had gezien, had ik vastgehouden aan mijn beslissing. Geen sms'jes, geen telefoontjes en geen e-mails. De associatie was er nog wel, natuurlijk, maar ik was vastbesloten. Ze gebruikten hetzelfde parfum... nou en? Misschien zou ik binnen niet al te lange tijd aan Sarah denken elke keer als ik de geur rook. Daar hoopte ik op. En toen ze me bleef kussen, hoopte ik dat meer en meer.

'Dat maakt alles wat gemakkelijker, leek me.' Ze glimlachte.

'Dat doet het zeker. Dank je.'

'Dus... ga jij mij bellen of bel ik jou?'

'Dat zijn de mogelijkheden,' zei ik.

'Ja, maar er is nog een derde: dat we elkaar geen van beiden nog bellen.'

Ik schudde mijn hoofd. 'Dat gaat niet gebeuren.'

'Nou, dat is dan geregeld. De details lossen we later wel op. Ik heb een heel leuke avond gehad, Dave. Bedankt voor het etentje.' Ze hield de hand met haar ring op. 'En hiervoor.'

'Ik vond het ook leuk. We spreken snel weer iets af, dat beloof ik je.'

'Cool.' Ze gaf me nog een snelle kus en liep naar de taxi. 'Tot gauw dan.'

Reken maar.

Ik stapte in de tweede taxi, gaf de chauffeur mijn adres en we reden weg. De nachtclubs, restaurants en bars schoten flitsend langs het zijraampje, maar het deed me niets, want ik schonk alleen aandacht aan het gevoel van opwinding binnen in me. Het was alsof er een zonnetje in mijn borstkas scheen, dat mijn hele lichaam verwarmde met zijn stralen. Als ik mijn veiligheidsgordel niet om had gehad en niemand me had kunnen zien, had ik misschien wel op en neer gewipt van vreugde. Ik wist nu al dat het lang zou duren voordat ik de slaap zou vatten... maar met een goede reden, deze keer.

Een leuke avond, concludeerde ik. Een heel leuke avond.

Maar een slechte ochtend.

Ik werd wakker door dof gerinkel in mijn oren.

Het gerinkel hield op. Ik kreunde, opende mijn ene oog en keek op de wekker op het nachtkastje. Kwart voor acht. Waarom had ik de wekker op kwart voor acht gezet?

Het gerinkel begon weer en deze keer herkende ik het geluid. Het was de deurbel. Ik kwam uit bed, strompelde naar het raam en deed het open. Tezamen met een golf koude lucht kwamen de verkeersgeluiden van de hoofdweg naar binnen.

Twee verdiepingen lager stonden twee mannen voor de deur. De ene was een jaar of vijfenveertig, de andere wat jonger. Ze hadden allebei een lange, donkere overjas aan.

'Hallo,' riep ik naar beneden.

Ze keken op. De oudere man deed het woord.

'Dave Lewis? Politie. Kun je opendoen, alsjeblieft?'

Shit. Eddie.

'Geef me een minuutje.'

'Zo snel als je kunt, graag.'

Ik keek rond, zocht schone kleren om aan te trekken, voelde me misselijk.

Gewoon kalm blijven.

Ik kreeg het voor elkaar me aan te kleden, ging de badkamer in, plensde een paar handen koud water in mijn gezicht en bekeek mezelf in de spiegel. Mijn gezichtsuitdrukking beviel me niet. Ik was te nerveus. Ik zette mijn handen op de rand van de wastafel, boog me naar voren en keek mezelf recht in de ogen.

Die middag, zei ik tegen mezelf, is er niets gebeurd.

Je weet nergens iets van.

Er is niets gebeurd.

Toen deed ik het licht uit en ging naar beneden.

10

Maandag 29 augustus

Het vreemde van niet slapen, had Currie meer dan eens ervaren, was dat je, wanneer je terugkeek op de ochtend van de vorige dag, besefte dat je werkelijk vanaf dat moment wakker was geweest. Dat de dingen die de afgelopen dag waren gebeurd minstens een week daarvoor hadden plaatsgevonden, of misschien wel iemand anders waren overkomen. Kort na de middag liep hij de perskamer van het bureau binnen en kon hij nauwelijks geloven dat een wazige maar ononderbroken keten van gebeurtenissen hem koppelde aan een ontbijt dat hij bijna dertig uur daarvoor had genuttigd.

En een van die gebeurtenissen had alles van een nachtmerrie gehad, ook al was hij op het moment zelf klaarwakker geweest. Gisteravond: hij stond in de slaapkamer van Julie Sadler en keek neer op haar kleine, vermagerde stoffelijk overschot terwijl de camera van de politiefotograaf flitste.

Het beeld van haar, zoals ze daar op het bed lag, bleef hem achtervolgen, hardnekkiger dan dat van het lijk van Alison Wilcox. Uit de achterovergebogen stand van haar hoofd sprak een verwijt, en in haar gestrekte vingers, vereeuwigd tijdens de laatste stuiptrekking, zag hij woede en onmacht. Het was alsof ze vragen de kamer in had geschreeuwd terwijl ze daar langzaam lag dood te gaan, en dat de echo's van die woorden nog steeds in de lucht hingen, als een uitdaging aan iedereen die de kamer durfde binnen te gaan.

Waarom hebben jullie me niet gered?

Waarom heeft niemand de moeite genomen om langs te komen?

Het leed dat hij in die kleine slaapkamer ervoer was zo groot dat het hem bijna overmande. Het had nog nooit zo weinig gescheeld of hij was in tranen uitgebarsten, ondanks de vele plaatsen delict die hij had bezocht, en ondanks de afwezigheid van verminkingen en bloed. Wat dit meisje – en de andere meisjes – was aangedaan, was werkelijk weerzinwekkend.

Currie ging de perskamer binnen en keek om zich heen. Het was druk vandaag. Alle stoelen, verdeeld in twee groepen en van elkaar gescheiden door een middenpad, waren bezet, en ook daarachter en aan de zijkanten, bij de boogramen, stonden talloze verslaggevers. Videocamera's waren op statieven met wielen gemonteerd of werden op de schouder gedragen. De geboende parketvloer was een wirwar van kabels.

Ze ruiken bloed, dacht Currie.

Swann zat al achter de tafel op het podium. Currie liep ernaartoe, wrong zich langs de massa die een bijna vijandige hitte afgaf, nam naast zijn partner plaats en legde zijn aantekeningen voor zich neer. Afgezien van de officiële microfoons lag de tafel vol met kleine, rechthoekige handmicrofoons die de indruk wekten dat ze er bijna achteloos waren neergegooid. Deze wanorde was symbolisch voor alles wat hem tegenstond aan dit soort persconferenties.

'Goedemiddag,' zei hij, zonder op te kijken. 'Ik ben rechercheur Sam Currie. Bedankt voor uw komst. Ik zal een korte verklaring voorlezen en daarna is er tijd voor een klein aantal vragen.'

Hij hoorde het korte, slissende klikken van de camera's en zag een paar lichtflitsen. De herinnering aan Julie Sadlers huis kwam weer in hem op. Kleine zweetdruppeltjes parelden op zijn voorhoofd. Hij keek op.

'Gisteren, om vijf uur in de namiddag,' zei hij, 'kreeg de politie een melding vanuit de wijk Buxton hier in de stad. Er zijn politiemensen naartoe gestuurd en toen die het pand binnengingen, troffen ze daar het lijk van een jonge vrouw aan. Haar dood wordt behandeld als verdacht. Op dit moment kunnen we de naam van de vrouw nog niet aan de pers vrijgeven, noch die bevestigen.'

Waardoor jullie, vuile schoften, je niet zult laten tegenhouden, dacht hij. 'We zijn op dit moment in de fase dat we informatie inwinnen bij de familie en de vrienden van de vrouw en in het onderzoek worden diverse lijnen gevolgd. We verzoeken de pers om medewerking in deze zaak en we zullen zo spoedig mogelijk met verdere informatie komen. Ik geef nu het woord aan mijn collega, rechercheur James Swann.' Hij keek opzij. 'James?'

Swann knikte en richtte zich tot de aanwezigen.

'Ik zal uw vragen beantwoorden, als die er zijn.'

Het gebruikelijke rumoer klonk op, camera's flitsten en er werden handen opgestoken, maar Currie stond zichzelf toe zich een beetje te ontspannen. Hij had een zekere mate van respect voor de pers, want ze kon de politie soms van nut zijn, maar nadat Alison Wilcox was vermoord en de pers hem op sluwe wijze het verband met de twee eerdere moorden had ontfutseld, had Currie zich erop betrapt dat hij steeds minder bereid was geworden er iets over te zeggen. Want in zijn beleving waren de dode meisjes gereduceerd tot gruwelijke details – hapklare brokken om de pagina's smeuïg en de kranten in de verkoop te houden – totdat hij er een wee gevoel van in zijn maag had gekregen.

Swann leek beter in staat in dit soort situaties zijn kalmte te bewaren, dus hadden ze afgesproken dat hij voortaan de vragen zou afhandelen. Trouwens, hoogstwaarschijnlijk zag de pers Swann liever dan hem: vijfendertig jaar oud, gespierd en fotogeniek. De meeste mensen wilden dat Swann hen aardig vond, en hij kon glimlachen zonder dat het gemaakt leek. Wanneer Currie zichzelf op tv zag, moest zelfs hij bekennen dat hij wel wat opgewekter mocht kijken. Hij had geen idee hoe hij er vandaag uitzag. Zijn gezicht voelde alsof het van verweerde steen was.

'Gaan jullie uit van een verband tussen deze moord en die op Vicky Klein, Sharon Goodall en Alison Wilcox?'

'Zoals gezegd wordt er in het onderzoek een aantal lijnen gevolgd.'

'En dat is een van die lijnen?'

'Het is een van de mogelijkheden die we bekijken, ja.'

'Was het slachtoffer op bed vastgebonden?'

'Het slachtoffer was geboeid. We kunnen niet op de details ingaan, om redenen die u vast en zeker zult begrijpen.'

'Is er een arrestatie aanstaande?'

Currie dacht aan Frank Carroll, aan de geamuseerde blik die in zijn ogen was gekomen toen ze hem ondervroegen. Het gps-volgsignaal van zijn enkelband pleitte hem onherroepelijk vrij, en hun technische man was er zeker van dat er niet met het apparaat was geknoeid. Dat was een teleurstelling. Frank Carroll was nooit in de buurt van de woning van de meisjes geweest, en ook niet op de locaties waarvandaan de sms'jes waren verstuurd.

Swann knikte. 'We onderzoeken een aantal aanwijzingen. We zijn nog niet zo ver dat we namen van specifieke personen kunnen noemen.'

De verslaggever bleef hem met een lege blik aankijken en begon toen op zijn blocnote te schrijven.

Krabbel krabbel krabbel, dacht Currie. De politie weet niets.

Aan de ene kant gaf hij weinig om de vijandigheid van de pers. Het was onvermijdelijk dat die zich na een tijdje op hen zou storten en resultaten

94

zou eisen. Hij wilde die resultaten zelf ook. Maar aan de andere kant maakte het hem pisnijdig. Swann en hij – en het hele team – hadden keihard aan de zaak gewerkt en waren stuk voor stuk honderd procent betrokken, zowel bij de vermoorde meisjes als bij het vinden van de dader. Het enige waarin deze mensen geïnteresseerd waren, was kranten verkopen.

Weer een opgestoken hand. 'Wie heeft het lijk gevonden?'

'Het stoffelijk overschot is gevonden door een vriendin van het slachtoffer, nadat ze een tijdje niets van haar had gehoord en zich zorgen was gaan maken.'

'Heeft iemand van haar andere vrienden een sms ontvangen, zoals bij de eerdere moorden het geval was?'

'Vier personen hebben eerder vanochtend een bericht op hun mobiele telefoon ontvangen.' Swann knikte en liet zijn blik over de toehoorders gaan. 'We kunnen niet ingaan op de inhoud van die berichten, noch details vermelden over hoe dit in zijn werk is gegaan.'

'Was deze vrouw geboeid achtergelaten met de bedoeling dat ze van de dorst zou sterven?'

'De doodsoorzaak is nog niet vastgesteld.'

Naarmate het vragen stellen voortduurde werd het steeds benauwder in de perskamer, merkte Currie. Het had voor een belangrijk deel met zijn vermoeidheid te maken, wist hij, maar de ene keer leek de achterwand van de zaal zich terug te trekken, om vervolgens weer naar voren te komen. Julie Sadlers verwijtende, onbeantwoordbare vragen bleven in de lucht hangen. Waarom is er niemand naar me komen kijken? Waarom...

'Hoeveel meisjes moeten er nog omkomen voordat de politie de dader pakt?'

Curries blik schoot naar de verslaggever die de vraag had gesteld. Swann bleef hem even aankijken, maar de man gaf geen krimp, was er blijkbaar van overtuigd dat dit een heel normale vraag was.

'Jullie zijn al ruim een jaar met het onderzoek bezig, heren rechercheurs. Hoeveel meisjes moeten er nog omkomen?'

Swann bleef hem nog even aankijken, maar gaf toen beleefd als altijd antwoord op de vraag. Currie keek naar het tafelblad en hoopte dat er snel een eind aan dit gebeuren zou komen.

Een halfuur later, met de sfeer van de persconferentie nog als een wolk om zich heen, ging Currie verhoorkamer 5 binnen.

Die was met opzet ontworpen om mensen nerveus te maken. Leeg zou er net een tweepersoonsbed in hebben gepast, maar met de tafel, twee stoelen en de opnameapparatuur kon je je kont er niet keren. Het licht van de enkele gloeilamp boven de tafel reikte nauwelijks tot in de hoeken van het vertrek en de verhoren werden vaak begeleid door een veroordelend tikken van de leidingen langs het plafond. De lucht rook bedompt. Het was alsof je een graftombe in stapte.

Dave Lewis zat met gebogen hoofd op het plastic stoeltje aan de andere kant van de tafel, zodat zijn gezicht niet te zien was. Zijn buik raakte de tafelrand en meer ruimte was er niet; als hij achterover zou leunen, zou hij zijn hoofd stoten tegen de muur achter hem. Lewis staarde naar zijn handen onder het tafelblad, en een tikkend geluid gaf aan dat hij aan zijn nagels peuterde. Zijn gebogen hoofd bewoog niet. Hij zag eruit, stelde Currie zich voor, als op een foto.

Hij zette een piepschuim beker met koffie op de tafel en bood Lewis zijn hand aan.

'Daar ben ik weer, Dave. Sorry dat ik je moest laten wachten.'

Lewis keek hem even wezenloos aan en schudde hem toen de hand. Currie knikte, ging zitten en legde het dossier op tafel, naast de beker met koffie. Hij had redelijk hoge verwachtingen van dit verhoor.

Julie Sadlers vrienden en familie waren al kort verhoord en tijdens die gesprekken was de naam van Dave Lewis gevallen. Hij had een korte relatie met Julie gehad, enige tijd geleden, maar Currie had de naam herkend. Hij had hem door de computer gehaald en gezien dat hij niet in het systeem zat, maar toch... de naam kwam hem bekend voor, ook al wist hij niet precies waarvan. En toen ze bij hem langs waren gegaan, was Lewis meegekomen naar het bureau zonder om uitleg te vragen. Sterker nog, het leek hem helemaal niet te verbazen dat de politie bij hem voor de deur stond. Currie wilde weten waarom dat was.

'Oké, Dave.' Hij zette zijn ellebogen op het tafelblad. 'Ik wil met je praten over Julie Sadler.'

Heel even leek de man in verwarring gebracht.

'Goed,' zei hij. 'Waarom?'

'Julie is een paar dagen geleden vermoord.'

Lewis had niet meer geschrokken kunnen kijken als Currie hem over de tafel had getrokken en hem in zijn gezicht had geslagen. Currie, die meende een leugenaar te kunnen herkennen wanneer hij er een tegenover zich had, was een beetje teleurgesteld. Als de man dit speelde, deed hij dat verdomd goed.

'Wat? Waarom?'

'Dat zijn dingen die ik nu nog niet met je kan bespreken. En jij bent degene die de vragen mag stellen als het zover is, afgesproken?'

Lewis wreef met zijn hand over zijn voorhoofd en keek naar het tafelblad. Currie nam achteloos een slokje van de hete koffie, haalde een foto uit het dossier en schoof die naar Lewis toe. De foto was afkomstig van het studentenbestand van de universiteit.

'Herinner je je haar?'

Lewis knikte. 'Ja, dat is ze.'

'Ik weet dat ze dat is. Ik vroeg of je je haar herinnert.'

'Natuurlijk herinner ik me haar.'

'Wanneer heb je haar voor het laatst gezien?'

Lewis dacht na. Hij zag er nog steeds aangeslagen uit... alsof hij een dreun van links had verwacht en er een van rechts had gekregen.

'Dat weet ik niet precies. Meer dan een jaar geleden.'

'Toen ze het met je uitmaakte, bedoel je?'

'Nee. We zijn daarna nog een paar keer koffie gaan drinken. Ik weet niet meer wanneer dat was. Een tijdje geleden.'

'Sms'jes? E-mails?'

'Nee.'

'Dus helemaal geen contact meer.' Currie sloeg zijn armen over elkaar en leunde achterover. 'Hoe lang hebben jullie iets met elkaar gehad?'

'Ongeveer een maand.'

'Dus jullie gingen ongeveer een maand met elkaar om en daarna heb je een jaar niks meer van haar gehoord.' Currie glimlachte. 'Je maakt een flink aangeslagen indruk, Dave. Waarom is dat?'

Het was een oneerlijke vraag, maar dat kon hem niet schelen. Hij wilde zien hoe Lewis reageerde als hij een beetje onder druk werd gezet.

'Je kende haar nauwelijks. Waarom ben je zo van streek?'

Lewis worstelde, zocht naar wat hij moest zeggen.

'Omdat ze dood is.'

Een redelijk antwoord op een onredelijke vraag. Toch bleef Currie hem aankijken, en algauw sloeg Lewis zijn ogen neer en schudde hij zijn hoofd weer. Currie schoof de foto naar zich toe en deed hem terug in het dossier.

'Goed. Laten we hier even op doorgaan. Hoe heb je haar leren kennen?'

'Op een datingsite.'

'Sorry?'

'Een dating website.'

Currie maakte een aantekening dat hij dat moest nagaan. 'Waarom zo?'

'Massa's mensen leren elkaar kennen via het internet.'

'Dus jij hebt op die manier veel mensen ontmoet?'

'Nee. Ik zeg alleen dat veel mensen dat tegenwoordig doen.'

Currie fronste zijn wenkbrauwen. Misschien had hij de vraag gesteld om Lewis een beetje uit zijn tent te lokken, maar wat hem meer dwars zat was dat de jonge man zo van streek was. Lewis durfde hem niet eens aan te kijken. Met tegenzin had Currie al voor zichzelf bepaald dat Sadlers dood echt nieuws voor Dave Lewis was... maar toch had hij het gevoel dat er iets niet goed zat.

Hij leunde achterover.

'En Julie? Leerde zij veel mensen via het internet kennen? Mannen?'

'Dat weet ik niet.'

'En in het afgelopen jaar?'

'Een paar, vermoed ik. Ze deed het meer voor haar plezier, eigenlijk.'

Currie glimlachte. 'Omdat ze zich met jou niet meer vermaakte?'

Lewis ging rechtop zitten en keek hem aan.

'Nee,' zei hij. 'Blijkbaar niet.'

'Heeft ze het daarom met je uitgemaakt?'

'Zo is het niet gegaan. Het was wederzijds.'

'Dat is niet wat haar vrienden ons hebben verteld.' Currie boog zich naar voren en sloeg het dossier open. 'Die zeiden dat er een incident had plaatsgevonden. Klopt dat? Dat jij haar tegen het lijf liep toen ze met iemand anders op stap was?'

'Dat was geen incident.'

Een deel van de schrik was verdwenen; Lewis leek nu afgeleid. Hij liet zijn blik door de verhoorkamer gaan, belangstellend, alsof die hem meer interesseerde dan wat Currie zei.

'Wat was het dan?'

'Ze had iemand anders op het net ontmoet. We hadden blijkbaar verschillende opvattingen over dat soort dingen. Ik dacht dat we een relatie hadden, en zij niet.'

Currie had de neiging met zijn vingers te knippen om Lewis bij de les te houden.

'Werd je toen boos? Heb je een scène gemaakt?'

'Toen ik ze zag?' Hij schudde zijn hoofd en keek naar de andere kant van de kamer. Waar kijkt hij toch naar? 'Ik ben niet eens naar ze toe gegaan. Maar we hebben er de dag daarna over gepraat en hebben besloten uit elkaar te gaan.'

'Haar vrienden zeggen dat je haar daarna hebt lastiggevallen.'

'Nee. Ik vond het wel goed zo.'

'Het zat haar blijkbaar voldoende dwars om het tegen haar vrienden te zeggen.'

Currie pakte het rapport en las de notities die erover waren gemaakt. Julie Sadler had het tegen twee van haar vriendinnen gezegd, op lacherige toon, om het vooral luchtig te houden. Mijn god, jullie geloven nooit wat er gebeurd is... Ze zouden het waarschijnlijk helemaal vergeten zijn, als er niet iets was geweest waardoor het was blijven hangen. Na een seconde sloeg hij de bladzijde om, om de indruk te wekken dat er meer beschuldigende notities waren dan het geval was, want in werkelijkheid besloegen ze nog geen halve alinea.

'Het schijnt dat je haar e-mails en sms'jes hebt gestuurd. Dat je haar niet met rust wilde laten.'

'Dat is niet waar.'

'Je hebt zelfs bloemen op haar werk laten bezorgen. Is dat juist?'

Ten slotte keek Dave Lewis hem aan, veel kalmer nu dan aan het begin van hun gesprek. Currie voelde dat hij op de een of andere manier het overwicht was kwijtgeraakt, hoewel hij niet wist hoe dat gebeurd was.

'Ik heb geprobeerd haar over te halen het nog een kans te geven, maar daar hebben we het alleen in onze e-mails over gehad. Die bloemen heb ik laten bezorgen om haar te laten weten dat alles oké was. Dat ik geen wrok koesterde. Dat heb ik zelfs op het kaartje geschreven.'

'Hoe kan het dan dat haar vriendinnen het anders zien?'

'Dat weet ik niet.' Lewis leunde achteruit en sloeg zijn armen over elkaar. 'Misschien maakte ze maar een grapje. Misschien heeft ze al die tijd wel de draak met me gestoken.'

'Ja,' zei Currie. 'Misschien.'

'Leuk... deze kamer, trouwens.'

'Wat?'

'Deze kamer.' Lewis knikte naar de hoek. 'De muren staan niet in een rechte hoek op elkaar, hè? Net iets uit het lood. En het licht ook. Slim gedaan.'

Currie staarde hem aan. 'Dave...'

'Ik heb haar niet vermoord. U verspilt uw tijd met mij terwijl u op zoek zou moeten zijn naar wie het wél heeft gedaan.'

'Rustig aan,' zei hij. 'We moeten alle mogelijkheden...'

'Oké. Waarom zijn we daarna dan een paar keer koffie gaan drinken?'

'Wat? Vraag je dat aan mij?'

'Ja. Als ze zo bang van me was. Als ik haar lastigviel. Waarom stelde ze dan voor te gaan lunchen om bij te praten?'

Daar had hij geen antwoord op. Currie wist dat hij het gesprek nu moest beëindigen omdat hij de touwtjes uit handen had gegeven, maar in plaats daarvan kwam hij terug met nog één laatste vraag, die zomaar in hem opkwam.

'Maar waarom heb je daarna dan geen contact met haar gehouden?'

Om de een of andere reden was dat in de roos. Hij zag de boosheid van Dave Lewis' gezicht glijden en plaatsmaken voor iets wat dicht in de buurt kwam van het schuldgevoel dat hij zelf ook ervoer. Maar het voelde niet als een overwinning, meer als een doelpunt in eigen doel. Hij was gespannen en ergerde zich aan zichzelf, en hij wist dat je dat niet op iemand anders moest projecteren. Zo deed je dat niet.

Currie stond op, de stoelpoten krasten over de vloer, hij keek naar de camera in de hoek en stak zijn hand uit naar de digitale recorder.

'Dertien uur tien,' zei hij. 'Verhoor beëindigd.'

'Dat was het?'

'Ja,' zei Currie. 'Dat was alles. Er komt zo een agent om je een paar formulieren te laten tekenen. Daarna ben je vrij om te gaan. We nemen contact met je op.'

Currie deed de deur achter zich dicht en liep de gang in.

Swann zat koffie te drinken toen Currie de teamkamer binnenkwam.

'Dat ging lekker,' zei Swann.

'Zeg dat wel.'

'Mag ik hem de volgende keer doen? Jij krijgt altijd de leuke verdachten.'

'Ik heb er een rommeltje van gemaakt.' Currie ging zitten, leunde achterover, deed zijn ogen dicht en wreef met zijn hand over zijn gezicht om er weer wat leven in te krijgen... en wat gezond verstand in zijn hoofd.

'Tevreden?' vroeg Swann.

'Ik zie hem niet als kandidaat voor Julie Sadler.'

'Ik ook niet.'

'Maar wel voor iets anders.'

'Ja.' Swann nam nog een slokje koffie. 'Misschien heeft hij een voorraadje drugs in zijn flat. Maar het maakt niet echt uit, Sam. We moeten ons strikt aan onze prioriteiten houden.'

Daar had je dat woord weer. Currie wreef over zijn wang en zijn kin. Hij had behoefte aan slaap en aan een scheerbeurt.

'Oké,' zei hij. 'Je hebt gelijk. Ik ben tevreden. Wie staat er nu op het programma?'

'Keith Dalton. Een meer recente ex.'

'Goed. Haal hem naar het bureau. Het is jouw beurt om je tijd te verspillen, terwijl we "op zoek zouden moeten zijn naar wie het wél heeft gedaan".'

Swann grijnsde en liep de teamkamer uit. Currie ging aan de tafel zitten en zag op de kleine monitor hoe Lewis de formulieren tekende.

Prioriteiten. Zijn partner had natuurlijk gelijk. Toch sloeg hij Dave Lewis' naam op in zijn geheugen. De jonge man had verwacht dat ze bij hem voor de deur zouden staan. Misschien had dat niets met Julie Sadler te maken, maar er was absoluut iets met hem aan de hand. En dat was niet alleen een partijtje drugs in zijn flat.

Misschien, dacht Currie, zal ik uiteindelijk ontdekken wat het dan wel is.

11

Woensdag 31 augustus

'Weet je,' zei Sarah tegen me, 'dit is niet het tweede afspraakje dat ik in gedachten had.'
'Ja, nou, sorry.'
'Serieus, is dit hoe de toekomst eruitziet? Eén lekker etentje in een restaurant en daarna keten je me vast aan het aanrecht?'
Ik glimlachte naar haar. We stonden in de keuken van het vroegere huis van mijn ouders, Sarah met haar handen in rubberhandschoenen in een spoelbak vol sop, voorovergebogen en druk bezig de borden schoon te boenen. Ik stond aan de andere kant, naast een kartonnen doos, en was de bijkeuken aan het leegruimen. De laatste spullen die nog op de planken stonden – oude potten en flessen, een half opgebrande kaars en een paar verroeste sleutels – waren er in de loop der jaren aan vastgeplakt geraakt, en ik moest kracht zetten om ze van het formica los te krijgen.
'Hé,' zei ik, 'je had het zelf aangeboden.'
'Dat is waar. Ik plaag je alleen maar.'
Ik was nog steeds lichtelijk verbaasd dat ze hier bij me was, verwonderd, en zo gelukkig als in de afgelopen dagen maar mogelijk was. Door wat er daarna was gebeurd was mijn eerste afspraakje met Sarah een beetje naar de achtergrond van mijn gedachten geschoven. Toen ze me de vorige avond belde en voorstelde vandaag samen iets te gaan doen, was het alsof ik wakker schrok uit een boze droom en me herinnerde dat er een winnend lot van de loterij op mijn nachtkastje lag. Ik zei onmiddellijk ja en herinnerde me later pas dat ik met Rob had afgesproken om met de schoonmaak van het huis te beginnen. Ik belde haar terug om me te verontschuldigen, maar ze had me verrast door te zeggen dat ze met plezier zou komen meehelpen.
'Ik zal straks voor je koken,' zei ik toen ze er was, 'om je te bedanken.'
'Ja ja, een goedkoop excuus om me naar je flat te lokken.'
'Wil je niet mee?'
'Dat zei ik toch niet?' Ze glimlachte naar me, en ik voelde een tinteling in mijn buik. Toen draaide ze zich om en trok een lelijk gezicht naar

het aanrecht. 'Als je maar niet van me verwacht dat ik daar ook de afwas doe, oké?'

'Absoluut niet.'

Ondanks alle schoonmaakmiddelen rook het hele huis naar stof, ook toen we alle ramen open hadden gezet. Linda had goed werk geleverd met het schoonmaken van de basis, maar toen we dingen begonnen te verplaatsen en van hun plek weghaalden, was het alsof er een vloek uit een Egyptische graftombe vrijkwam. Aan het eind van de oprit stond een gele vuilcontainer te wachten, en hoewel we pas een paar uur bezig waren, was die al voor de helft gevuld. In de gang naar de woonkamer, waar Rob bezig was de boeken van de planken te halen en die in stoffige stapels op de grond te laten vallen, stonden talloze vuilniszakken met oude kleren tegen de muur.

De enige kamer die we onaangeroerd hadden gelaten was die van Owen. Ik was me daar mentaal op aan het voorbereiden.

'Verdorie, ik krijg dit niet schoon,' zei Sarah.

'Maakt niet uit. Wacht, ik moet even mijn handen wassen.'

Ze trok de rubberhandschoenen uit en deed een stap opzij, zodat ik de kleverige troep van mijn vingers kon wassen. Terwijl ik mijn handen onder de kraan afspoelde, liep zij naar de deur van de bijkeuken en keek naar binnen. .

'God, wat een naargeestig hok.'

'Naargeestig zeker, maar leeg. Straks ga ik het schoonmaken.'

Ik deed de deur van de bijkeuken dicht en wilde de kartonnen doos oppakken en naar de gang brengen toen ik zag wat er op de deur zat.

Een tekening die ik als kind had gemaakt. Mijn moeder had hem er ooit op geplakt en hem nooit meer weggehaald, en de randen waren vergeeld en omgekruld. Vier onbeholpen mensenfiguurtjes die op een groene lijn stonden, naast een rood huis dat maar half zo groot was als zij. Daarboven een klont blauwe krassen, de bekende manier waarop kinderen de lucht zien en die weergeven.

Sarah zag me kijken en kwam naast me staan.

'Een van je meesterwerken?'

'Een van de oudste die bewaard is gebleven, denk ik.'

'Heel veelbelovend. Je had kunstenaar moeten worden.'

Ik glimlachte, maar het voelde wat geforceerd. Ik wist niet waarom, maar de tekening gaf me een opgelaten gevoel. Was dit waar mijn moeder elke dag naar had gekeken, in al die moeilijke jaren waarin we nauwelijks met elkaar hadden gepraat? Was het de voorstelling: wij met z'n vieren, nog samen? Ik boog me naar het figuurtje aan de rechterkant. Een slordig rondje met een holle lijn als glimlach en strepen in kleurpotlood als haar. Geen handen; alleen een paar strepen die rechtstreeks uit de arm kwamen en die een soortgelijke hand van het figuurtje ernaast raakten.

'Kom eens mee,' zei ik.

'Spannend.'

Ze volgde me de gang in en we bleven voor de deur van Owens kamer staan.

Als ik het nu niet doe, dacht ik, wanneer dan?

Voor zover ik wist was hier niemand binnen geweest na de avond dat we waren teruggekomen van het ziekenhuis, waar ze het stoffelijk overschot van mijn broer naartoe hadden gebracht. Zolang de deur dicht was gebleven, was je bijna in staat te geloven dat hij daar nog steeds was. Dat hij lag te slapen, misschien, of zachtjes op zijn gitaar speelde, of zijn haar kamde voor de spiegel, op die nieuwe manier die we een paar weken voor zijn dood hadden ontdekt.

Diep ademhalen.

Ik deed de deur open, voelde de *woemf* van de decompressie, stak mijn hand om de deurpost en deed het licht aan. De slaapkamer, helder verlicht, lag recht voor me.

En er was natuurlijk niemand.

'Wauw,' zei Sarah. 'Was dit de kamer van je broer?'

Ik knikte.

Het was alsof ik een deur naar een andere wereld had geopend, een stille, vergeten plek. Alles was bedekt met een fijne, grijze sneeuw: het beddengoed, de kasten, de vloer... alles. De hoeken van het plafond werden aan het oog onttrokken door spinrag, en lange stofdraden deinden in de lucht.

Mijn gezicht werd gevoelloos.

'Alles oké met je?' vroeg Sarah.

'Ja. Alleen de herinneringen.'

Ze verbaasde me weer. 'Kom hier, jij.'

Ik draaide me om, ze omhelsde me, en haar handen voelden stevig op mijn rug.

'Echt, niks aan de hand,' zei ik. 'Het is lang niet zo erg als ik had verwacht.'

'Hé!'

Rob... die ons riep vanuit de woonkamer.

'Kom eens kijken!'

Ik deed een stap achteruit en Sarah keek me met rollende ogen aan. Ze had zich al een beeld van Rob gevormd. Ik had haar voor hem gewaarschuwd... dat hij buitengewoon charmant kon zijn, maar net zo vaak grof in de mond en irritant, vooral tegen de meisjes met wie ik omging. En ik had Rob ook gewaarschuwd. Tot nu toe had hij zich keurig gedragen en zelfs een keer met ontzag naar me geknikt toen Sarah niet keek, wat ik als een goed teken opvatte. Hoe zij over hem dacht kon nog twee kanten op, maar tot nu toe leek hij haar meer te amuseren dan te ergeren.

'Ik kom zo,' riep ik terug.

'Nee, ze hebben hier Stanleys boek. Ik kan mijn ogen niet geloven.'

'Thom Stanley,' legde ik Sarah uit. 'Dat is het medium over wie ik je vertelde toen ik je aan de telefoon had. Rob en ik gaan morgenavond naar hem toe.'

Stanley was een plaatselijke bekendheid, en op papier hadden we al eens eerder met elkaar in de clinch gelegen, met aanvallen over en weer. Een jaar geleden hadden we een stuk gebracht over zijn inkomsten, met de nogal gênante uitkomst van een belastingcontrole die hij had gehad. Mediums praten niet graag over het geld dat ze opstrijken. Het was duidelijk dat hij ons niet erg mocht. Hij wist het nog niet, maar binnenkort zou hij ons nog veel minder mogen. Stanley stond op het planbord om de middenpagina's van ons volgende nummer te sieren, als het doelwit van ons maandelijkse hoofdartikel 'Tegen de lamp'.

'Ah, ja,' zei Sarah. 'Ik weet het weer.'

'We kunnen het niet aan een of andere kringloopwinkel geven, of wel soms?' riep Rob. 'Straks koopt iemand het.'

Ik hoorde hem in het boek bladeren.

'Misschien kunnen we het verbranden.'

'Ik... wacht even.'

'Ga maar.' Sarah glimlachte naar me. 'Dan begin ik alvast aan de bijkeuken.'

Ik liet mijn blik nog een keer door Owens kamer gaan en deed de deur weer dicht.

'Je bent een kanjer,' zei ik tegen haar, en ik meende het.

Ik trof Rob midden in de woonkamer, op zijn knieën, omringd door stapels boeken en open kartonnen dozen, bladerend in het boek. Hij keek op toen ik binnenkwam en gooide het opzij.

'Doe de deur dicht.'

Ik deed wat hij vroeg. Hij keek me recht aan.

'Wat is er?' vroeg ik.

'Alles oké met je?'

'Ja, best. Hoezo?'

'Niks.' Hij zette zijn handen op de grond en kwam overeind. 'Ik vraag het alleen maar. Ik wilde weten of het wel goed met je gaat. Hier in dit huis en met alles.'

'Bedankt voor de belangstelling. Hoe gaat het hier?'

Hij gaf een trap tegen de stapel boeken bij zijn voeten. 'Het kan ermee door. Ik kom wel een hoop rotzooi tegen.'

'Ik weet het.'

'Hoe vorder je in de keuken?'

'We schieten aardig op.'

'Niet met het schoonmaken, idioot. Met Sarah, bedoel ik.'

'O. Ja, dat gaat ook goed.'

'Ze lijkt me heel aardig. Deze bevalt me wel.'

'Mooi zo. Goed om te horen.'

Eigenlijk was dit een groot compliment van Rob. In het kader van onafscheidelijke beste vrienden in alle omstandigheden had hij bijnamen verzonnen voor vrijwel alle vriendinnen die ik in de loop der jaren had gehad, en het merendeel van die namen was niet erg complimenteus geweest. Tori was 'de gestoorde'. Emma 'de treurwilg'. En Julie, moge God hem vergeven, was 'de slet' geweest.

Gelukkig had hij haar gisteren, toen ik hem op de redactie vertelde wat er was gebeurd, niet zo genoemd. Maar hij had me wel de les gelezen.

Nadat ik hem had verteld over het politieverhoor, was het lunchtijd en was hij naar buiten gegaan om iets te eten voor ons te halen, zodat ik alleen achterbleef met de krant die ik die ochtend had gekocht. De foto op de voorpagina was dezelfde die Julie voor haar profiel op de datingsite had gebruikt. Ik denk dat de foto oorspronkelijk was genomen voor het studentendossier van de universiteit: een geposeerde, professionele opname waarop ze er bijna onschuldig uitzag. Maar in haar ogen zat de net zichtbare fonkeling van de speelse seksualiteit die ik altijd met haar associeerde.

Toen Rob terugkwam, had hij de zak met mijn broodjes boven op de krant gegooid en gezegd dat ik die moest wegleggen. En toen ik protesteerde, had hij het nog een keer gezegd. Ten slotte had hij de krant van mijn bureau gegrist. Hou op met piekeren.

'Hoe hou je je staande?' vroeg hij nu.

'Hier? Het is minder erg dan ik had verwacht.'

'Nee, met Julie.'

'Oké, denk ik.'

Dat was voor een deel waar. De avond na het verhoor had ik op de bank naar de tv zitten staren terwijl ik eindeloos de truc met het muntje in mijn handpalm oefende. Zonder het te willen had ik aan haar moeten denken.

Ik dacht terug aan hoe klein en atletisch ze was. De zichtbare spieren van haar rug en bovenbenen. Julie had net vijfenveertig kilo gewogen, maar ze was opvallend sterk geweest en was mij, terwijl ik bijna twee keer zo zwaar was, lichamelijk meer dan eens de baas geweest. Tijdens ons derde afspraakje hadden we met elkaar gestoeid en had ik ten slotte uitgeput op de vloer in haar woonkamer gelegen, op mijn rug, met haar boven op me terwijl ze mijn armen in bedwang hield en onze gezichten heerlijk dicht bij elkaar. In die houding, min of meer, hadden we de rest van de avond doorgebracht.

Waarom heb je geen contact met haar gehouden?

Het muntje was uit mijn hand ontsnapt en geruisloos op de vloerbedekking gevallen.

Ik had haar ongeveer een jaar niet gezien en had zelden aan haar gedacht, maar ik vond het moeilijk te geloven dat ze dood was, dat die sterke, levenslustige jonge vrouw die in mijn herinnering glimlachend op me neerkeek, er niet meer was.

Toen de politie voor mijn deur had gestaan, was ik bang geweest dat ze vanwege Eddie waren gekomen. Nu, als dat zou betekenen dat Julie nog in leven zou zijn – ook al zag ik haar nooit meer en dacht ik zelden aan haar – wou ik dat dat waar was geweest.

'Liegen tegen mij is zinloos,' zei Rob. 'Daar ken ik je te goed voor. Ik kan zien dat je je schuldig voelt.'

'Ik voel me helemaal niet schuldig.'

'Ja, dat doe je wel. Je gezicht vertrekt als je liegt.'

'Doe niet zo stompzinnig.'

'Zie je, nu doe je het weer.'

Ik fronste mijn wenkbrauwen. 'Nou, misschien voel ik me een heel klein beetje schuldig.'

'En waarom?'

'Om wat er met haar gebeurd is. Jezus, Rob, ze heeft daar langzaam liggen doodgaan, op dat bed, zonder dat er ook maar iemand langskwam om te zien of alles met haar in orde was.'

'Ja, dat zit mij ook dwars. Ik had iets moeten doen.'

'Je kende haar niet eens.'

'Nee, en jij ook niet. Dat is precies wat ik wil zeggen, Dave. Ze heeft je bedonderd en in plaats de pest aan haar te hebben, zoals ieder normaal mens zou doen, voel je je verantwoordelijk voor wat er een jaar later met haar is gebeurd.'

Ik wreef met mijn hand over mijn voorhoofd. 'Je bent net zo erg als die smeris.'

Rob zei enige tijd niets.

Toen vroeg hij: 'Heb je het aan Sarah verteld?'

'Nee.'

Hij leek bijna opgelucht. 'Dat is waarschijnlijk het beste. Zoals ik al zei, lijkt ze me aardig.'

'Ze ís aardig.'

'Akkoord. Dus geef dat karakter van je niet de kans om dit ook weer te verpesten.'

'Je wordt bedankt.'

'Echt, ik meen het. Je bent mijn beste vriend en ik ga niet toekijken ter-wijl jij een puinhoop van je leven maakt. Ik weet hoe je soms kunt zijn.'

Ik wilde doen alsof ik beledigd was, maar hij had zo'n oprechte uitdruk-king op zijn gezicht dat ik het niet voor elkaar kreeg. En in feite had hij gelijk. Er was iets afschuwelijks gebeurd, maar dat had niets met mij te maken. Het was mijn schuld niet. Ik had niets kunnen doen, of moeten doen, om het te voorkomen.

'Ik zal me inhouden,' zei ik. 'Echt waar.'

Hij bleef me even aankijken en knikte ten slotte. Toen pakte hij het boek van Thom Stanley op en hield het me voor. Ik pakte het aan en zag twee toegangskaartjes tussen de bladzijden vandaan steken.

'Wat zijn dit?' vroeg ik.

'Voor morgenavond. Ik wil dat jij en Sarah ernaartoe gaan.'

'Wat? Maar je verheugde je er al zo lang op.'

'Ja, maar ik denk dat het beter is als ik niet meega.' Hij leek er niet blij mee. 'Zijn mensen zouden me kunnen herkennen.'

Rob had een jaar geleden, in de tijd van onze onthullingen, samen met Thom Stanley in een tv-programma gezeten, in iets wat men in nette woorden een 'live confrontatie' noemt. Hij was ook beschuldigd van pesterige telefoontjes achteraf, hoewel Rob hardnekkig bleef ontkennen dat hij daar iets mee te maken had gehad, net zoals hij had ontkend dat hij een vriend bij de telefoonmaatschappij had die hem de privénummers en het adres van Stanley had verstrekt.

'We hebben het er eerder over gehad,' zei ik. 'Die kans is heel klein.'

'Klein maar aanwezig. Jezus, Dave, wil je die kaartjes of niet? Misschien is het leuk voor jullie. Dan kunnen jullie elkaar wat vaker zien. Ik zie je verdomme al vaak genoeg.'

Ik gaf me gewonnen, vouwde de kaartjes op en stak ze in mijn zak.

'Goed dan. Bedankt, Rob.'

'Graag gedaan.' Hij nam het boek weer van me over, tikte op de cover, trok zijn wenkbrauwen op en keek me vol verwachting aan. 'Mag ik het dan nu verbranden?'

Ik wilde eigenlijk nee zeggen, maar toen ik erover nadacht, moest ik aan mijn vader en zijn vreugdevuren denken. Waarom niet?

'Buiten.' Ik glimlachte. 'De middelste tuin.'

12

Donderdag 1 september

Ging het zo met alle afschuwelijke dingen, vroeg Mary zich af, met alles waar je doodsbang voor was? Je bereidde je erop voor, dacht eraan totdat het in je hoofd kolossale proporties had gekregen, om ten slotte tot de ontdekking te komen hoe weinig het eigenlijk voorstelde. Hoe ongelooflijk doodgewoon het was.

Het was bijna twaalf uur 's middags, ze zat in haar auto, aan het begin van de weg naar het woonblok, en voelde zich merkwaardig kalm. Wat ze nu deed, was de afgelopen twaalf jaar het onderwerp van haar nachtmerries geweest, en nu het werkelijk gebeurde, had het bijna iets van een anticlimax.

Haar vader zien, in levenden lijve.

Hij had zich in haar geest zulke mythische krachten toegeëigend dat het bijna choquerend was om hem buiten de context van haar herinneringen te zien.

Hij is ook maar een mens, hield ze zichzelf voor.

En toch zat ze hier te beven en moest ze de neiging onderdrukken om de motor te starten en weg te rijden, ondanks het feit dat al haar instincten haar opdroegen juist dát te doen. Het was op een gruwelijke manier fascinerend om hem te zien, ongeveer zoals wanneer je omlaagkijkt en je eigen darmen in je schoot ziet liggen.

Nee, zei ze tegen zichzelf. Je mág nu niet op de vlucht slaan.

Uiteindelijk zul je de confrontatie met hem moeten aangaan.

Ze nam een slokje warme soep uit de thermosfles die ze had meegebracht en dwong zichzelf naar hem te kijken. Oefenen... dat was ze nu aan het doen. Ze bereidde zich voor op de dag dat hij haar zou komen halen. Want Mary wist nu dat die dag ooit zou komen. Het was onvermijdelijk. Na het bezoek van Currie had ze zich wanhopig en verloren gevoeld... maar het was vanaf het eerste begin natuurlijk oerdom geweest om te geloven dat iemand haar kon helpen. Er konden nog maar twee dingen gebeuren. Óf haar vader kwam naar haar toe en ze stortte volledig in, werd weer het kleine meisje dat ze ooit was geweest, óf hij kwam en trof een sterke, volwassen vrouw die klaar was voor de confrontatie met hem. Maar dat hij zou komen, daar twijfelde ze niet aan. Dus moest ze proberen alvast aan zijn aanwezigheid te wennen.

Hij is meer dan honderd meter van je vandaan; hij kan je niets doen.

In de loop der jaren had ze zoveel nagedacht over de risico's dat het inschatten ervan een bijna dagelijkse bezigheid voor haar was geworden. Als haar vader vanaf de heuvel naar de toren keek, kon hij haar auto zien, maar die stond tussen andere auto's geparkeerd en er was geen reden dat juist háár auto hem zou opvallen. Mocht dat toch zo zijn, dan zou hij haar van die afstand niet kunnen herkennen; meer dan een silhouet zou ze niet zijn, niet eens herkenbaar als vrouw, laat staan als zijn dochter. En als hij de heuvel af kwam, zomaar of doelbewust, kon ze wegrijden voordat hij halverwege was. Dat zorgde voor ten minste drie veiligheidszones tussen hen in. Kortom, er kon haar niets gebeuren.

Alsof je je met logica tegen een monster kon verdedigen.

Maar in de tien minuten dat ze hier in haar auto had gezeten, had hij nauwelijks deze kant op gekeken. Hij was in zijn voortuintje bezig, met zijn rug naar haar toe, was met trage bewegingen iets aan het doen. Naast hem, op de treden bij de voordeur, stond een lichtblauwe emmer waar hij keer op keer een spons in doopte, die langzaam omhoogbracht en waarmee hij de obsceniteiten die op de deur stonden geklad probeerde te verwijderen. Erg snel ging dat niet, maar wat het was wat erop had gestaan was inmiddels veranderd in een witte vlek die steeds vager begon te worden.

Zijn huis was een twee-onder-een-kapwoning, en de buurman was in zijn eigen tuin bezig. Een kolossale, dikke man – zijn hoofd en nek vormden één geheel en zijn onderlip stak als een richel uit zijn gezicht – die zich niet verroerde en een groene tuinslang in zijn hand hield alsof het de teugel van een paard was, terwijl hij onverhuld keek naar wat haar vader aan het doen was. Mary zag dat de man iets zei... een of andere gemompelde belediging waarbij zijn mond op een blaasbalg leek. Haar vader stopte met boenen en Mary merkte dat ze haar adem inhield, in afwachting van... maar toen bukte hij zich, traag en moeizaam, en doopte de spons weer in de emmer. Hoe had rechercheur Currie hem beschreven? *Een gebroken mens.* Nu Mary hem had gezien, begreep ze wat hij bedoelde.

Ik heb de foto gezien van toen hij was gearresteerd, en hij is heel veel veranderd, had Currie gezegd.

Twaalf jaar geleden, toen ze hem voor het laatst had gezien, was haar vader een grote, sterke kerel geweest. Iemand die een hele kamer vulde met zijn lijf en zijn aanwezigheid, en mensen die hem niet beter kenden, zagen hem vaak voor dik aan. De werkelijkheid was echter anders. Haar vader had talloze uren besteed, jaren achtereen, aan krachttraining en oefeningen waarvan ze de naam niet wist... als ze überhaupt een naam hadden. Gewichtheffen en kniebuigingen met een halter op de schouders. Loodzware curls met de barbell, in korte sets, en met de dumbbells, die hij met zijn enorme knuisten op en neer zwaaide. En al die gewichtstraining was bedoeld geweest om op mensen toe te passen. Zijn uiterlijk kon hem weinig schelen; het enige wat hem interesseerde was kracht. Hij had zelfs geen probleem met de laag vet die zijn spieren bedekte, en die hem vaak het voordeel van het onverwachte gaf.

Zo te zien was dat overtollige vet in de afgelopen twaalf jaar geheel verdwenen, en een aanzienlijk deel van zijn spieren ook. Haar vader zag er zwak, uitgeblust en vreselijk oud uit. Het leek wel of de tijd een truc met hem had uitgehaald, waardoor de afgelopen jaren dubbel hadden geteld. Hij bewoog zich onzeker en stond een beetje voorovergebogen, alsof zijn rugspieren op een zeker moment waren geknapt en waren geheeld toen hij in een gebogen houding lag.

Hij is niet meer de man die je je van vroeger herinnert.

Dat was waar. De vader in haar herinneringen zou de buurman onmiddellijk op zijn gezicht hebben geslagen voor de opmerking die hij tegen hem had gemaakt.

Zonder zijn wandelstok haalt hij nauwelijks de andere kant van de kamer...

Alleen dat – hoezeer ze zichzelf ook van het tegendeel probeerde te overtuigen – Mary er niets van geloofde. Geen woord!

Haar vader had niets zwaks en kwetsbaars, en als die indruk werd gewekt, speelde hij dat, met een reden. Hij zat misschien tijd te rekken. Hield zich gedeisd. De mensen hadden hem altijd onderschat. Currie had niet geluisterd toen ze dat tegen hem zei, en ze begreep nu waarom. Hij kende haar vader niet zoals zij hem kende, dus had hij zich gemakkelijk laten misleiden door wat hij te zien had gekregen.

En die elektronische enkelband dan?

Mary kneep haar ogen een stukje dicht en tuurde naar hem, vroeg zich af of ze de band door de pijp van haar vaders joggingbroek heen kon zien. Dat kon ze natuurlijk niet, maar Currie was op dat punt duidelijk geweest, dat ze er zeker van waren dat Frank Carroll, door die enkelband, vrijuit ging. Maar opnieuw was zij daar veel minder zeker van. Er moesten toch manieren bestaan om je aan die dingen te onttrekken? En iemand als Frank Carroll zou vast en zeker weten hoe dat moest, of hij zou mensen kennen die het wisten.

Maar hoe kon ze zich dan wapenen tegen deze man? Wat zou er gebeuren als ze een keer 's nachts haar ogen opendeed en hij in de hoek van haar slaapkamer stond, met die oude leren riemen in zijn vuisten geklemd?

Terwijl ze naar hem zat te kijken dacht ze terug aan die nacht in de sneeuw, twaalf jaar geleden. Het had haar allerlaatste sprankje moed gevergd om uit het huis te ontsnappen. Haar vader had de riemen minder strak vastgeknoopt, alsof hij haar had willen uitdagen zichzelf te bevrijden en hij er alle vertrouwen in had dat haar angst voor hem haar daarvan zou weerhouden... en bijna had hij gelijk gekregen. Toen ze door de kou strompelde, was ze er zeker van geweest dat ze helemaal leeg was. Ze had haar hele voorraad moed en doorzettingsvermogen opgebruikt, had alles moeten aanspreken voor die ene laatste ontsnappingspoging.

Had ze die dingen ooit teruggevonden?

Mary dronk het laatste restje soep uit de dop van de thermosfles, deed haar hoofd achterover om de dikke vloeistof in haar mond te laten glijden. Terwijl ze dat deed, voelde ze een rilling in haar nek.

Ze liet haar hoofd terugkantelen. Heel langzaam.

En verstrakte.

Haar vader keek haar kant op. Hij stond nog steeds bij zijn voordeur, maar nu met zijn rug naar de onleesbare witte letters. Hij hield zijn hand boven zijn ogen om die tegen de zon te beschermen. Op zijn gezicht was nieuwsgierigheid te zien.

Haar hand begon te trillen.

Er was geen reden dat juist haar auto hem zou opvallen...

Maar ze voelde zijn blik op haar gezicht branden.

Je kunt wegrijden voordat hij halverwege is...

En toch leek ze niet in staat zich te bewegen. Het deel van haar hersenen dat haar lichaam in gang moest zetten reageerde niet, leek tijdelijk buiten dienst. Haar geest herinnerde zich niet eens wat die bewegingen wáren, zoals een vergeten woord dat je je probeert te herinneren steeds verder van je weg lijkt te drijven.

Terwijl ze vanaf die te verwaarlozen afstand naar hem zat te kijken, bewoog haar vader zijn hand bij zijn ogen vandaan en zwaaide hij één keer naar haar. Ze verroerde zich nog steeds niet. Ze zag een glimlach op zijn gezicht komen, en toen boog hij zich langzaam voorover, zichtbaar met moeite, en klopte hij op zijn onderbeen alsof hij een hond had die net een kunstje had gedaan.

Je moet hier weg!

Hij stapte de trede af en kwam het tuinpad op lopen.

Mary kwam weer bij zinnen, merkte nu pas dat haar hart bijna uit haar borstkas sprong. Wegwezen. Haar hand vond de versnellingspook, duwde hem naar voren en ze reed een stukje achteruit. De banden slipten piepend. Ze keek niet in de achteruitkijkspiegel toen ze wegreed.

Ze hoefde hem niet te zien om te weten dat hij haar nakeek.

In de zomer, als de ramen open waren, kwamen er vaak wespen het huis binnen.

Mary had de pest aan wespen. Ze botsten voortdurend tegen de ruiten of vlogen rondjes door de kamer, op zoek naar iets wat ze konden steken. Dan pakte ze een tijdschrift, rolde het op, wachtte tot het beest ergens ging zitten en gaf er een zo hard mogelijke klap op.

Op een keer had ze er een geraakt maar blijkbaar niet hard genoeg, want de wesp leefde nog. En in plaats van er nog een klap op te geven, had ze met huiverende fascinatie toegekeken hoe het beest zijn doodsstrijd voerde.

Het had nijdig zoemend op het aanrecht gelegen, de kop en het bovenlijfje hadden eruitgezien als geplette maïskorrels en het onderlijfje had pompende bewegingen gemaakt. De stervende wesp had zich keer op keer opgekruld en het had even geduurd voordat Mary begreep wat het beest aan het doen was: het probeerde in de lucht te steken. Zelfs toen het bovenste deel niet meer bewoog, bleef het onderste deel zich opkrullen en in de leegte steken. Dat deel was het laatste dat uiteindelijk tot rust kwam.

Mary reed door. Doodsbang. Ze deed haar uiterste best om op te houden met trillen.

Dit was wat rechercheur Currie niet begreep... wat niemand scheen te begrijpen. Currie had gezegd dat haar vader een gebroken mens was, en misschien had hij daar wel gelijk in. Maar wat hij niet begreep, was dat iemand als Frank Carroll niet breekt zoals normale mensen dat doen. Híj brak zoals wespen dat doen.

13

Donderdag 1 september

Als ik mijn twijfels had gehad over Robs voorstel van de vorige dag dan waren die nu, 's avonds om kwart over zeven, toen ik met Sarah in de ouderwetse pluchen bar van het Western Varieties Theatre zat, geheel weggenomen.

Er hingen donkerrode velours gordijnen, de wanden hadden donkere houten lambriseringen en daarboven hingen koperen lantaarns. Het was alsof je je bevond in de buik van een of ander zeemonster dat net de kapiteinshut van een piratenschip had verzwolgen. De bar was vol mensen geweest toen we binnenkwamen, maar de voorstelling zou over een paar minuten beginnen en de meeste mensen waren al naar boven gegaan om hun plaats op te zoeken. We hadden geen haast. We hadden al iets gedronken en waren nu met een tweede glas bezig.

'Sorry dat ik er vanochtend zo snel vandoor moest,' zei Sarah. 'Ik wilde je gedag zeggen, maar er zat nog weinig leven in je.'

'Je had me best wakker kunnen maken. Ik ben niet zo'n langslaper.'

'Misschien had je een reden om dat vandaag wel te zijn.'

Ik glimlachte. 'Ik kan me vaag herinneren dat je bent weggegaan. Het verbaasde me sowieso dat je er nog was.'

'Wat? Had ik dan midden in de nacht de deur uit moeten sluipen?'

'Zodra je je kapitale fout inzag.'

Sarah trok haar ene wenkbrauw op, keek me met een geamuseerde blik aan, roerde met haar rietje in haar glas en liet de ijsblokjes rinkelen. Ze zag er fantastisch uit, was gekleed in een donkere jeans van dunne stof, een zwart shirt dat eroverheen hing en een groen fluwelen jasje. Haar gezicht straalde alsof het licht gaf.

'Ik vond het fijn om naast je wakker te worden,' zei ze zacht.

'Nou, ik zal je op je woord moeten geloven, aangezien ik zelf nog buiten kennis was.'

Ze glimlachte veelbetekenend.

'De volgende keer zal ik je wakker maken.'

'Goed idee.'

'Met een emmer koud water.'

'Als je dan eerst de afwas doet voordat je die vult...'

Ze stak haar tong naar me uit en lachte.

Ik zei: 'Ik ben blij dat je vanavond bent meegegaan.'

'Zo'n aanbod kon ik toch niet afslaan?' Ze liet het rietje los en boog zich over de tafel. 'Ik voel me net een spion. Spannend.'

'Cool. Maar pas op dat je onze cover niet prijsgeeft.'

'Weinig kans.' Ze ging rechtop zitten en haalde haar hand van boven naar beneden voor haar gezicht langs. 'Ik beloof het, serieus.'

'Heel overtuigend.' Ik dronk mijn glas leeg. 'Oké, laten we naar binnen gaan.'

Het theater bestond uit een centraal podium met een oplopende halve cirkel van zitplaatsen eromheen. Het podium zelf was simpel en vrijwel kaal... alleen een microfoon op een standaard vooraan en een paar meter daarachter een tafeltje met een kan water en een glas, en een stoel ernaast, vermoedelijk voor het geval Thom Stanley overmand zou raken door zijn eigen emoties en even moest gaan zitten om bij te komen.

'Pardon, sorry. Mogen we er even langs?'

We waren bovenaan binnengekomen en moesten ons langs de met tegenzin opgetrokken benen van vooral oudere mensen wringen. Er zaten wel een paar jongere stellen in het publiek, maar de meerderheid was ouder... eenzame mannen en vrouwen die een soort troost zochten, die hoopten dat hun overleden dierbaren weer even tot leven konden worden gewekt en dat hun verlies ongedaan werd gemaakt. In ruil voor de prijs van een toegangsbewijs leverde Thom Stanley deze illusie. Vanavond, in dit theater, zou het einde van een mensenleven worden gereduceerd tot het equivalent van een wandeling over onbekend terrein.

Ik kon de mensen niet kwalijk nemen dat ze dat wilden, want ik zou het zelf ook best willen. Maar ik nam Thom Stanley wel kwalijk dat hij er misbruik van maakte. Hij was een doodordinaire oplichter, een parasiet die zich voedde met het leed en de zwakheid van anderen. Alles wat de dood van iemand zo vreselijk maakte, gaf mensen als hij de kans hun brood te verdienen.

Sarah en ik vonden onze plaatsen en gingen zitten wachten. Ik luisterde naar het gedempte gefluister om ons heen en stak mijn hand in de zak van mijn jasje om de digitale recorder te starten zodra de show begon. De recorder was een geavanceerd model met een ingebouwde microfoon die gemakkelijk in staat moest zijn om vast te leggen wat er zo meteen ging gebeuren. Of waar Rob en ik op hoopten, als het een beetje meezat.

Sarah fluisterde: 'Kan het zijn dat hij weet dat je hier bent?'

'Natuurlijk weet hij dat,' zei ik. 'Hij is helderziend.'

Ze gaf me een por met haar elleboog en op dat moment ging het zaallicht uit. Ik drukte snel de opnameknop in, haalde mijn hand uit mijn zak en legde die op de hare.

Een enkele spotlight lichtte de standaard met microfoon uit en er klonk een beleefd applausje op, dat navolging vond en langzaam in volume toenam. Toen Thom Stanley vanachter de coulissen het podium opkwam, zwol het verder aan.

En daar was hij dan: de ster van de show.

Stanley behoorde tot de nieuwe generatie paragnosten: jong en knap, met zorgvuldig door de war gemaakt haar. Hij was lang en slank en was gekleed in een modieus overhemd dat over een nette broek hing. Elke keer wanneer ik hem zag moest ik eraan denken dat hij het goed zou doen als presentator van zo'n derderangsspelshow die ze 's nachts op tv uitzonden. Zo'n programma waarin je eindeloos wordt aangespoord om te bellen en dan een bandje te horen krijgt met: sorry, volgende keer beter.

'Goedenavond, allemaal.'

Hij maakte een lichte buiging naar beide vakken met stoelen. Zijn stem, versterkt door de professionele audioapparatuur van het theater, klonk alsof hij naast me stond. Wat goed nieuws was voor mijn geluidsopname.

'Dank u. Dank u voor uw komst en hartelijk welkom. Ik hoop dat het voor u allemaal een leerzame, productieve avond zal worden. Ik zeg altijd dat ik geen resultaten kan beloven, maar ik kan u wel beloven dat ik mijn uiterste best zal doen.'

Hij hield zijn hand voor zijn gezicht, liet hem een cirkel beschrijven en slikte.

'Zoals u weet kan ik alleen werken met geesten die bereid zijn tot mij te komen. Hopelijk kunnen wij, door de juiste atmosfeer te creëren, ze daartoe aanmoedigen. Ik wil een positieve instelling voelen. Ik wil liefde en ontvankelijkheid voelen. Met als doel een warme, veilige plek te creëren waar de geesten zich thuis voelen.' Hij fronste zijn wenkbrauwen. 'Klinkt dat redelijk?'

Er werd gemompeld, alsof dat zo was.

'Goed dan.'

Stanley liep naar de tafel, schonk een glas water in en nam een slokje. Toen kwam hij weer bij de microfoon staan, vouwde zijn handen, liet zijn gewicht op zijn hielen rusten en leunde iets achteruit alsof hij wilde zeggen: oké, de eerste truc van vanavond.

Hij keek naar links, staarde fronsend in de ruimte naast zich op het podium. Het werd doodstil in het theater.

Toen verbrak hij de stilte en begon hij snel te praten.

'Dit is goed. Ik heb hier meteen al een oudere heer. Hij is vrij groot en hij lacht vaak. Een vriendelijke kerel.' Hij glimlachte naar de geest. 'En ik vind hem sympathiek. Hij zegt dat hij William, Will of misschien Bill heet. Zegt die naam iemand iets?'

Ik achtte die kans redelijk groot, en William werd onmiddellijk opgeëist door een echtpaar dat een paar rijen voor ons zat. Ik kon alleen hun achterhoofd zien, maar het was niet zo moeilijk om te raden wat Stanley nu ging zeggen, en waarom.

William had hoogstwaarschijnlijk iets te maken met de vrouw van het echtpaar, dacht ik, want zij was degene die haar hand had opgestoken. Gezien de leeftijd van het echtpaar zou het waarschijnlijk om haar vader gaan. Zelf zou ik voor 'vaderfiguur' gaan, want daar kon je meer kanten mee op. Op een zeker moment zou de geest naar zijn borst wijzen om aan te geven waaraan hij was overleden. Een veilige gok – mensen overlijden niet aan een gebroken been – en vermoedelijk zou hij erbij zeggen dat hij een tijdje ziek was geweest. Zelfs als zijn dood het gevolg was van een onvoorziene verwonding aan zijn hoofd was het altijd mogelijk dat de artsen iets over het hoofd hadden gezien. Bovendien sprak je geesten niet tegen, of wel soms?

Stanley werkte deze lijst van inschattingen af, en hij had het voordeel dat hij de reacties van de vrouw niet alleen kon horen, maar ook kon zien. Na elke bevestigende blik of sporen van verwarring op haar gezicht paste hij zijn uitspraken dienovereenkomstig aan en deed hij eigenlijk niets anders dan de informatie die de vrouw hem gaf naar haar terugsturen.

Zelf had ik willen vragen: wat was je telefoonnummer, Will?

En wat is je sofinummer?

Maar in dat soort dingen was niemand geïnteresseerd, want de vrouw werd verteld wat ze graag wilde horen. Haar vader rustte in vrede. Hij was nog steeds bij haar. Elke dag keek hij glimlachend op haar neer en was hij trots op haar. En wanneer ze tegen hem sprak, kon hij haar horen.

Onschuldige leugens. Desondanks voelde ik mezelf met de minuut nijdiger worden.

Ondanks mijn afkeer moest ik toegeven dat hij het vakkundig aanpakte. Als goochelaar was ik onder de indruk van hem. Ik had drie voltreffers geteld, tegen meer dan twintig missers, en toch zou Williams dochter vanavond naar huis gaan met het idee dat ze heel nauwkeurige informatie te horen had gekregen. Wat allemaal te danken was aan zijn vakmanschap; Thom Stanley was succesvol omdat hij het feit dat hij bijna alles mis had uiterst professioneel wist te verdoezelen. Hij stapte zo snel over zijn fouten heen, dat zelfs ik niet zeker wist of hij ze wel had gemaakt. En ik zat mee te tellen.

Op deze manier zette de avond zich een halfuurtje voort en kreeg mijn boosheid gezelschap van verveling. Maar toen kneep Thom Stanley met twee vingers in de brug van zijn neus, liet zijn blik over het podium gaan en zei de woorden waarop ik had gewacht. Rob en ik hadden ons de afgelopen twee weken zitten verheugen op dit moment.

'Oké. Ik heb hier nu een jonge man bij me. Zijn aanwezigheid is heel duidelijk. Hij heet Andrew en hij wijst die kant op. Ik geloof dat hij u bedoelt, meneer, en u, mevrouw.'

We zouden ons artikel krijgen. Ik gaf een kneepje in Sarahs hand. Ze kneep zachtjes terug.

'Het is Nathan en Nancy, heb ik dat goed?'

Hij praatte tegen een ouder echtpaar op de eerste rij. De vrouw knikte en Stanley glimlachte naar haar.

'Wat fijn om jullie hier vanavond te zien.'

Hij wist natuurlijk allang hoe ze heetten. Ik kende hen ook: Nathan en Nancy Phillips, die vaste lezers waren van *Sceptici Anonymus*. Soms boden ze vrijwillig hun diensten aan om ons te helpen met onze serie 'Tegen de lamp', en wij hadden gemeend dat ze perfect geschikt waren voor de ontmaskering van vanavond.

'Het is uw zoon, hè?' zei Stanley, en hij draaide zich om naar het lege podium achter hem. 'Hij heet Andrew. Donkerblond haar. Ook hij glimlacht. En, tjonge, een hele kerel, die zoon van u!'

Het publiek lachte, en Nathan en Nancy Phillips glimlachten naar elkaar.

'Ja, dat was hij zeker,' zei Nancy.

Stanley kende hun namen, want het echtpaar Phillips stond op zijn cliëntenlijst; ze hadden eerder dit jaar een privéconsult van hem gehad en hadden gedaan alsof ze heel blij waren met het resultaat. Zo werkte dit soort dingen: er zaten natuurlijk onbekenden in het publiek, maar ik stelde me voor dat er ook mensen waren die hij eerder had ontmoet en gesproken. Onnodig om te zeggen dat dit het juist raden voor hem aanzienlijk gemakkelijker maakte. In de goochelarij noemen we ze 'hulpjes', mensen die aan de truc meewerken, maar in dit geval lag het iets anders. De welwillende mensen in het publiek wisten niet dat ze getuige zouden zijn van een ontmaskering.

Tot Robs en mijn immense genoegen was Thom Stanley de vorige week nog eens bij Nathan en Nancy op bezoek geweest, waarbij hij hun een gratis consult en vrijkaartjes voor de voorstelling van vanavond had gegeven. Het publiek wist dat natuurlijk niet, maar op deze manier kon hij gebruikmaken van hun namen en de informatie die ze hem hadden gegeven, en doen alsof die via de geest van hun zoon tot hem was gekomen.

'Andrew zegt dat hij weet dat het moeilijk is, maar dat hij jullie toch wil vragen je niet te veel zorgen om hem te maken.'

'Dat is een hele troost.'

'En hij wijst op zijn buik. Kan dat?'

Ze knikten weer.

'Hij is nog zo jong.' Stanley fronste zijn wenkbrauwen en zei: 'O... hij zegt: "Het is nu weg, mama". Hij had kanker, hè? Ja, hij knikt.'

'Het was kanker, ja.'

'Hij zegt dat het nu weg is. Hij wil jullie graag laten weten dat hij geen pijn meer heeft.'

Stanleys stem klonk zalvend en geruststellend, als die van een therapeut. Als ik de waarheid niet had geweten, zou het verrassend gemakkelijk geweest zijn om me voor te stellen dat er echt een jonge man op het podium stond, voor niemand zichtbaar, alleen voor hem.

Helaas voor hem hadden Nathan en Nancy Phillips nooit kinderen gehad, laat staan een zoon die vroegtijdig was overleden. Toen Stanley bij hen op bezoek was, was vrijwel alles wat ze hem over 'Andrew' hadden verteld een grove leugen geweest. De enige uitzondering werd gevormd door zijn uiterlijk, dat Stanley zou baseren op de foto die hij op hun schoorsteenmantel had zien staan. Een jonge man van gemiddelde lengte, met donkerblond haar. Gewone lichaamsbouw, helemaal niet zo flink, in werkelijkheid, maar zo zien ouders hun kinderen graag, of niet soms? Een wat verlegen glimlach. Anders gezegd: een foto van mij.

Thom Stanley praatte nog bijna tien minuten door over Andrew, en mijn afkeer van de man werd alsmaar groter. We hadden al genoeg om hem ernstig in verlegenheid te brengen, maar hij kon nog één stap verder gaan, waarna we hem echt zouden kunnen afbranden, en ik betrapte mezelf erop dat ik hoopte dat hij die stap zou doen.

'Andrew vertelt me nog iets... iets over een halskettinkje?'

Bingo.

Hij draaide zich om en liep terug naar het podium, schijnbaar in verwarring gebracht door de informatie die hij ontving. 'Het is van goud, zegt hij, en hij legt zijn hand op zijn borst. Is het een hart? Een kettinkje met een hartje eraan?'

Nancy Phillips knikte snel. 'Ja, ja.'

'Denkt hij dat u het kwijt bent?'

'Ja!'

'Nou, Andrew zegt dat u zich geen zorgen hoeft te maken. Hij houdt een oogje op u beiden en zegt dat u naar boven moet gaan en op de overloop moet kijken. Een boekenkast... kan dat? Hij zegt dat u bij een boekenkast moet zoeken.'

De vuile smeerlap, dacht ik.

Tegen het eind van Stanleys bezoek aan hun huis had hij gevraagd of hij even van hun toilet gebruik mocht maken en was hij naar boven gegaan. Wij hadden in de slaapkamer een verborgen camera opgesteld en hadden de deur uitnodigend op een kier gezet. De camera had hem vastgelegd toen hij de kamer binnenging en snel het halskettinkje uit Nancy's sieradenkistje had gehaald. Nadat hij was vertrokken hadden we het teruggevonden achter de kleine boekenkast op de overloop, waar hij het op weg naar de badkamer achteloos achter had laten vallen.

Toen we naderhand de opnamen bekeken, hadden Rob en ik onze ogen niet kunnen geloven. Wat we zagen was op een merkwaardige manier mooi te noemen. We wisten dat dit soort bedrog bestond, maar toch voelden we ons als een paar diepzeeduikers die een zeldzame kwallensoort op film hadden vastgelegd.

Zich onbewust van wat hij zojuist had gedaan liep Stanley het podium weer op. Hij deed zijn ogen dicht, krabde met zijn vinger aan zijn voorhoofd en er verscheen een bezorgde uitdrukking op zijn gezicht. Het was de bedoeling dat wij dachten dat er iemand anders doorkwam, en dat dat blijkbaar meer inspanning kostte dan de keren daarvoor.

Vuile vieze oplichter die je bent.

Hij deed zijn ogen open en tuurde naar de andere kant van het lege podium.

'O.'

Toen deed hij een stap achteruit.

'Nee, dit wil ik niet.'

Mijn eerste idee was dat ik dit een vreemde opmerking vond. Ik kon zijn gezichtsuitdrukking ook niet goed plaatsen. Die was nu bijna angstig te noemen, alsof de geest die hij zag – van wie die ook was – hem bang maakte.

Wat is de bedoeling hiervan, vroeg ik me af. Hij was immers slim genoeg om te weten dat zijn publiek het niet op prijs stelde wanneer hun omgekomen dierbaren angst aanjoegen.

De mensen begonnen onrustig te worden, werden in de war gebracht door wat ze zagen. Stanley was heel bleek geworden, leek ingespannen naar iets te luisteren en probeerde zijn blik af te wenden van wat hij zag, maar kreeg dat niet voor elkaar.

Ik had opeens het voorgevoel dat hij naar ene Julie zou gaan vragen en er liep een rilling over mijn rug toen hij weer het publiek in keek, maar zonder de geruststellende zelfverzekerdheid die we eerder op zijn gezicht hadden gezien.

Hij schraapte zijn keel.

'Zegt de naam Tori iemand iets?'

14

Donderdag 1 september

'Dit is waarvoor ik jullie heb gebeld,' zei de man van de technische recherche.

Currie leunde met zijn hand op de ene kant van zijn bureau, Swann op de andere, en ze werden allebei verlicht door het groene beeld van de monitor. De technicus, die tussen hen in zat, klikte twee keer met zijn muis. Op de monitor verscheen een lijst van de sms'jes die de afgelopen drie weken met de mobiele telefoon van Julie Sadler waren verstuurd. De vier onderaan waren de sms'jes die waren verstuurd nadat ze was overleden.

JIJ HEBT HAAR LATEN DOODGAAN

De zes daarboven bestonden uit twee regels die elke keer hetzelfde waren:

HOI. SORRY VOOR DE RADIOSTILTE. HEB HET DRUK, VERDER ALLES OK. HOPELIJK MET JOU OOK. BEL JE BINNENKORT. JULIE.

Het waren vrijwel dezelfde woorden die in de sms'jes van de eerdere moorden waren gebruikt. Ze gingen ervan uit dat de moordenaar de 'alles oké'-boodschap in Julies telefoon had opgeslagen en had gestuurd aan iedereen die in die periode contact met haar had gezocht.

Currie wees naar de ingewikkelde cijfercombinaties die naast de berichten stonden en die te maken hadden met de gps-locatie van Julie Sadlers telefoon toen de berichten waren verstuurd. 'We hebben al die locaties al bekeken,' zei hij.

'Daar wilde ik het met jullie over hebben.'

De technicus klikte op een van de cijfercombinaties. Het duurde twee seconden voordat er een nieuw venster werd geopend. Toen dat gebeurde, keken ze naar een satellietfoto.

'Het is elke keer hetzelfde,' zei de technicus. 'Hij heeft de telefoon aangezet in een heel stille buitenwijk, heeft het bericht verzonden en de telefoon weer uitgezet.'

Currie keek naar het gebied dat werd weergegeven. Van elk van de berichten had de technische recherche tot op een paar meter nauwkeurig kunnen bepalen waar Julie Sadlers telefoon zich had bevonden toen ze waren verstuurd. Wat ze hier zagen, was een luchtfoto van een van de locaties. Voornamelijk groen en weiland, met een paar woonstraatjes aan de ene zijkant.

Dat ze hadden geweten waar de moordenaar zich op bepaalde momenten precies had bevonden, had zowel meer werk als een hoop frustratie opgeleverd. Omdat hij plekken met CCTV-camera's had vermeden, was hun enige hoop dat een van de buurtbewoners misschien iets had gezien. De kans dat iemand zich iets herinnerde van een bepaalde datum en een bepaalde tijd was echter heel klein – tot nu toe had niemand hen kunnen helpen – maar toch moesten al deze mensen ondervraagd worden, wat veel tijd van het team vergde.

En Currie had gemerkt dat hij deze gps-overzichtsfoto's om een andere reden was gaan haten. Ze maakten hem woedend omdat hij wist dat de moordenaar daar echt was geweest. In de meeste moordonderzoeken had je te maken met een enkele plaats delict, die waar de misdaad had plaatsgevonden, maar in deze zaak stuitten ze keer op keer op locaties waar de moordenaar op andere momenten was geweest. Ze hadden een beeld van zijn doen en laten. Het was niet eerlijk dat hij hen op deze manier om de tuin kon leiden, alsof hij hun zijn gezicht liet zien maar zich razendsnel omdraaide voordat ze konden kijken. Hij was te geslepen.

'Geen CCTV in de buurt,' zei de technicus.

'Nee.' Currie was ongeduldig. Ze hadden dit allemaal al doorgenomen. 'Daar is hij te slim voor.'

'Misschien niet zo slim als je denkt.'

'Wat bedoel je?'

De technicus gaf geen antwoord, minimaliseerde het venster en klikte op het tweede bericht van boven. Langzaam werd er een nieuw venster geladen.

'Wou je zeggen dat we hem op film hebben?'

'Ja. Maar juich niet te vroeg.'

Currie kon de man wel door elkaar schudden. Juich niet te vroeg.

Na een seconde werd er een nieuw venster geopend: weer een luchtfoto.

Maar van het centrum van de stad deze keer. In het midden was een grote grijze rechthoek te zien.

'Het oude winkelcentrum in de stad,' zei Currie, hoewel hij de locatie daarmee meer eer gaf dan ze verdiende. Eigenlijk was het een brede passage met winkels aan weerszijden. Currie herinnerde zich dat er meer dan eens verzoeken waren ingediend voor surveillancecamera's vanwege de overlast van jongens op skateboards, maar ze waren er nooit gekomen.

'Hij heeft de sms vanuit de passage verzonden,' zei de technicus, 'even na twaalf uur op vrijdag, toen hij wist dat het daar druk zou zijn.'

'Er is daar geen CCTV,' zei Currie. 'Sommige winkels hebben ze, maar de passage zelf niet.'

'Nee, dat weet ik. Maar er zijn maar drie in- en uitgangen.' Hij zoomde een stukje in en bewoog het pijltje van de muis van boven naar beneden en opzij. Na een enkele muisklik verschenen er diverse gele cirkeltjes op de satellietfoto en leunde de technicus zichtbaar tevreden met zichzelf achterover in zijn stoel. 'We hebben camera's in alle drie de straten.'

Currie boog zich naar de monitor en schatte de afstanden in. De camera's aan de boven- en onderkant bevonden zich dicht bij de uitgang. Die aan de zijkant er iets verder vandaan, maar het was nog wel mogelijk dat die iets had kunnen vastleggen.

'Hebben ze de hele in- en uitgang in beeld?' vroeg hij.

'Ja, het standaardbeeld, inclusief stoepen en treden.'

Currie dacht erover na. In theorie waren er talloze andere routes die de moordenaar had kunnen nemen, via de achterdeur van een van de winkels, bijvoorbeeld, dus er echt iets mee bewijzen konden ze niet. Maar aan de andere kant...

'Kun je die opnamen opvragen, van alle drie de uitgangen, van – laten we zeggen – een uur voor tot een uur na het versturen van de sms?'

'Ja. Maar het kan zijn dat hij eerder naar binnen is gegaan en daar een tijd heeft rondgehangen.'

'Dat zou hij nooit doen,' zei Swann.

Currie knikte. 'Te veel kans dat iemand hem zou herkennen. Bovendien zou het erop wijzen dat hij het weet van die camera's. En dan zou hij toch wel een andere plek hebben gekozen?'

Hij ving de blik van Swann op en zag een lichte fonkeling in zijn ogen. Of het doorslaggevend was of niet, er bestond een kans dat ze de moordenaar op film hadden staan. Als ze een marge van een uur namen, van voor en na het versturen van de sms, hadden ze met drie camera's zes uur beeld-materiaal. En als ze ervoor gingen zitten en het zouden bekijken, zouden ze na afloop hun moordenaar hebben gezien.

Ze stonden elkaar nog steeds aan te kijken.

'Maar waarom zou hij naar een plek gaan waar camera's zijn?' vroeg Currie. 'Hij is tot nu toe zo voorzichtig geweest.'

'Misschien werkt hij daar?'

'Dat is een mogelijkheid. Of hij was daar en kon er om de een of andere reden niet weg. Hij zou de sms nooit van daaruit hebben verstuurd als het niet nodig was.'

Swann glimlachte en Currie wist wat zijn partner dacht.

Of misschien hebben we gewoon geluk en heeft hij eindelijk een fout gemaakt.

Hij ging rechtop staan en stak zijn handen in zijn zakken. Ondanks de zoemende opwinding in zijn borstkas hadden ze nu natuurlijk geen tijd om zelf zes uur beeldmateriaal te gaan bekijken.

Maar er bestonden andere manieren om dat te doen.

'Oké, we willen een marge van een uur, aan beide kanten, van alle drie de camera's.'

De technicus knikte. 'Goed. Dat kan geregeld worden.'

Currie glimlachte.

'Maar laten we niet te vroeg juichen,' zei hij.

Om acht uur vertrokken ze en kon de technicus aan zijn werk begin-nen. Wat ze wilden, had Currie hem uitgelegd, waren screenshots van de surveillancebeelden, met de tijd erbij en gesorteerd in een aantal catego-rieën. Als hij bijvoorbeeld mannen met donker haar wilde zien, moest hij de mogelijkheid hebben een reeks foto's door te nemen. Een heel precieze, tijdrovende klus, en de technicus had hem bijna wanhopig aangekeken.

'Van iedereen?'

'Nee, nee,' had Currie gezegd. 'Voorlopig alleen de mannen.'

Nadat ze hem alleen hadden gelaten, reed Swann naar huis om een paar uur slaap in te halen en ging Currie terug naar de teamkamer. Hij ging achter zijn bureau zitten, pakte afwezig een potlood van het werkblad en staarde naar het whiteboard, dat het merendeel van de muur in beslag nam. Bovenaan hingen de foto's van de vier dode meisjes en daaronder

126

stonden de details van de afzonderlijke moorden, netjes opgeschreven met een zwarte of rode marker.

Zoals hij daar zat leek het of hij verbanden probeerde te leggen tussen de dingen die waren opgeschreven, maar in werkelijkheid werden zijn gedachten in beslag genomen door andere zaken.

Sinds zijn gesprek met Mary Carroll van de vorige week hadden de dingen die ze had gezegd en de manier waarop ze had gereageerd hem niet meer losgelaten. Hij had natuurlijk niet verwacht dat het gesprek goed zou gaan, want hij had zich genoeg in haar zaak verdiept om te weten dat er voor haar geen 'goed nieuws' bestond, dat hij haar niets kon vertellen wat haar echt troost zou bieden. Maar hij had, misschien tegen beter weten in, gehoopt dat hij haar enigszins had kunnen geruststellen. Dat hij haar ervan had kunnen overtuigen dat wat haar vader ook in het verleden had gedaan, en wat voor een afschuwelijk mens hij misschien nog steeds was, hij een veel minder grote dreiging voor haar vormde dan ze dacht.

Maar zijn bezoek had haar angst alleen maar erger gemaakt, en dat zat hem nog steeds dwars. Ook al wist ze dat Frank Carroll een elektronische enkelband droeg en het uitgesloten was dat hij deze misdaden had gepleegd, toch bleef ze volhouden dat hij er verantwoordelijk voor was. Aan de ene kant kon Currie dat wel begrijpen; hij had tenslotte gezien wat ze met haar kuitbeen had gedaan. Het misbruik dat ze had moeten verduren was misschien tien jaar geleden opgehouden, maar het was nooit een afgesloten hoofdstuk geweest, want het was niet iets wat begon en ophield. Het ging altijd door. En daarom was het volkomen normaal dat haar vader dreigend in haar gedachten bleef opdoemen. Een gebroken oude man die vanuit haar perspectief een donkere schaduw over haar leven bleef werpen. Maar...

U hebt geen idee waar mijn vader toe in staat is.

Dat was waar.

Hij tikte met het uiteinde van het potlood tegen zijn tanden, draaide zijn bureaustoel recht en pakte het geprinte dossier van Frank Carroll dat hij uit de politiecomputer had gehaald. Hij sloeg de foto's van Mary en Frank over en zocht het telefoonnummer van de rechercheur die het onderzoek had geleid. Daar stond het. Dan Bright. Met het netnummer van Richmond.

Hij draaide het nummer en keek op zijn horloge terwijl hij wachtte totdat er werd opgenomen. De kans was klein, maar...

'Politie Richmond. Wat kan ik voor u doen?'

'Hallo,' zei Currie. 'Ik ben op zoek naar rechercheur Dan Bright. Is hij aanwezig?'

'Nee, sorry. Dan is al naar huis.'

Dan is een gelukkig mens, dacht Currie.

'Jammer. Zou je hem willen vragen of hij me terugbelt, alsjeblieft? Met rechercheur Sam Currie spreek je.' Hij gaf haar zijn telefoonnummer. 'Het is niet dringend. Zeg maar tegen hem dat het met Frank Carroll te maken heeft.'

'Komt voor elkaar.'

Zo deed je dat. Hij wist misschien niet waartoe Mary's vader allemaal in staat was, maar hij kon dat wel uitzoeken.

En in de tussentijd is het enige wat je weet dat Frank Carroll niets met deze zaak te maken heeft.

Ook dat was waar.

Currie bleef nog een tijdje naar het whiteboard staren, totdat zowel het beeld als zijn gedachten begonnen te vervagen, stond toen op en trok zijn jas aan.

Currie woonde al bijna dertig jaar in hetzelfde huis, en de veranderingen die daarin waren aangebracht gaven een beeld van hoe zijn leven zich in die periode had afgespeeld. Eerst had hij er alleen gewoond en later was Linda bij hem ingetrokken, had ze haar spullen meegebracht en hadden die zich met de zijne vermengd. In de jaren daarna waren alle nieuwe meubels en de spullen die van hen samen waren erbij gekomen, stuk voor stuk. Neil werd geboren en aan de zijkant van het huis werd een extra kamer gebouwd. Hun zoon groeide op, verzamelde zijn eigen spullen en die raakten vermengd met die van zijn ouders. Algauw was het voor Currie in deze hectische periode van zijn leven onmogelijk geworden om te bepalen wat van hem was en wat niet.

En toen opeens had het probleem zichzelf opgelost. Linda had haar spullen meegenomen toen ze bij hem was weggegaan, en die van Neil waren in een doos gestopt en op zolder gezet. Alles wat was achtergebleven was nu van hem en lag op willekeurige plekken door het huis verspreid; een huis dat te groot voor hem was, met gapende gaten en afwezigheden waar hij maar moeilijk aan kon wennen.

Currie deed het licht in de keuken aan, schonk een glas wijn in maar liet het nog even op het aanrecht staan. Eerst liep hij de trap op, ging op de overloop staan, strekte zich en trok langzaam het zolderluik omlaag. Knarsend kwam de aluminium schuifladder naar de vloer zakken.

Hij hoefde niet echt de zolder op te kruipen, want de doos stond naast de opening. Hij veegde het stof eraf en droeg hem naar beneden. De doos zat dichtgeplakt met breed bruin plakband. Hij probeerde een hoekje los te peuteren, gaf het op en gebruikte zijn huissleutel om het plakband door te snijden. Met een holle echo vouwde het karton zich open.

Neils oude boeken.

Currie haalde ze een voor een uit de doos en keek glimlachend naar de covers, totdat hij het boek vond dat hij zocht.

De Dolende Ridder. Mary's lievelingsboek. Hij had de titel herkend toen hij bij haar op bezoek was, had zich herinnerd dat hij het Neil had voorgelezen toen hij klein was.

Currie nam het boek mee naar beneden en ging ermee in de fauteuil in de hoek van de woonkamer zitten, onder het zachte licht van de staande schemerlamp. Toen hij het opensloeg en doorbladerde, kwamen de herinneringen weer in hem boven.

De meeste bladzijden bestonden uit grote illustraties in aquarel, van de ridders, de soldaten en de blonde jonkvrouwen over wie het verhaal ging, met daaronder een paar regels tekst waarin werd uitgelegd wat er gebeurde. De eerste letter van elke alinea was cursief en rijkversierd, in gouden krullen op een rode achtergrond, als op een middeleeuws wapenschild.

De heldin van het verhaal was een boerendochter die Anastacia heette. Al op de eerste bladzijden raakte ze verliefd op ene William, die haar verliet om ridder te worden en vervolgens vele avonturen beleefde. Het viel haar zwaar dat hij niet bij haar kon zijn, maar berichten over zijn heldendaden drongen door tot de nederzetting waar ze woonde en ze was apetrots op hem. Toen hij uiteindelijk bij haar terugkwam, beladen met eretitels en geld, was hij befaamd in het hele land en was zij gelukkiger dan ooit.

Maar kort nadat de twee geliefden waren herenigd, viel een leger vanuit het oosten het land binnen en werd William door de koning zelf verzocht zich bij het leger aan te sluiten. Anastacia smeekte hem haar niet weer te verlaten, en aanvankelijk weigerde hij dat ook. Maar de roep om voor zijn land ten strijde te trekken werd steeds dwingender. Naarmate het verhaal vorderde werden hem al zijn eretitels afgenomen, werd hij uitgejouwd op straat, begonnen de mensen hem voor lafaard uit te maken en werd zijn goede naam door het slijk gehaald. William was in tweestrijd. Uiteindelijk, gedreven door zijn trots en zijn plichtbesef, gaf hij toe en trok hij ten strijde, liet hij Anastacia achter met een gebroken hart en een scherpe dolk waarmee ze zich kon verdedigen tegen de bezetters, mocht hij er niet in slagen terug te keren.

Maar toen William het front naderde, besefte hij dat hij daar om de verkeerde redenen was. Alles wat hij had gedaan toen hij jonger was, had hij gedaan uit liefde voor zijn Anastacia, en nu hij had ontdekt dat het hem alleen om haar ging, betekende al die faam ineens niets meer voor hem. Ondanks zijn verplichtingen aan koning en vaderland maakte hij rechtsomkeert en reed hij terug naar huis, waar hij zijn ware liefde aantrof met de dolk in haar hand, op het punt die in haar gebroken hart te steken. Hij greep haar hand vast voordat ze een eind aan haar leven kon maken...

En ze leefden nog lang en gelukkig.

Currie nam een slokje wijn terwijl hij de laatste bladzijden omsloeg. In zijn achterhoofd had hij al geweten hoe het verhaal zich zou ontvouwen voordat hij op de juiste bladzijde was. Hij had het boek meermaals voorgelezen aan Neil, toen hij jong was, en nu hij het opnieuw las, was het alsof hij zich weer een weg zocht in een wereld waarin hij ooit dagelijks had rondgelopen en waarvan hij het bestaan was vergeten.

Op de illustratie op de laatste bladzijde omhelsden Anastacia en William elkaar voor hun kleine, eenvoudige huis, terwijl de tranen van geluk over Anastacia's beeldschone gezicht rolden.

'Ik heb mijn plicht verzaakt', zei William tegen haar, 'omdat ik niet anders kon.'

'Nee', antwoordde Anastacia, 'je bent de enige uitdaging aangegaan die ertoe doet, en je bent teruggekomen om mij het leven te redden.'

Einde.

Toentertijd, herinnerde hij zich, had hij de moraal van het verhaal nogal simplistisch gevonden. En dat was het natuurlijk ook. Waarom vochten ze tegen dat bezettingsleger? Omdat iemand het volk moest beschermen, nietwaar? Ze hadden behoefte aan ridders en soldaten aan het front, en er moesten offers worden gebracht. Het was ronduit naïef om te denken dat de liefde alles overwon.

Maar nu hij hier zat en de rug van het boek kraakte toen hij het dichtsloeg, begreep hij de achterliggende boodschap. Het ging over een wereld waar de mensen deden wat hun hart hen ingaf, wat zíj dachten dat juist was, voor degenen die hen dierbaar waren, ongeacht de consequenties voor henzelf. Een wereld met helden die je kwamen redden, en altijd op tijd.

15

Donderdag 1 september

Toen we naar het theater gingen was het een koele, heldere avond geweest, maar toen we weer naar buiten kwamen, om kwart voor negen, begon het net te regenen. We liepen de treden af toen ik de eerste druppels voelde. De weersverandering sloot goed aan bij hoe ik me voelde. Twee uur geleden was ik nog vol verwachting geweest. Nu was het alsof alles op de scherpe punt van een mes balanceerde.

'Shit.' Sarah trok een boos gezicht naar de hemel en trok haar fluwelen jasje strak om zich heen. 'Als ik had geweten dat het ging regenen, had ik iets anders aangetrokken.'

'Sorry.'

'Hé, het is jouw schuld niet.'

'We hadden tot het eind kunnen blijven,' zei ik. 'Misschien was het dan weer droog geweest.'

'Het maakt niet uit. Je hebt gekregen waarvoor je gekomen bent.'

Ze gaf me een arm en we liepen in de richting van de taxistandplaats. Maar hoewel ik het hiervoor heel vertrouwd had gevonden om zo te lopen, was er nu sprake van een lichte spanning tussen ons. Of misschien verbeeldde ik het me, want mijn emoties vlogen alle kanten op. Het ene moment was ik in grote paniek en het volgende was ik kalm en boos op mezelf omdat ik me zo had laten meeslepen door de voorstelling.

Sarah duwde zich tegen me aan.

'En,' zei ze, 'ga je me nog vertellen wie Tori is?'

Ik probeerde te glimlachen. 'Was het zo duidelijk?'

'Ja. Je werd bijna groen.'

Zodra Thom Stanley haar naam had genoemd was er binnen in me iets omhooggekomen: een golf misselijkheid. Ik had Sarahs hand losgelaten alsof ik bang van haar was.

Ze komt op een nogal vreemde manier in me door, had hij gezegd, herinnerde ik me nu. *Ik weet niet eens zeker of het hier wel om een overleden persoon gaat.*

Er stonden een paar mensen op een taxi te wachten en we gingen achteraan staan. Vooraan stond een groepje jongens, aangeschoten en nogal luidruchtig, te schelden op het weer. Er kwam een taxi aanrijden.

'Tori,' zei ik behoedzaam, 'is een vriendin van me.'

'Zomaar een vriendin?'

'We zijn een tijdje met elkaar omgegaan, maar dat is lang geleden.'

'Oké.'

Sarah zei verder niets, maar we deden allebei een stap vooruit. De rij werd snel korter. Het zou niet lang duren voordat we vooraan zouden staan en ik had het gevoel dat ik het onderwerp moest afhandelen voordat het zover zou zijn. Er niets over zeggen was uitgesloten, nadat ik zo heftig had gereageerd. Als Sarah lijkbleek was geworden nadat ze de naam van een ex-vriendje had horen uitspreken, zou ik ook niet bepaald blij zijn geweest.

'Het overviel me,' zei ik. 'Dat hij die naam zei. Ik weet dat hij een charlatan is, maar aan de andere kant is het niet een naam die je elke dag hoort.'

'Dat is waar.'

'Daarom heeft hij die naam genoemd.' Dat had ik bedacht toen we in de pauze weggingen, en ik kon mezelf wel voor mijn hoofd slaan. 'Niemand wil aan overleden dierbaren denken als aan iets afschrikwekkends, daarom heeft hij voor iets anders gekozen.'

'Waarom zou hij dat doen?'

'Om zijn show wat griezeliger te maken, vermoed ik. Om er wat spanning en diepte aan toe te voegen. Je weet wel, om zijn publiek bij de kladden te grijpen.'

Als er iemand is die haar kent, had hij gezegd, *denk ik dat ze in de problemen zou kunnen zitten.*

'En heel even geloofde je hem?'

'Ja. Heel even.'

We deden weer een stap vooruit.

'Maar waarom? Je zei net dat hij een charlatan was.'

Ik zag ineens een beeld van Julie voor me en probeerde het te negeren.

'Waar het bij Tori om gaat, is dat ze weleens ziek is. Toen hij haar naam noemde, besefte ik dat ik haar al een tijdje niet had gesproken. Dat was het, denk ik.'

'Aha.'

Vraag me niet hoe lang al niet, dacht ik. Het was pas een paar weken geleden geweest. Verstandelijk wist ik dat er niet echt een reden was om te denken dat ze in de problemen zou zitten; dat werd alleen veroorzaakt door wat er met Julie was gebeurd. Desondanks bleef ik denken aan Tori's telefoontje vanuit Staunton en hoe schuldig ik me had gevoeld omdat ik er niet was geweest toen ze me nodig had.

Maar daar kon ik slechts een deel van uitleggen.

'Er is een paar weken geleden iets gebeurd waardoor ze in het ziekenhuis terecht is gekomen,' zei ik. 'Dat heeft me nogal aangegrepen. Ik voelde me schuldig, begrijp je? Alsof ik als vriend tekort was geschoten. En daar moest ik aan denken door wat Stanley zei. Het is niet meer dan toeval, maar het zette me toch aan het denken. Het is alweer over.'

Ik kon geen andere manier bedenken om het uit te leggen. Het stel aangeschoten jongens worstelde zich in een taxi met vijf zitplaatsen. We deden weer een stap naar voren.

'Nou, waarom stuur je haar dan geen sms'je, of zoiets?' vroeg Sarah. 'Als je je zorgen maakt...'

'Ja, dat zou ik inderdaad kunnen doen.' Inwendig slaakte ik een zucht van opluchting. 'Ik wilde je niet van streek maken.'

'Waarom zou ik daarvan van streek raken?'

'Dat weet ik niet. Omdat ik in het theater een beetje vreemd deed.'

'Ja, maar je doet nu veel vreemder.' Ze lachte en klemde haar arm vaster om de mijne. 'Het is oké, Dave. Wat ik leuk aan jou vind, onder andere, is dat je echt om andere mensen geeft. Ik wilde me er alleen van overtuigen dat het geen echt probleem zou worden.'

'Dat wordt het niet.'

'Als je er maar niet met haar vandoor gaat, oké? Met vriendinnen kan ik wel leven. Emotionele bagage... dat is natuurlijk een heel andere zaak. Daar ben ik minder goed in.'

'Je sjouwt niet graag met koffers?'

'Precies, dat bedoel ik.'

Ze glimlachte, maar ik had het gevoel dat ze mijn woorden serieuzer nam dan ze liet blijken, waardoor ik mezelf wel weer voor mijn kop kon slaan. Rob had gelijk gehad. Verdomme.

'Echt,' zei ik, 'je hoeft je nergens zorgen over te maken. Het komt allemaal door die stomme theatershow.'

'Mooi, dat is dan afgehandeld,' zei ze. 'Dan kunnen we nu naar huis gaan.'

Tijdens de rit zaten we hand in hand, zwijgend, door de zijraampjes naar buiten te kijken. Het was een simpel contact, maar belangrijk. Ook al waren we allebei in gedachten verzonken, we hadden in elk geval dat contact met elkaar. Ik was blij dat ze weinig moeite had met mijn vreemde reactie van zojuist. Binnenkort zou ik Tori een sms'je sturen, maar dat had niet echt haast, want er was niets met haar aan de hand. Veel belangrijker was dat ik me op Sarah bleef concentreren.

Toen we bij mijn flat aankwamen, stopte de taxi tussen twee geparkeerde auto's langs de stoeprand. Ik rondde het bedrag af en stapte na Sarah uit, waarop de chauffeur het geld in zijn portefeuille stak en met stationair draaiende motor bleef staan.

Het was harder gaan regenen, maar dat maakte nu niet meer uit. Ik liep naar de voordeur en stak mijn sleutel in het slot.

'Hé! Hé!'

Achter me sloeg een autoportier dicht. Met de sleutels nog in de hand draaide ik me om. Choc en Cardo kwamen naar me toe lopen.

Toen ik ze zag, voelde ik binnen in me iets breken.

Ze hadden op me zitten wachten.

Choc glimlachte naar me, maar het was zeker geen vriendelijke glimlach. Het deed me denken aan vroeger, aan de bullebakken op het schoolplein, die deden alsof ze je beste vriend waren, totdat je dat zelf ook geloofde en ze je een pak slaag gaven.

Ik duwde de voordeur open en wendde me tot Sarah.

'Als jij alvast naar boven gaat en iets te drinken voor ons inschenkt?'

'Oké.' Ze keek me aan, vroeg zich blijkbaar af wat er aan de hand was. 'Alles oké met je?'

'Ja,' zei ik. 'Niks aan de hand. Een paar oude vrienden van me.'

Choc kwam vlak voor ons staan en keek Sarah aan alsof hij ergens op wachtte.

'Goed dan,' zei ze ten slotte. 'Ik ga naar boven.'

Ik trok de deur achter haar dicht en draaide me om, boos.

'Wat willen jullie van me?'

Choc keek me aan en de minachting was van zijn gezicht te lezen. Zijn lichaamstaal, verfijnd door jarenlang oefenen, was bedoeld om mensen de stuipen op het lijf te jagen. Hij stond te dicht bij me, zag er opgefokt uit en maakte van die korte beweginkjes alsof hij elk moment naar me kon uithalen. Ik begreep wat hij aan het doen was en probeerde me niet te laten intimideren. Waar ik niet echt in slaagde.

De taxi stond er nog steeds, maar daar zou Choc zich weinig van aantrekken. Als hij me iets wilde doen, zou niemand hem tegenhouden. Ik had mijn sleutels nog steeds in mijn hand. Heel behoedzaam, zonder dat hij het kon zien, schoof ik een van de sleutels tussen mijn knokkels en sloot ik mijn vingers om de rest van de bos.

'Wat wil je, Choc?'

En toen ontspande hij zich, zijn hele lichaam. Hij haalde zijn neus op en deed een stap achteruit. Als zijn intimidatiepoging een soort mentaal gewichtheffen was geweest, dan schudde hij nu zijn spieren los.

'Jij en ik moeten gewoon even praten, dat is alles.'

'Het komt me nu niet uit.'

'Mij wel. En daar gaat het om.'

Hij glimlachte, vond zichzelf blijkbaar ad rem.

'O ja?' zei ik. 'Ben je hiernaartoe gekomen om mijn leven in de war te schoppen?'

'Kijk, dát lijkt er al meer op.' Hij deed een stap achteruit. 'Nu laat je zien dat je lef in je donder hebt, zoals ik je had ingeschat. Ik zou je die dag nooit meegenomen hebben als ik niet had gedacht dat je lef in je donder had.'

'Ik had niet mee moeten gaan.'

'Misschien niet, maar je bént wel meegegaan. En zal ik je eens wat zeggen? Dat is niet iets om je schuldig over te voelen.'

'Dat doe ik ook niet.'

Choc hield zijn hoofd schuin, eerst naar de ene kant, toen naar de andere. 'Ah, maar daar ben ik dus niet zo zeker van. Ik maak me namelijk zorgen dat je iets hebt gehoord, begrijp je? Dat je misschien verkeerde ideeën hebt gekregen.'

'Nee.'

'Want er is Eddie niks overkomen. Hij heeft gewoon een pak slaag gekregen en dat is alles.'

Ik dacht terug aan de pistoolschoten die ik had gehoord en probeerde die zo snel mogelijk uit mijn hoofd te zetten.

'Ja,' zei ik. 'Zo heb ik het ook beleefd.'

'Dan is er geen reden om je ergens schuldig over te voelen. Ik ben een aardige jongen, totdat je mijn enige regel overtreedt: als je aan mijn vrienden komt, kom je aan mij. Niemand doet Tori zoiets ongestraft aan.'

'Zo denk ik er ook over.' Ik legde mijn hand op de deurknop. 'Ik zei alleen dat ik niet had moeten meegaan. Niet dat ik het niet eens ben met wat er is gebeurd.'

'Nou, daar ben ik niet zo zeker van. Haal die hand weg.' Hij keek me streng aan, trok de voordeur dicht en ging ervoor staan. 'Ik denk dus dat het je nog steeds bezighoudt.'

Ik was verbaasd en schudde mijn hoofd.

'Waar heb je het verdomme over?'

'Een van mijn jongens was een paar dagen geleden op het politiebureau. Hij zei dat hij jou daar heeft gezien.'

Dus dat was het. Er hadden een paar mensen in het wachtgedeelte van de receptie gezeten toen ik binnenkwam, en ook toen ik weer wegging. Ik had geen mannen van Choc herkend, maar dat hoefde niets te betekenen. Ze kenden mij waarschijnlijk beter dan ik hen kende. Bovendien had ik andere dingen aan mijn hoofd gehad.

Nog iets om rechercheur Currie dankbaar voor te zijn.

'Ja. Hij zei dat je daar vrij lang binnen bent geweest. Lang genoeg om een goed gesprek met iemand te hebben.'

'Dat ging daar niet over.'

'O nee? Waar ging het dan wel over?'

'Dat is jouw zaak niet.'

Nu was ik waarschijnlijk te ver gegaan. Zijn gezicht betrok. Toen hij weer iets zei, klonk zijn stem zacht en dreigend.

'Dat hoop ik voor je, dat het mijn zaak niet is.'

We bleven elkaar aankijken. Ik hoorde een zoemend geluid, alsof ik naast een hoogspanningsmast stond, maar wist dat het in mijn hoofd zat.

'Zijn we cool?'

'Ja,' zei ik, 'we zijn cool.'

'Mooi. Dan zijn we klaar.'

Choc liet de deurknop los, liep terug naar de auto en stapte in. Cardo nam achter het stuur plaats. Toen de motor werd gestart draaide Choc het raampje open en stak hij zijn hoofd naar buiten. Zijn gezicht stond nog steeds dreigend.

'Ik geef je een beetje speelruimte omdat je Tori kent. Maar zodra ik me zorgen over je moet gaan maken... ben je er geweest. Probeer mij of mijn vrienden niks te flikken. Pas er heel goed voor op dat ik me geen zorgen over jou ga maken. Begrepen?'

'Begrepen.'

Hij knikte, trok zijn hoofd naar binnen en Cardo maakte aanstalten om weg te rijden.

Zonder ook maar één seconde na te denken deed ik een stap naar de auto toe.

'Heb je onlangs nog iets van haar gehoord?' vroeg ik. 'Van Tori?'

Even leek Choc van de wijs gebracht. Hij keek me fronsend aan. Ik had geen idee waarom ik hem die vraag had gesteld. Misschien omdat Sarah boven was en Choc hierbeneden, met die nare herinneringen in zijn kielzog, zodat het iets gemakkelijker was om mijn bezorgdheid uit te spreken. Maar wat Choc ook dacht, Cardo had me blijkbaar niet gehoord, want hij draaide aan het stuur en reed langzaam weg. Even later was ik weer alleen en keek ik de auto na. Toen er nog een auto langsreed, met ruisende banden op het natte wegdek, werd de betovering verbroken.

En ik dacht: omdat ik denk dat ze in gevaar zou kunnen zijn.

DEEL 3

16

Vrijdag 2 september

Het was een mooie zonnige dag toen mijn broer overleed. Dat is belang-rijk, niet alleen vanwege de les die ik eruit leerde – dat mensen je net zo goed in helder daglicht als in het duister kunnen worden afgenomen – maar ook omdat er die dag iets gebeurde, en dat er iets werd nagelaten.

Ik had mijn korte broek en T-shirt aan, zoals altijd in de zomer, en mijn haar was langer dan het nu is. Owen en ik leken veel op elkaar, behalve dat de twee jaar leeftijdsverschil duidelijker zichtbaar werd naarmate hij zijn tienertijd naderde. Er waren foto's waar we samen op stonden, met hem als jongeman en ik als het kind dat als versteend en angstig knipogend in de camera naast hem stond. Ik voelde me voortdurend opgelaten terwijl hij dat aan het ontgroeien was en ik mijn uiterste best deed om hem bij te houden. Ik wist toen niet dat hij op het punt stond om in de tijd vereeu-wigd te worden, dat ik hem kort daarna voorbij zou streven en hem voor altijd achter me zou laten.

Het was de zomervakantie van school en papa en mama waren nog gewoon aan het werk. Ik voelde me nogal rusteloos, had het idee dat ik iets moest doen en ging op zoek naar een of andere bezigheid. Op die dag liep ik Owens kamer binnen en trof hem gehurkt naast zijn bed, zo te zien op zoek naar iets. Hij keek om toen ik de deur opendeed.

'Jezus,' zei hij boos. 'Kun je niet kloppen?'

'Sorry.'

'Ja, dat zal wel.'

'Ik verveel me.' Ik keek hem aan. 'Wat ben je aan het doen?'

'Moet je alles weten? Ik ga naar het bos.'

'Mag ik mee?'

'Nee.'

'Alsjeblieft?' Ik schuifelde heen en weer in de deuropening en probeerde een manier te bedenken om hem zover te krijgen dat hij me meenam. Toen moest ik denken aan wat mijn vriend Jonny en ik een paar weken daarvoor hadden ontdekt. 'Ik weet een goeie boom waar we in kunnen klimmen. Ik heb ontdekt hoe we vlak onder de kruin kunnen komen. Het duurt eeuwen als je dat zelf moet uitzoeken.'

'Waarom zou ik in een boom willen klimmen?'

Maar hij bleef me aankijken, zag me daar in de deuropening staan en moest beseft hebben dat ik me niet zou laten afschepen. Hij slaakte een zucht. Niets zo irritant als een jonger broertje.

'Goed dan.'

Dus liepen we naar buiten en gingen op weg naar het bos.

De herinneringen uit mijn kindertijd bestaan allemaal uit felle kleuren en overdreven indrukken. Die dag was de wereld vol frisgroene en diepblauwe tinten en was het zo zonnig dat de tuin zinderde in de hitte. Als ik inademde rook ik de rijke, zoete geur van het gras en toen we in de onderste tuin kwamen, moest ik de muggen van me af slaan. De buitenlucht was zo heet dat een spiegel ervan zou beslaan. Toen ik achter Owen over het hek klom, transpireerde ik al.

We liepen een stukje het bos in. Het gras maakte plaats voor de bruine aarde van de bosgrond.

Toen werd opeens alles donker.

En niet vanwege de bomen. De zon scheen nog steeds tussen de takken door, wierp gouden plekken op de bodem en tekende lichte randjes om de bladeren boven ons. Ik herinner me dat ik opkeek om te zien of de zon er nog was. Maar dit was een ander soort duisternis. Een duister dat binnen in me zat. Een gevoel dat er iets mis was. En hoe verder we doorliepen, hoe erger het werd, alsof er een schaduw over mijn ziel was gevallen. Er was storm op komst en ik voelde het gerommel in de verte, van inktzwarte wolken die langzaam naderbij kwamen...

Ik bleef staan. Het duurde even voordat Owen het merkte, maar toen bleef hij ook staan en draaide zich om.

'Wat is er met je? Je ziet helemaal bleek.'

'Ik wil terug.'

'Hè? Vijf minuten geleden wilde je nog mee.'

Ik keek tussen de bomen door. Ik wist niet waar ik bang voor was.

'Er is iets mis,' zei ik.

'Wat? Jezus, stel je niet zo aan, klein kind.'

Normaliter zou zo'n opmerking me boos hebben gemaakt en zou ik met een verhit gezicht mijn handen tot vuisten hebben gebald. Maar die dag dacht ik daar niet eens aan.

'Er gaat iets ergs gebeuren,' zei ik.

Owen bleef me aankijken en aan zijn gezichtsuitdrukking was te zien wat hij dacht. Waar heb ik dit aan verdiend?

'Ga terug naar huis, als je dat wilt,' zei hij. 'Ik heb je toch niet gevraagd om mee te gaan?'

Hij draaide zich om en liep door.

'Owen...'

'Hou je kop.'

Ik stond daar, zag hem weglopen en alles binnen in me schreeuwde dat ik hem moest tegenhouden, of dat ik met hem mee moest gaan om hem te beschermen tegen wat hem te wachten stond.

'Owen!'

'Hou je kop, huilebalk.'

Toen hoorde ik iets, hoewel niet met mijn oren. Het klonk als een zachte blikseminslag, maar dat kon niet, want het was een mooie, zonnige dag en aan de hemel was geen wolkje te zien.

Dat was wat er was gebeurd. Wat er werd nagelaten was dit: het geluid zette me wel in beweging, maar de verkeerde kant op. Ik draaide me om en rende naar huis, zo hard als ik kon. Owen heb ik nooit meer gezien.

Ik heb natuurlijk genoeg tijd gehad om erover na te denken.

Nu ik ouder ben kan ik veel beter begrijpen wat er die dag is gebeurd. Ik kan het rationaliseren en verklaren; het maakt zelfs deel uit van mijn werk om dat te kunnen. Ik kan je alles vertellen over toeval en het verlangen het te verklaren. Ik herinner het me alleen omdat wat er daarna gebeurde me dwong me op het incident te concentreren, waardoor het veel groter en belangrijker werd dan de irrelevante dagdroom die het in werkelijkheid was geweest. Dat doet een tragedie met je; achteraf krijgt alles betekenis en gewicht. Feitelijk was het niet veel meer geweest dan een licht onbehagen... een gevoel dat in de loop der jaren door mijn onderbewustzijn was vervormd en versterkt. Misschien was het wel de aanzet van een hoofdpijn waar ik nooit meer aan heb gedacht.

Maar ik zal het nooit zeker weten.

Wat ik wel zeker weet, is dat het geen flits van helderziendheid was. Er was niets wat ik had kunnen doen of had moeten doen. Er was geen verband met Owens dood, dus er was ook geen reden om me schuldig te voelen, om mezelf iets te verwijten waar ik niets aan had kunnen veranderen.

Ik weet dat nu, maar ik ben de les die ik heb geleerd nooit vergeten. Want dat kan ook gebeuren. Dat de dingen die belangrijk zijn je ontglippen als je ze de kans geeft.

'Dave... wakker worden.'
Iemand schudde me door elkaar. Ik deed mijn ogen open en zag het vroege ochtendlicht, dat de kleur van boter had en in een rechte baan door het bovenraam naar binnen viel. Sarah stond over het bed gebogen, in dat licht, met haar kleren aan, met haar hand op mijn schouder en een bezorgde uitdrukking op haar gezicht.
'Wat is er?' vroeg ik.
'Je had een nachtmerrie.'
'O ja?' Mijn mond was kurkdroog. Ik kwam moeizaam overeind, steunde op mijn ene elleboog en pakte het glas water van het nachtkastje. Ik nam een slok en zei: 'Daar kan ik me niks van herinneren.'
Dat was niet helemaal waar. De droom was op de vloer gevallen en in stukken uiteengespat, maar al waren het nog maar fragmenten, onscherp, die van me vandaan bewogen, toch kon ik nog enkele details onderscheiden. Hoe warm het die dag was. Owens gezicht. Mezelf, toen ik me omdraaide en wegrende.
Sarah hurkte neer. 'Zo zag het er anders wel uit.'
'Fijn dat je me wakker hebt gemaakt. Bedankt. Hoe laat is het?'
'Halfacht. Ik zou je toch wakker hebben gemaakt. Ik moet nu weg, maar deze keer wilde ik je wel gedag zeggen.' Ze richtte zich op en maakte mijn haar door de war. 'Je ziet er leuk uit als je net wakker wordt.'
Ik glimlachte moeizaam. 'Jij ziet er ook leuk uit als ik net wakker word.'
'Goed om te horen. Jammer dat ik moet gaan. Dan zie ik je vanavond, oké? Halfacht in de Olive Tree?'
Even wist ik niet waar ze het over had, maar toen herinnerde ik het me weer.
Na mijn gesprek met Choc van de vorige avond had ik, voordat ik naar binnen was gegaan, snel een sms naar Tori's mobiele telefoon gestuurd om te vragen of alles oké met haar was. Dat kon geen kwaad, vond ik. Toen ik bovenkwam zat Sarah in de keuken en had ze twee glazen wijn ingeschonken. Zonder iets te zeggen schoof ze me het ene glas toe en het was duidelijk dat ze een verklaring van me verwachtte. En zoals Choc haar naar boven had laten gaan, vond ik ook dat ze die verdiende. Want het

ergerde me niet alleen dat Choc ineens voor mijn deur had gestaan, maar vooral dat ik mezelf in een positie had gemanoeuvreerd die hem daar een reden voor gaf.

Dus bood ik haar mijn verontschuldigingen aan. Vrijwillig. Het was moeilijk uit te leggen wie Choc en Cardo waren zonder details te geven die ik liever voor mezelf hield, dus vertelde ik haar alleen het hoognodige. Dat het oude vrienden waren... of beter gezegd vage kennissen, maar wel van het soort waarmee je liever geen ruzie kreeg. Ik was niet degene die ze hadden willen spreken. Ze waren op zoek naar Emma, dus had ik hun verteld dat die inmiddels ergens anders woonde.

Ik vond het niet leuk om te liegen. Maar het was geen grove leugen en ik vond dat ik een reden had om haar niet de hele waarheid te vertellen. Het enige wat ik wilde was de fout die ik had gemaakt achter me te laten en door te gaan met mijn leven, en ik nam het Choc kwalijk dat hij naar mijn huis was gekomen en me aan die situatie had herinnerd. Ik nam mezelf voor nooit meer tegen Sarah te liegen, over wat ook, en ik meende het.

Dat ik haar had voorgesteld om vanavond in de Olive Tree te gaan eten was geen poging geweest om iets goed te maken. Ze had mijn verklaring al geaccepteerd en we zaten in de woonkamer ons tweede glas wijn te drinken en te praten alsof er niets was gebeurd. Het restaurant was haar idee geweest.

'Ja, klinkt goed,' zei ik nu.

'Ik verheug me erop.' Ze boog zich naar me toe, kuste me op de lippen en liep naar de deur. 'Goed, dan zie ik je vanavond.'

Ik glimlachte. 'Reken maar. Pas goed op jezelf.'

Toen ze de slaapkamer uit was gelopen, bleef ik nog even liggen wachten totdat ik de voordeur hoorde dichtgaan. Toen dat gebeurde ademde ik langzaam uit en pakte mijn telefoon van het nachtkastje. Ik had een bericht.

Ik opende het en las:

HALLO. SORRY VOOR DE RADIOSTILTE. HEB HET DRUK, VERDER ALLES OK. HOPELIJK JIJ OOK. NEEM BINNENKORT CONTACT MET JE OP. TORI

Ik voelde een bijna absurde opluchting. Na al mijn gepieker was alles in orde met haar.

Natuurlijk was alles in orde met haar, stomme klootzak.

Ik wilde het toestel weer op het nachtkastje leggen toen ik aan iets moest denken. Wanneer had ze die sms verstuurd, bijvoorbeeld? Dat moest vrij laat geweest zijn. Ik opende het bericht en zag het staan.

Om vier uur vannacht.

Dat was niks voor Tori. Zo lang we elkaar kenden was ze altijd al om half-tien naar bed gegaan, of om tien uur op z'n laatst, om op het allerlaatste moment weer op te staan, zodat ze nog net op tijd op haar werk kon zijn. Het was maar een paar keer voorgekomen dat ze me in de nachtelijke uren een sms had gestuurd, en dan was de verklaring steeds dezelfde geweest: dat ze een ander had.

Dat had me altijd een onaangenaam gevoel gegeven, maar op deze och-tend was het meer dan alleen jaloezie wat me dwars zat. Er klopte iets anders niet aan deze sms. Ik las hem nog een keer en probeerde erachter te komen wat het was.

Toen ik het zag kon ik mijn ogen er niet meer van losmaken.

De redactie van *Sceptici Anonymus* bestond uit een niet al te groot vertrek op de eerste verdieping van een nogal chic kantoorpand in het centrum van de stad. Alles in het gebouw was nieuw en eenvormig, van de houten lambriseringen in de kantoren, de mooie vloerbedekking en de kleuren van het houtwerk in de gangen tot en met de grote potten met sierplan-ten en de nietszeggende abstracte aquarellen aan de muren. Achter het gebouw was een bewaakt parkeerterrein, op de hogere verdiepingen waren vergaderzalen waarvan je gebruik kon maken en in de gangen en recepties stonden waterkoelers en tafeltjes met tijdschriften. Beneden, in de grote hal, zat ons naambordje tegen de muur geschroefd, een beetje onwennig tussen die van internetbedrijfjes, vertaalbureaus en accountants, waarvan de meeste per dag meer verdienden dan wij in een maand. We konden ons de huur eigenlijk niet veroorloven, maar we moesten toch een thuisbasis hebben.

Het was bijna één uur toen ik binnenkwam. Rob zat te telefoneren maar liet blijken dat hij me had gezien door zijn pen op te steken en een afkeu-rende blik op zijn horloge te werpen. Ik zat koffie uit een plastic bekertje te drinken toen hij klaar was met bellen.

'Goeiemiddag,' zei hij. 'En? Was het leuk, de voorstelling van gisteravond? Ik sprak Nathan vanochtend en hij zei dat het met Andrew en het halskettinkje allemaal volgens plan is gegaan. In de roos, zou je kunnen zeggen.'

'Ja, we hebben hem.'

'Nathan zei ook dat je er na afloop niet meer was. Je zou toch naar hem toe gaan om hem een paar quotes te geven? Ik dacht dat we dat hadden afgesproken.'

'Ja, dat is zo.' Ik was het vergeten. 'Sorry, maar er is iets gebeurd.'

'Iets gebeurd? Wat voor iets?'

Ik keek zijn kant op. Hij had die uitdrukking op zijn gezicht die me vertelde dat hij net zo lang zou doorgaan tot hij de waarheid uit me had geperst en dat hij ervan overtuigd was dat die hem niet zou bevallen als het zover was.

'Luister,' zei ik.

De digitale recorder stond voor me op mijn bureau. Ik had de opname vanochtend al teruggeluisterd, koos het juiste gedeelte en drukte de afspeelknop in. Thom Stanleys stem, van het laatste stuk voor de pauze, klonk door het redactiekantoor. De opname was van heel behoorlijke kwaliteit – elk woord was goed te verstaan – en ik bleef naar Rob kijken om zijn reactie te peilen. Hij hield zijn pen met beide handen vast, had zijn hakken in de vloerbedekking gezet en reed zijn bureaustoel langzaam voor- en achteruit. Verder liet hij niets blijken. Alleen toen Sarah vroeg of alles oké met me was, kwam er een grijns om zijn mond.

'Wat een onzin,' zei hij toen de opname afgelopen was. 'Dat weet jij toch ook wel, hoop ik?'

'Ja. Maar op het moment zelf werd ik erdoor uit het lood geslagen.'

'Ik had je voor dit soort dingen gewaarschuwd.'

'Er is nog iets anders. Ik heb een vreemde sms van haar ontvangen.'

'Van Tori? Vreemder dan de telefoontjes die je van haar krijgt, bedoel je?'

'Nee, dit is anders.'

Ik liep naar zijn bureau en liet hem het bericht zien.

'Ze is nooit om die tijd wakker,' zei ik. 'Bovendien eindigt ze haar berichten altijd op dezelfde manier, met "Tor xx", met twee kusjes. Zolang ik haar ken werden alle sms'jes die ik van haar heb ontvangen zó beëindigd.'

Dat was wat er niet klopte.

Toen Rob en ik pas met ons tijdschrift waren begonnen, hadden we een sessie met een ouijabord gedaan, een die overtuigender bleek dan de eerdere pogingen die we hadden gedaan. We hadden een 'geest' opgeroepen die beweerde dat hij de grootvader was van een van de meisjes die erbij waren, maar ze had het niet geloofd en was heel bang geworden. Ze geloofde de aanwezigheid van de geest wel, maar niet dat die haar grootvader was. Zij dacht dat het iemand was die zich voor hem uitgaf.

Naderhand had Rob haar ermee geplaagd, onder vier ogen, maar ik had mezelf daar niet toe kunnen brengen. Ik wist dat het flauwekul was, maar desondanks maakte het idee me onrustig. Je hoefde er niet in te geloven om het eng te vinden. Wat het meisje toen zei, had me aan het denken gezet: als het haar grootvader niet was, wie communiceerde er dan wel met haar? En waar was haar grootvader?

Ik had hetzelfde gevoel gehad toen ik naar mijn mobiele telefoon keek.

Als zij het niet was geweest, wie was het dan wel? En waar was Tori?

Rob zat me aan te kijken alsof hij dacht: neem je me in de maling?

'Vind je dat ik me aanstel?'

'Ja, dat vind ik.'

Hij gaf me het toestel terug en slaakte een zucht.

'Ik weet niet wat voor reactie je van me verwacht, maar heb je haar hierna nog een nieuw bericht gestuurd?'

'Ja, natuurlijk. Ik heb gevraagd of ze me wil bellen. Ik heb haar zelf ook gebeld, maar haar telefoon staat niet aan. Ik heb naar haar werk gebeld, maar daar zeiden ze dat ze zich ziek heeft gemeld.'

Rob hield zijn beide handen op. 'Nou, zie je wel?'

'Ik heb haar thuis gebeld en er wordt niet opgenomen.'

'Jezus, Dave. Dit begint op stalken te lijken, weet je dat? Misschien ligt ze te slapen. Of misschien heeft ze een van haar moeilijke periodes. Heb je het ziekenhuis geprobeerd?'

'Nee.' Daar had ik nog niet aan gedacht. 'Maar daar mag ze haar mobiele telefoon niet gebruiken.'

'Je zou het kunnen proberen.'

Ik liep terug naar mijn bureau. 'Misschien doe ik dat wel.'

Ik zocht op het net het telefoonnummer van Staunton Hospital op, zonder acht te slaan op Rob, die achter zijn bureau demonstratief met zijn hoofd zat te schudden. Ik belde het nummer, en toen er werd opgenomen vroeg ik of ik doorverbonden kon worden met afdeling 8.

Ik kreeg een vrouw aan de lijn. 'Receptie. Wat kan ik voor u doen?'

'Ik zou Tori Edmonds graag willen spreken.'

'Ogenblikje. Is ze patiënt hier?'

'Ja, dat denk ik.'

Ik hoorde papieren ritselen. Toen kwam ze weer aan de lijn.

'Het spijt me, maar we hebben hier niemand met die naam. Weet u zeker dat u deze afdeling moet hebben?'

Ik hing op.

'Misschien moeten we de politie bellen?' vroeg Rob zich hardop af.

Ik negeerde hem en probeerde te bedenken wat ik moest doen. Op weg naar kantoor had ik besloten dat er actie van me werd verwacht. Mijn gedachten bleven teruggaan naar die keer dat ze me had gebeld toen ze in het ziekenhuis was opgenomen. Van alle fouten die ik had gemaakt, was er een heel duidelijk geweest, want ik had haar beloofd dat ik er voor haar zou zijn en toen het erop aankwam, was ik er niet geweest. Ik kon mezelf wijsmaken wat ik wilde, maar dat gevoel – die behoefte – zou niet vanzelf verdwijnen.

Ik zocht mijn spullen bij elkaar en stond op.

'Ik heb behoefte aan frisse lucht.'

'Wat? Je komt verdomme net binnen.'

Ik trok mijn jas aan.

'Dave...'

'Ik moet het zeker weten, Rob. Oké?'

Hij bleef me aankijken alsof hij niet kon geloven dat ik het lef had en liet zijn pen op het bureau vallen. Hij gaf het op.

Ik deed de deur achter me dicht en liep de trap af.

Ik móést het zeker weten.

17

Vrijdag 2 september

Om halftwee reden Currie en Swann voor de tweede keer in enkele weken de heuvel naar het Grindlea Estate op.

'Dit gaat interessant worden,' zei Swann.

Currie knikte. Toen ze hier waren geweest om met Frank Carroll te praten was het hem weer opgevallen hoe vijandig de buurt was... dat de bewoners, als ze dat wilden, de weg aan de voet van de heuvel konden barricaderen en de politie urenlang konden ophouden. Dat Charlie Drake en al zijn mannen hier woonden.

Min één, als ze de melding mochten geloven.

Ruim een uur geleden had een van de bewoners de politie gebeld. De man had de afgelopen nacht al rumoer gehoord maar had er verder geen aandacht aan besteed, totdat hij vanochtend zijn huis uit was gekomen om naar zijn werk te gaan en had gezien dat de voordeur van zijn buurman halfopen stond. Omdat hij bezorgd was – beweerde hij, maar Currie had daar zijn twijfels over – was hij naar binnen gegaan en had hij zijn buurman dood in de woonkamer aangetroffen.

Alex Cardall, alias Cardo.

Er was een tijd – nog niet eens zo lang geleden – dat Currie zijn carrière of een paar jaar van zijn leven had willen geven om vijf minuten alleen te zijn met Charlie Drake of Alex Cardall. Toen Neil was gestorven en Linda bij hem was weggegaan, toen hij alleen was achtergebleven in dat bedompte huis met al die lege plekken, was dat het enige geweest waaraan hij kon denken.

De drugsdealers die zijn zoon van zijn spullen hadden voorzien.

De mensen die verantwoordelijk waren.

Op een avond was hij naar de Grindleas gereden en had hij zijn auto halverwege de heuvel neergezet. Hij had gedronken, maar niet veel, dus hij kon nog normaal nadenken. Zijn hoofd was helder en vrij van de emoties die onder de oppervlakte borrelden. Hoewel hij geen vastomlijnd plan had voor wat hij ging doen, had hij zijn lichaam de vrijheid gegeven om hiernaartoe te komen, en misleidde hij zijn geest door die voor te houden dat dit iets was wat hem overkwam, en niet iets wat hij bewust ondernam. Hij was in zijn auto blijven zitten, op enige afstand van Charlie Drakes huis, afwegend wat hij moest doen. En ten slotte, na een periode die zowel minuten als uren had kunnen duren, waarin tijd niet meer had bestaan, had hij de motor gestart en was hij teruggereden naar huis, niet in staat te volbrengen wat hij zich had voorgenomen, wat dat ook was.

Eerst had hij zich een lafaard gevoeld – dat zijn onvermogen om iets te doen een zoveelste voorbeeld was van hoe hij tegenover zijn zoon had gefaald – maar in de maanden die daarop volgden, wanneer hij terugkeek op het gebeuren, was hij het in een ander licht gaan zien. Currie wist heel veel van geweld en van de motieven die erachter zaten. Mensen deden elkaar om allerlei redenen kwaad, maar het bekendste motief was ongetwijfeld: uit zwakheid en onvermogen. Geweld ging meestal over het tonen van je autoriteit aan de rest van de wereld, over je onvermogen om af te rekenen met de duistere schaduwen in jezelf, zodat je je agressie maar richtte op iemand buiten jezelf. De man die in een bar een knokpartij begint, kent degene die hij in elkaar slaat hoogstwaarschijnlijk niet; die persoon kan hem niets schelen, en elke klap die hij uitdeelt is in feite voor iets anders bedoeld, voor iets wat voor hem ongrijpbaar is. Currie begreep dat, net zoals hij maanden later, toen hij Mary Carroll ontmoette, begreep dat de wonden op haar kuit iets soortgelijks vertegenwoordigden.

Hij wist dat zijn onvermogen om Charlie Drake te doden – het absurde idee dat hij even had overwogen – voortkwam uit dat besef. Currie wilde gewoon niet zo'n soort mens zijn. Hij weigerde zich af te wenden van zijn eigen falen en zijn schuldgevoel en die op anderen bot te vieren. Nee, hij zou zijn verantwoordelijkheid nemen, zijn fouten inzien en ervan leren in plaats van anderen de schuld te geven van alle leegtes die in de loop der jaren in zijn huis waren ontstaan.

Wat hij op dit moment moest voelen, wist hij echter niet. Hij was blij dat hij enige afstand had kunnen nemen van dat haatgevoel, jegens hemzelf en jegens anderen, want dat was niet de emotie waarmee hij zichzelf geassocieerd wilde zien. Maar terwijl ze de heuvel op reden wist hij dat hij zich heel anders zou voelen dan op andere plaatsen delict. Hij kon dit geval niet als een tragedie zien. Daardoor waren zijn gedachten van meer praktische aard en dacht hij bijvoorbeeld aan de indamming van de criminaliteit in deze buurt.

Ze naderden de eerste woontoren van de Plug. Vanaf het moment dat ze de mobiele melding hadden binnengekregen waren er al heel wat belangstellenden op de plaats delict afgekomen. Currie had onmiddellijk om assistentie verzocht om de situatie in de hand te houden totdat zij er waren. Zo te zien hadden ze zich goed van hun taak gekweten. Hij zag vier politiebusjes en agenten bij de ingang van de drie woontorens. Andere agenten stonden bij de groepjes opgewonden gebarende bewoners en praatten kalm op hen in om de gemoederen tot bedaren te brengen. De meeste toeschouwers dachten waarschijnlijk dat het om een inval ging.

Ze stapten uit de auto, de kille buitenlucht in, en deden hun bekende ritueel.

'Kauwgom?' bood Swann aan.

'Graag.'

'Dat betekent wel dat jij als eerste naar binnen gaat.'

'O ja?' Dit was nieuw voor hem. 'Hoe werkt dat?'

Swann haalde zijn schouders op. 'Ik weet ook niet hoe mijn tv werkt, maar hij doet het wel.'

Currie nam de leiding, wrong zich snel tussen de mensen door en liet zijn legitimatie zien aan de nogal nerveuze jonge agent die de hoofdingang van de woontoren bewaakte. Ze bukten zich, kropen onder de plastic tape door en liepen de trappen naar de vijfde verdieping op, waarbij hun voetstappen door het kale trappenhuis echoden. De gang van de vijfde werd eveneens bewaakt door twee agenten en ook voor de deur van Cardalls flat stonden er twee.

Currie keek van de een naar de ander. 'Helliwell?'

De ene agent knikte. 'Dat ben ik, meneer.'

'Er is verder niemand binnen geweest? Klopt dat?'

'Ja, meneer. Ik heb de andere vertrekken gecontroleerd, ben voor de deur gaan staan en heb mijn post niet verlaten.'

'Goed werk.'

Hij wendde zich tot Swann. 'Zijn we er klaar voor?'

Zijn partner knikte.

Omdat Helliwell al in de andere kamers had gekeken om te checken of er niemand was, liepen ze meteen door naar de woonkamer. Later zou de hele woning binnenstebuiten worden gekeerd en zou een aantal rechercheurs zich bezighouden met wat er was gevonden. Currie zou een van die mensen zijn, maar voorlopig zou hij zich beperken tot... zijn prioriteiten.

'Jezus,' zei Swann.

Cardall lag achter in de woonkamer, op zijn rug, met zijn armen en benen iets gespreid, als een engeltje dat in de kerstboom hing. Enkele van zijn vingers waren gebroken, dat was duidelijk, maar de meeste schade was aan hoofd en hals aangericht. Zijn gezicht zag eruit alsof het kapot was gebeukt op de goedkope vloerbedekking waar hij op lag. Toen ze om het lijk heen stapten, zag Currie in de bloederige massa het wit van een oogbol.

'Ik ben er redelijk zeker van dat hij het is,' zei Currie.

Zijn partner knikte grimmig. 'Duidelijk iemand die hem niet erg mocht.'

'Achteraan aansluiten.'

'Sam, zelfs jij haatte hem niet zo erg dat je hem zo'n einde gunt.'

'Nee,' zei Currie. 'Dat is waar.'

Hij maakte zijn blik los van het lijk en keek om zich heen in de kamer. Er stond weinig in: oud, tot op de draad versleten meubilair, vloerbedekking die te kort was om tot de plinten te reiken. Opengetrokken laden die schuin uit de kast hingen, kleren, eruit gehaald en op de grond gegooid. Een kleine tv en een stereoset, allebei kapotgeslagen.

'Zo te zien heeft iemand de tent doorzocht,' zei hij.

De geur van marihuana drong door die van het bloed heen en Curries gedachten gingen terug naar wat Cardall voor zijn broodwinning had gedaan. Het kon een verklaring zijn voor wat hier was gebeurd, maar dat vond Currie niet voldoende.

Swanns telefoon ging over. Hij haalde het toestel uit zijn zak en hield het tegen zijn oor.

'Ja?' Hij luisterde een paar seconden. 'Beneden? Laat ze niet... dat weet ik niet. Als we hier klaar zijn komen we naar beneden. Doe je werk, verdomme.'

Hij klapte het toestel dicht.

'Drake?' vroeg Currie.

'Ja. Buiten. Met bijna al zijn mannen.'

'Shit.' Maar dat hadden ze kunnen verwachten. 'We zullen vroeg of laat toch met hem moeten praten.'

'We kunnen hier beter weggaan en de technische recherche laten komen,' zei Swann. 'Misschien moeten we de hele zaak aan iemand anders overdragen. We hebben hier geen tijd voor. Typisch een PD van een bendeoorlog. Wat denk jij?'

Currie knikte. Toch kon hij het niet laten om achterom te kijken toen ze de kamer uit liepen. Hij wilde peilen hoe hij reageerde op wat hier was gedaan.

Dit verdient niemand, dacht hij.

Currie vroeg zich af of hij dat wel meende. Helemaal waar was het niet, maar het kwam dicht in de buurt en dat was alvast iets. Het voelde bijna als een opluchting, want hij was lange tijd bang geweest dat hij nooit meer tot een dergelijke gedachte in staat zou zijn.

Buiten begon de dreiging onaangename vormen aan te nemen.

Hij pikte Chocs mannen er zo uit. Het waren er maar vijf of zes, maar ze waren stuk voor stuk groot en zagen er vervaarlijk uit. Ze hadden zich over de aanwezigen verspreid om hun aanwezigheid kenbaar te maken, en twee van hen stonden bij een agent en gebaarden druk met hun armen. Als een roedel wolven, op zoek naar de zwakke plek in de verdediging. Ze wilden naar binnen. Hun vriend lag dood in zijn huis en dit was hún territorium. Onbekend met politieoptreden als ze waren, hadden ze daar ook weinig respect voor.

En angst evenmin. Een miniem restje gezond verstand weerhield hen ervan dwars door de blokkade te stormen. Hun woede werd zowel veroorzaakt door het feit dat ze in hun doen en laten werden beperkt als door de dood van hun vriend. Wie dacht die klotepolitie wel dat ze was?

We zijn een paar centimeter van de totale chaos verwijderd, dacht Currie.

'We moeten dit in de hand zien te houden,' zei Swann.

Currie knikte.

'Geef het door aan de meldkamer. Ik ga met Drake praten. Kijken of we op die manier rust in de tent kunnen krijgen.'

'Je bent toch wel aardig voor hem, hoop ik?'

'Ja,' zei Currie. 'Misschien wel.'

Hij liep het parkeerterrein op. Charlie Drake was alleen, praatte met niemand en veroorzaakte geen overlast. Hij stond tegen zijn auto geleund, met de onderbenen gekruist, en beet op een van zijn nagels. Bijna ontspannen, maar niet helemaal... daarvoor stond hij te strak naar de woontoren te staren, alsof hij die door pure concentratie kon laten omvallen.

Currie had hem een paar keer eerder ontmoet en zijn reactie was steeds dezelfde wanneer hij hem zag. Want als je niet wist wat Drake voor zijn brood deed, zou je het nooit raden. Hij had een broek aan die ooit bij een pak had gehoord, en een duur, wit overhemd dat een beetje smoezelig was en over zijn broek hing. Als je je ogen half dichtkneep, kon hij voor een laatstejaars van een vwo doorgaan. Net als het sobere interieur van Cardalls flat voldeed hij in de verste verten niet aan het beeld dat de mensen van drugsdealers hebben, met hun mooie pakken, slangenleren laarzen en dikke gouden kettingen.

Currie bleef voor hem staan en knikte.

'Charlie.'

Drake keek hem aan. Alleen in Drakes ogen was iets te zien van wat hem zo hoog op de ladder had gebracht... als je het tenminste zo kon noemen. Wanneer je hem aankeek, wist je dat dit een man was die iemand kon vermoorden en daar naderhand nooit meer over zou nadenken. Als je die eigenschap had, was de rest van de drugshandel niet meer dan inkoop en logistiek.

Currie keek hem ook aan.

'Ik ken jou,' zei Drake.

'Ja. Je hebt mijn zoon gekend.'

'Neil.'

'Precies. Een goeie klant van je.'

Drake bleef hem nog even aankijken, maar richtte zijn blik toen weer op de woontoren.

'Het is mijn jongen die jullie hebben gevonden, hè?'

'Ja.' Hij verbaasde zichzelf door eraan toe te voegen: 'Het spijt me voor je.'

Drake tuitte zijn lippen. 'Jullie kunnen verdomme je geluk niet op.'

Currie bleef hem aankijken en zei niets.

'Vooral jij niet.'

'Nou, dat zie je toch verkeerd. De zaak zal hoogstwaarschijnlijk aan iemand anders worden overgedragen, maar als dat niet gebeurt zal ik alles doen om erachter te komen wie Alex heeft vermoord. Niemand verdient wat ze met hem hebben gedaan.'

'Maak je niet druk. We regelen het zelf wel.'

'Dit is een politiezaak, Charlie. Of je het leuk vindt of niet. Wíj handelen dit af.'

Drake glimlachte grimmig. O ja? Dat zullen we nog weleens zien.

'Kun je iemand bedenken die Alex uit de weg zou willen ruimen?'

'Misschien wel.'

Maar Currie vermoedde dat dit bravoure was. Onder Drakes beheerste kalmte, voelde hij, zaten dezelfde emoties die iedereen in een situatie als deze zou ondergaan. Verdriet en woede. Verwarring ook. Alsof hij in gedachten de lijst met Alex' vijanden al had afgewerkt en niemand had kunnen vinden. De man was aangeslagen, en hij deed wat roofdieren in dat geval altijd doen: het niet laten blijken.

'Ben je gisteravond met Alex op pad geweest?'

'Ja. Hij heeft me om een uur of elf hier afgezet.'

'Waar waren jullie daarvoor?'

Drake gaf geen antwoord.

Currie deed een stapje van de auto vandaan en ging recht voor hem staan. Hij hield zijn handen in zijn zakken. Met opzet blokkeerde hij Drakes zicht op de flats, en tegelijkertijd onttrok hij Drake aan het zicht van de anderen.

'Je zult toch met iemand moeten praten,' zei hij zacht.

'O ja? Is dat zo?'

'Hangt ervan af hoe je het wilt hebben.' Hij knikte naar de woontorens. 'We kunnen al je mensen stuk voor stuk verhoren, alle huizen doorzoeken, alle laden en kasten binnenstebuiten keren.'

Drake keek hem boos aan, maar Currie schudde zijn hoofd.

'En denk niet dat je me kunt intimideren, Charlie, want dat kun je niet. Als jouw jongens hier problemen blijven maken, zetten we jullie allemaal vast. Niemand kan je nu zien of horen, dus ik vraag het je nog een keer. Waar waren jullie gisteravond?'

Als blikken konden doden.

Maar Drake was niet dom. Een andere politieman zou hij misschien hebben uitgelachen, maar hij was Neil niet vergeten. Hij wist dat Currie de pest aan hem had. Ook al wist hij niet in welke mate Currie zich daardoor zou laten sturen, hij wist wel dat hij zijn dreigement van zojuist ten uitvoer zou brengen, wat de consequenties ook waren.

Hij draaide zijn hoofd opzij. 'We waren in het Korenveld.'

Currie schoot bijna in de lach. Op het bureau, onder alle mensen die ooit met Drake en zijn bende te maken hadden gehad, stond het Korenveld symbool voor alibi's van dubieuze aard. Het was dat stukje van de stad waar de gebruikelijke regels van de moraal niet van kracht waren... ongeveer zoals in een biechtstoel in de kerk, waar je vol zonden naartoe ging en op miraculeuze manier verschoond weer vandaan kwam. 'Hij was in het

Korenveld' betekende dat iemand zichzelf tijdelijk buiten de gemeenschap had geplaatst en zich had teruggetrokken op een plek waar je daden geen consequenties hadden. Waar je je tijdelijk aan je schuld en verantwoordelijkheid kon onttrekken. Currie had grondig de pest aan het Korenveld. 'De hele avond?' vroeg hij. 'Lieg niet tegen me, Charlie. Ik betwijfel ten zeerste dat je daar al die tijd bent gebleven en ik vraag de beelden van alle camera's in de stad op...'

'We zijn daar om tien uur weggegaan.'

'Dan ontbreekt er een uur.'

'We houden ons graag aan de maximumsnelheid, agent.'

'Probeer me niet in de maling te nemen. Waar zijn jullie geweest?'

Drake maakte een afweging. 'We zijn bij een kennis langs geweest.'

'Wie?'

'Ene Dave Lewis.'

Currie wist de schok te beperken en knipperde slechts één keer met zijn ogen, maar het kostte hem wel enorm veel moeite. Hoe was het in godsnaam mogelijk dat die twee elkaar kenden?

'O ja? Had je iets met hem te bespreken?'

'Gewoon een beetje bijpraten. Over wederzijdse vrienden. Je weet hoe het gaat.'

'Wederzijdse vrienden.' Currie dacht na en waagde een gok. 'Tori Edmonds?'

'Ja. Tori.'

'Ik heb haar weleens ontmoet. Hoe gaat het met haar?'

'Best. Het was Dave die zich zorgen om haar maakte. Hij zei dat hij al een tijdje niks van haar had gehoord. Maakte zich zorgen om niks.'

Achter zich hoorde Currie het opstootje doorgaan – verheven stemmen, stampende en schuifelende voeten op het asfalt – maar hij sloot de geluiden buiten en dacht na.

Dave Lewis. Tori Edmonds. Julie Sadler.

Hij had al een tijdje niets van haar gehoord.

'En jij?' vroeg hij. 'Heb jij wel van haar gehoord?'

'Ja. Ik heb haar gisteravond een berichtje gestuurd, en antwoord gehad.'

'Laat zien.'

Drake fronste zijn wenkbrauwen. 'Wat?'

'Laat me verdomme dat bericht zien.'

'Oké, oké.' Mopperend stak hij zijn handen in de zakken van zijn wijde broek. Toen de telefoon tevoorschijn kwam, zag Currie dat het een heel mooie was; toch een kleine concessie aan een luxe lifestyle. Drake drukte een paar knopjes in en hield het toestel op, zodat Currie het beeldschermpje kon zien.

'Hier. Al het andere hoef je niet te zien.'

'Alsof ik in jouw vuile was geïnteresseerd zou zijn.'

Currie tuurde naar het schermpje en las de tekst.

HALLO. SORRY VOOR DE RADIOSTILTE. IK HEB HET DRUK, VERDER ALLES OK. JIJ OOK, HOOP IK. NEEM BINNENKORT CONTACT MET JE OP. TORI

Exact dezelfde woorden als in de berichten die met Julie Sadlers telefoon waren verstuurd. En die van de andere slachtoffers. Jezus christus. Alles stond ineens op zijn kop, en hij had het idee dat de stukjes in zijn hoofd als sneeuwvlokken door elkaar dwarrelden.

Hij keek Drake weer aan.

'Het spijt me, Charlie,' zei hij, 'maar ik ben bang dat we je vuile was toch nog eens moeten bekijken.'

18

Vrijdag 2 september

Tori woonde aan de noordkant van de stad en ik moest een heel eind omrijden om de middagdrukte in het centrum te vermijden. Het was na tweeën toen ik eindelijk haar straat in reed. Het eerste wat ik deed toen ik de auto had geparkeerd, was mijn mobiele telefoon checken.

Geen sms'jes. Geen gemiste oproepen.

Ik legde het toestel op de zitting van de passagiersstoel, sloeg mijn armen over elkaar en leunde op het stuur.

Tori's huis was een eindje verderop. Een hoog, smal pand zonder achtertuin in een van de goedkopere buurten van de stad. De huizen zagen eruit alsof ze honger hadden: met ingevallen buiken, hangende schouders en een aangehaalde broekriem. Maar ze hadden wel karakter, waren allemaal in verschillende tinten geschilderd, voornamelijk witte en grijze, en er was niet één huis dat er hetzelfde uitzag als dat van de buren. De lijn van de daken deed denken aan een verwaarloosd, onregelmatig gebit. Haar huis had ramen die er naderhand nogal slordig opgeplakt leken. Alle gordijnen – in de slaapkamer hippiepaars met gele maantjes en sterren, herinnerde ik me – waren op dit moment dicht.

Een verzameling regen- en afvoerpijpen liep over de hele voorgevel van het pand, van de dakgoot tot aan de put naast de treden bij de voordeur. De ochtend nadat we onze relatie hadden beëindigd had ik op die treden een sigaret staan roken, luisterend naar het geruis in die pijpen, en had ik opeens Tori's doucheschuim geroken toen het witte sop uit een ervan was gekomen. De put was verstopt door bladeren en was overstroomd, zodat er witte riviertjes over de stoep waren gekropen.

Als je me ooit nodig hebt, zal ik er voor je zijn. Het maakt niet uit waarvoor. Een belofte die je gemakkelijk kon doen. Maar wanneer het landschap van je relaties zich wijzigde, was je gedwongen andere paden te kiezen. Rob had gelijk gehad toen hij het over stalken had. Ik was haar vriend niet meer, dus eigenlijk had ik niet het recht om hier te zijn. Ik had haar dagelijks met telefoontjes en sms'jes bestookt, haar op haar werk gebeld, in het ziekenhuis, en nu stond ik zelfs voor haar huis. Allemaal op basis van... niets. Als ze opendeed, wat zou ze dan denken?

Nou, een goed moment om dat uit te vinden, denk je niet?

Ik stapte uit, draaide het portier op slot, liep naar de voordeur en klopte aan.

Geen reactie. Geen enkel geluid in het huis.

Ik wachtte een minuut en klopte nog een keer.

Niets.

Wat een tegenvaller. Mijn frustratie nam toe en ik probeerde de deurknop. Al voordat ik mezelf afvroeg waar ik verdomme mee bezig was voelde ik de deurknop meegeven, zwaaide de deur open en hoorde ik hem twee keer knarsen voordat hij de keukenmuur raakte.

Ik boog me naar binnen. Alles was donker en stil.

'Tori? Ik ben het, Dave.'

Ik deed een stap de keuken in en riep nog een keer. Als ze thuis was – en ze moest thuis zijn – wilde ik geen misverstanden over de reden van mijn komst. Het was zeker niet mijn bedoeling om haar met iemand in bed te betrappen.

'Hallo?'

Ik was alleen bezorgd, zou ik zeggen. Ik kreeg geen antwoord en de deur was open.

Ik spitste mijn oren maar hoorde niets anders dan de totale stilte van een verlaten huis.

Ik deed de voordeur dicht en zag een kleine verzameling post op de vloer liggen, ongeveer de hoeveelheid die je aantreft wanneer je een weekend weg bent geweest. Ik zakte door mijn knieën, raapte de post op en bekeek de enveloppen. Eén met een handgeschreven adres, een energierekening en iets wat eruitzag als een bankafschrift. Kortom, niet veel, maar het was niets voor Tori om het op de grond te laten liggen.

Ik snoof. Het rook hier ook een beetje bedompt. Er stond een bord op het aanrecht, met broodkruimels en een paar donkere vegen die op opgedroogde ketchup leken. Zo te zien van een paar dagen geleden.

Misschien is ze een paar dagen weg, dacht ik.

En dan doet ze de voordeur niet op slot?

Ik liep de donkere gang in, zocht naar de lichtschakelaar en zag de woonkamer warm en geel tot leven komen. De aanblik bracht een golf van herinneringen in me teweeg. Toen Tori en ik nog samen waren, hadden we hier vaak gezeten. Er waren een paar kleine dingen veranderd, maar het meeste was nog zoals ik het me herinnerde: het warme geel van de muren, de oranje grands foulards op de bankjes, de beeldjes en frutsels op de planken. En overal lagen boeken. Die hield ze altijd onder handbereik, als vrienden, alsof ze ze elk moment nodig kon hebben en ze dan meteen moest kunnen pakken.

'Tori?'

Ik liep door. De achterdeur zat tenminste op slot, met de sleutel aan de binnenkant. Onder aan de trap bleef ik staan en keek ik aarzelend naar de donkere overloop boven me. Ik wist wat Rob zou zeggen als hij me nu zag. Dit was puur, onbeschaamd stalken. Maar toen dacht ik aan Julie, die thuis op haar bed vastgebonden had gelegen. Zonder dat er iemand langskwam om te zien of alles in orde met haar was.

De deur stond wijd open en er kwam geen reactie.

Op de overloop bleef ik staan om te luisteren, maar ik hoorde niets. De deur van de slaapkamer was dicht. Ik klopte er zachtjes op en kreeg geen antwoord. Maar zelfs als ze had liggen slapen zou ze me inmiddels gehoord moeten hebben. Ik stak mijn hand uit en duwde de deur open in de verwachting dat er niemand in de kamer zou zijn.

En er was niemand.

Onmiddellijk voelde ik de spanning van me af stromen alsof ik onder een koude douche stond. Ik leunde tegen de deurpost en haalde diep adem. Even had ik echt geloofd dat haar iets was overkomen. Iets zoals met Julie was gebeurd.

Idioot.

Het bed was niet opgemaakt. De dikke, witte sprei lag gedraaid als een snoepwikkel en in het kussen zat nog een deuk van waar haar hoofd had gelegen. Het andere kussen stond bol, zag ik. Dus de laatste keer dat ze hier had geslapen was ze in elk geval alleen geweest...

Op dat moment besefte ik wat ik aan het doen was, en dat voelde helemaal niet goed.

Boven het bed was een plank vol boeken. Boeken voor in bed. Ik herinnerde me dat ik een keer in dit bed had gelegen, dat Tori in de badkamer was en dat ik een van de boeken van de plank had gepakt om het door te bladeren. Het bleek een cadeautje van een vroeger vriendje te zijn, die voorin een opdracht voor haar had geschreven. Ik had het snel teruggezet. Had het gezien als een stiekeme poging om in haar privéleven te snuffelen... een periode van haar leven waarin ik niet thuishoorde. En dat was precies wat ik nu aan het doen was.

Ik wilde me net omdraaien om weer naar beneden te gaan toen mijn oog erop viel.

Een witte envelop.

Die onder het kussen uitstak. Een met de hand geschreven naam op de voorkant. In nette, kleine letters.

DAVE LEWIS

Langzaam liep ik naar het hoofdeinde van het bed en nam de envelop heel voorzichtig aan een hoekje tussen mijn duim en wijsvinger. Het papier maakte een hard, scheurend geluid toen ik de envelop met mijn duimnagel openmaakte.

Er zat een blaadje papier in. Ik vouwde het open en moest het met beide handen vasthouden. Hetzelfde nette handschrift besloeg de bovenste helft van het blaadje. Toen ik begon te lezen en mijn blik over de woorden en regels liet gaan, moest ik mijn best doen om daar te blijven staan en me tot het uiterste concentreren om te begrijpen wat ik las.

Aan Dave Lewis

Jij denkt dat je om anderen geeft, maar dat doe je niet. Mensen doen alsof, en alleen als het ze uitkomt. Je bent een bangerik en een egoïst, en wat je ook over jezelf denkt, je lult uit je nek, en binnenkort zal iedereen weten dat dat zo is.

Je kunt dit op de laffe manier aanpakken, deze brief aan de politie geven en alles uitleggen. Als je dat doet, is het afgelopen en zul je nooit meer iets van me horen. Dan zal ze sterven en kun jij doorgaan met je leven alsof er nooit iets is gebeurd, wat niet veel anders is dan je nu doet.

Als je haar wilt redden, zul je moeten bewijzen dat je geen stomme hufter bent maar dat je het waard bent om haar te redden. Je zult het voorrecht om dat te mogen doen moeten verdienen. We zullen zien. Neem geen contact op met de politie en hou je mond erover. Dit is pas het begin van wat wij samen gaan doen. Ze blijft op de hoogte van je successen en je fouten en als je haar laat doodgaan, zal ze weten wat een leugenaar en een klootzak je altijd bent geweest.

Je hoort van me, en ik hou je in de gaten. Ik laat een cadeautje voor je achter, om je ervan te doordringen dat ik het meen.

Al het andere in de kamer was naar de achtergrond verdwenen.

Ik voelde me alsof ik buiten mijn lichaam was getreden, alsof ik vanuit mezelf naar iemand anders keek, of me onder water bevond en naar iets luisterde. Het licht dat door de gordijnen kwam viel op de stofdeeltjes die roerloos in de lucht hingen, en heel even hield ik het voor mogelijk dat ik een van die stofdeeltjes was. Ik had geen idee wat ik moest denken. Het was alsof mijn geest zich op een onbekende plek in mijn hoofd had verborgen.

Ik keek in de envelop en vond het cadeautje dat hij voor me had achtergelaten. Tori's dunne zilveren halskettinkje, dat om het kruisje zat gedraaid. Het halskettinkje van haar zus.

Ze deed het alleen af wanneer ze ging douchen, of soms in bed. Het was haar dierbaarste bezit, het eerste wat ze 's morgens omdeed en het laatste wat ze 's avonds afdeed. *Om je ervan te doordringen dat ik het meen.* Ik hield het kettinkje tussen mijn vingers en liet het kruisje boven mijn andere hand zweven...

Drie harde bonzen, beneden, en ik was terug in mijn eigen lichaam, met mijn hart in mijn keel.

De voordeur.

Ik deed de brief en het kettinkje terug in de envelop en sloop zo geruisloos mogelijk de trap af. Aan het eind van de gang, door het blauwe gordijn van de keukendeur, kon ik de silhouetten van twee mensen zien.

Het ene silhouet bewoog. *Klop, klop, klop.*

'Zeker niemand thuis.'

Ik hoorde de stem achter de deur, en onmiddellijk daarna herkende ik die. De rechercheur die me had verhoord. Currie.

'Blijkbaar niet.'

'Op haar werk zeiden ze dat ze ziek was.'

Het ene silhouet kwam dichter bij het raam in de keukendeur staan. Iemand zette zijn handen tegen het glas en probeerde door het gordijn heen te kijken.

'Er brandt licht.'

De brievenbus klepperde. 'Mevrouw Edmonds?'

Jezus. Ze hoefden alleen maar de deur open te doen. Ik sloop terug door de woonkamer. Wat kwamen die hier verdomme doen?

Was het vanwege Julie?

Vanwege mij?

'Mevrouw Edmonds?'

Wat de reden ook was, ik kon hier niet blijven. De brief was over één ding duidelijk geweest. Als ik met de politie praatte, zou Tori sterven. Totdat ik de kans had gehad om eens goed na te denken over wat ik moest doen, kon ik niet toestaan dat die beslissing door een ander voor me werd genomen.

Ik liep terug tot aan de trap en deed de gangdeur zachtjes achter me dicht. Ik kon nog net horen dat de voordeur werd geopend. Shit. Maar de achterdeur kwam uit op een steegje achter het huis. Heel voorzichtig draaide ik de sleutel om en trok de deur open.

Die klemde in de sponningen en maakte een hard, knarsend geluid.

'Mevrouw Edmonds?'

Ze waren in de keuken en kwamen verder het huis in.

Ik liep naar buiten, deed de deur dicht en keek beiden kanten op. Rechtsaf was het kortst, wist ik, dus die kant rende ik op, zo hard als ik kon. Het enige wat ertoe deed was dat ik het einde van het steegje haalde. Ik rende vijf, zes huizen voorbij, kwam bij de hoek en keek achterom. Nog niemand in het steegje. Ze hadden me niet gezien.

Maar mijn vingerafdrukken zaten overal in het huis.

Ik rende de zijstraat uit, sloeg rechtsaf en ging langzamer lopen toen ik weer in Tori's straat kwam. Er stond een andere auto voor haar huis geparkeerd. De mijne stond er een eindje achter. Ik liep door en bleef dicht bij de heggen om de simpele reden dat ik me daar het veiligst voelde. Eigenlijk zou ik mijn auto moeten laten staan, maar mijn mobiele telefoon lag er nog in. Die had ik verdomme op de zitting van de passagiersstoel laten liggen.

Je hoort van me.

Ik kwam bij de auto, stond even met mijn sleutels te hannesen en stapte snel in. Opschieten. Ik startte de motor en reed weg. Ik durfde niet naar Tori's huis te kijken toen ik erlangs reed.

Toen ik aan het eind van de straat was, reed ik een paar willekeurige zijstraten door, of dat nu zinvol was of niet, maar ik voelde me pas veilig toen ik bij de ringweg kwam en verder naar het noorden kon rijden.

Ik pakte mijn telefoon van de zitting en keek op de display.

1 GEMISTE OPROEP, las ik, en: 1 NIEUW BERICHT

19

Vrijdag 2 september

Carpe Diem was een undergroundpub in alle betekenissen van het woord. Vanaf de straat moest je een stel uitgesleten stenen treden aflopen, er lag zaagsel op de vloer, het was er net niet vies en de clientèle bestond uit jonge punks en oude rockers. Het hout was uitgeslagen als verweerde bomen, en het rode leer van de box waarin ik zat was hard en gebarsten. Een pluk geel schuimrubber hing uit een gat dat aan een schotwond deed denken. Tegenover de bar was een klein podium waar een paar versterkers en gitaarkoffers stonden te wachten voor later die avond.

Rob en ik kwamen hier af en toe. Ik zat nu tegenover hem, dronk van mijn biertje en was nog steeds bezig een zekere orde in mijn gedachten aan te brengen.

De gemiste oproep en de voicemail die ik in de auto had gezien waren van Rob geweest. Ten eerste vroeg hij zich af waar ik verdomme uithing. Maar wat belangrijker was, althans voor mij, was dat hij me wilde laten weten dat hij een e-mail van Tori had ontvangen. Dus hadden we hier afgesproken voor een biertje.

Ik had de e-mail, die hij had geprint en had meegebracht, al gelezen. 'Tori' had hem naar het e-mailadres van de redactie gestuurd.

Het was vreemd om hier te zitten en te doen alsof alles oké was, terwijl ik heel goed wist dat dat niet zo was. Ik moest doen alsof, ook al tolde mijn hoofd en tintelde de adrenaline in mijn aderen. Mijn handen trilden licht en ik voelde een druk op mijn keel.

'Normaliter zou ik hem nooit hebben geopend,' zei Rob, en hij nam achteloos een slokje van zijn bier. 'Maar ik wist dat je je zorgen maakte.'

'Het is oké.'

Ik las de e-mail nog een keer.

Dave
Sorry dat ik je niet behoorlijk heb geantwoord. Ik heb het druk gehad... je
weet hoe het kan gaan. Maak je om mij geen zorgen. Het gaat verder goed,
maar ik heb me ziek gemeld op mijn werk vanwege een infectie en logeer
op dit moment bij mijn ouders, aangezien ik daar was toen ik ziek werd.
Ik voel me nog niet geweldig, eerlijk gezegd, maar ik overleef het wel.
Ik denk dat ik hier nog een paar dagen blijf en hopelijk kan ik dan weer
terug naar huis. Het hangt er een beetje van af, denk ik. Misschien moe-
ten we weer eens iets afspreken? Ik geloof dat je zei dat je mobiel buiten
werking was, dus misschien kan ik je beter later in het huis van je ouders
bellen? Ik weet dat je daar nog naartoe wilde voordat je naar huis ging.
In de tussentijd: doe het rustig aan en ik hoop dat alles goed met je gaat,
Tori
(P.S. Sorry dat ik je op je werk mail. Als je hem wilt wissen, ga je gang.)

'En,' zei Rob, 'zijn we nu tevreden?'
'Ja.'
Ik glimlachte en probeerde dat overtuigend te doen. Maar ik was helemaal niet tevreden. Ik moest weer denken aan de geest van het ouijabord, die had gedaan alsof hij iemand anders was. Want ik wist nu zeker dat dit Tori niet was. De sms mocht dan van haar telefoon afkomstig zijn, en de e-mail van haar account, maar iemand anders had ze gestuurd.
De man die Julie had vermoord.
Ik probeerde de beelden die ik voor me zag weg te spoelen met een grote slok bier. Het had geen effect.
'Wat is er met je telefoon aan de hand?' vroeg Rob.
Buiten werking, stond er in de brief die voor me lag. Dat was niet waar, maar ik begreep wat de man ermee bedoelde. De politie was naar Tori's huis gekomen en de enige reden die ik kon bedenken was dat dat vanwege mij was. Ze werd vermist en het hele huis zat vol met mijn vingerafdruk-ken. Binnenkort zouden ze naar me op zoek gaan, als ze dat al niet waren. Ik ging ervan uit dat de politie een mobiele telefoon kon opsporen als die aan stond, dus had de man me opgedragen hem uit te zetten.
'De accu wordt slecht,' zei ik.
'Nou, daar zal ze dan blij mee zijn.' Rob wierp een ongeïnteresseerde blik op het podium. 'Ik wist niet dat je naar het huis van je ouders ging. Heb je hulp nodig?'

Ik schudde mijn hoofd. 'Alleen wat papieren opzoeken die ik nodig heb.'
'Juist.'
'Zo gebeurd.'
Hij keek me aan, niet overtuigd. Rob was altijd goed geweest in het lezen van mensen, hoewel iedereen zou kunnen zien dat er iets niet klopte. Ik praatte in korte, afgemeten zinnen en ontweek zijn blik.

Ik hoorde de poolballen tikken achter in de pub, gevolgd door een paar hoeraatjes. Ik keek om, was blij met de afleiding. Een skinhead stond over de tafel gebogen en zijn schedel glom in het licht. Hij speelde een langzame bal en scoorde opnieuw. Deze groep schonk nauwelijks aandacht aan ons, dus liet ik mijn blik over de andere aanwezigen gaan. Het stel dat twee boxen verderop zat. Een oudere man die bij de hoge tafel met de tv stond en naar Sky Sports keek. Een student bij de fruitautomaat, met zijn bierpul naast zijn heup, iets door de knieën gebogen om zijn winst in ontvangst te nemen.

Allemaal ver genoeg van ons vandaan om onze privacy te waarborgen, maar...

Ik hou je in de gaten.

... er was weinig voor nodig om paranoïde te worden. Ik had zelfs aan de overkant van de pub staan wachten totdat Rob kwam aanlopen, ontspannen, met zijn handen in zijn zakken en die bekende swing in zijn manier van lopen. Maar als iemand iets beweert in een anonieme brief hoeft het nog niet waar te zijn. Aan de andere kant kon je een briefje met 'Ik hou je in de gaten' bij een wildvreemde posten en was er een goede kans dat die persoon dagenlang achterom zou kijken om te zien of je hem volgde of niet. Je kunt mensen heel gemakkelijk manipuleren wanneer ze niet kunnen zien wat je doet, en als ik me ertegen wilde wapenen, zou ik dat in mijn achterhoofd moeten houden. Mijn verdedigingsarsenaal was beperkt, gaf ik toe, maar het was wel gespecialiseerd.

'Alles oké met je?' vroeg Rob. 'Je doet zo vreemd.'
'Niks aan de hand.'
'Er is wel iets aan de hand. Vertel op.'
'Ik heb me als een idioot gedragen, dat is alles.'
'Ja, maar dat doe je wel vaker. Dat verklaart niet waarom je nu nog idioter doet dan anders.'
'Misschien heb ik wel schoon genoeg van mezelf.'
Rob leunde achterover. Met dat antwoord leek hij genoegen te nemen. Ik

vond het niet leuk om te liegen, maar het kon niet anders. Een constatering waardoor ik opeens aan Sarah moest denken.

Ons afspraakje van vanavond. Shit.

Het was uitgesloten dat ik vanavond naar de Olive Tree zou gaan. En wat nog veel erger was, ik kon niet eens mijn telefoon aanzetten om haar af te bellen en uit te leggen waarom ik niet kon komen. Dus zou ze om halfacht alleen in het restaurant zitten en zich afvragen waar ik bleef. Misschien was het raar, in de context van al het andere dat was gebeurd, maar dat idee bracht een gevoel van paniek in me teweeg.

Zet het uit je hoofd, in ieder geval voor dit moment. Concentreer je.

Wat me weer terugbracht bij het feit dat de politie hoogstwaarschijnlijk naar me op zoek was en dat ik hier zo snel mogelijk weg moest. Maar er was nog iets waar ik aan had moeten denken, en als ik er iets mee wilde doen, dan was het daar nu het moment voor.

'Rob,' zei ik. 'Herinner jij je hoe wij elkaar voor het eerst zijn tegengekomen?'

Hij bracht net zijn bierpul naar zijn lippen en fronste zijn wenkbrauwen. 'Ja.'

'Weet je nog wáár dat was? Niet zeggen; alleen of je het nog weet of niet.' Langzaam zette hij zijn glas neer.

'Waar heb je het over?'

'Luister alleen naar wat ik vraag. Weet je nog waar dat was?'

Ik was ervan overtuigd dat hij het nog wist... in de bar van de universiteitsclub. Hij was zijn geestkrachtact aan het doen en we waren aan de praat geraakt toen hij naast mijn tafel kwam staan.

'Ja, dat weet ik nog. Maar wat heeft dat...'

'Niks, maar ik vraag je alleen om een gunst. Wat er ook gebeurt, ik wil dat je dát onthoudt. Oké?'

Hij staarde me aan.

'Dave... wat is er verdomme aan de hand?'

'Doe nou maar wat ik je vraag.'

Ik vouwde de e-mail op, stak hem in mijn zak en stond op.

'Ga je?'

'Ja,' zei ik. 'Ik moet mensen doen en bij een paar dingen langs.'

'Maar...'

'Ik zie je morgen.' Ik stak mijn hand op, zonder me om te draaien, en voordat ik wegliep dacht ik: en in godsnaam, volg me niet.

Ik liet mijn auto in de parkeergarage onder de Sphere staan en liep de straten van het centrum in. Het was vijf uur geweest, de lucht was donkerblauw en er waren zelfs al een paar glinsterende sterren te zien. De verlichte winkelramen vielen extra op in de avondschemer en er waren veel mensen op straat.

Toen ik aankwam bij het begin van het klinkerstraatje waar ons redactiekantoor was gevestigd, bleef ik staan en tuurde ik langs de Blue Bar en de broodjeszaak de straat in. Er waren nog wat voetgangers, die in beide richtingen liepen, maar zo te zien stonden er geen politiemensen op me te wachten. En Rob was hier amper een halfuur geleden naar buiten gekomen. Als ze er toen al waren geweest, zou hij er zeker iets over hebben gezegd.

Ik begreep nog niet alles van wat er aan de hand was, maar ik was ervan overtuigd dat de politie zeer binnenkort naar me op zoek zou gaan. De man had gezegd dat ik naar het huis van mijn ouders moest gaan, wat inhield dat de politie mijn flat in de gaten zou houden. En als ik daar niet was, zouden ze waarschijnlijk naar ons redactiekantoor komen. Misschien wisten ze het nog niet van het huis van mijn ouders.

Ik liep de straat in.

Sorry dat ik je op je werk mail.

Als je hem wilt wissen, ga je gang.

In de tijd die was verstreken nadat ik de brief onder Tori's kussen had gevonden was ik enigszins gekalmeerd en had ik de kans gehad om over alles na te denken. En voor dit moment, had ik besloten, zou ik doen wat de man me opdroeg. Want wanneer je eenmaal tot actie besluit, is dat in elk geval één ding minder om je zorgen over te maken. In plaats van me over te geven aan mijn paniekgevoel had ik nu een aantal taken te verrichten en zou ik al doende de situatie analyseren en evalueren.

Samengevat hield dat in dat ik uit handen van de politie moest zien te blijven, naar het huis van mijn ouders gaan en daar afwachten wat er verder zou gebeuren. Ik zou later wel kijken of er ergens een opening was waar ik mijn voet tussen de deur kon zetten. Waar iets gedaan kon worden wanneer de man zijn aandacht had laten verslappen.

Maar eerst moest ik die e-mail wissen.

Het licht van de receptie was nog aan, maar toen ik naar binnen keek zag ik dat de receptioniste al naar huis was. En de voordeur was op slot, wat ook een goed teken was. Ik gebruikte mijn pasje om binnen te komen, waarna de deur zich achter me sloot en met een magnetische klik in het slot viel.

Ik bleef staan en luisterde.

Ergens op een van de hogere verdiepingen hoorde ik een gangdeur open- en dichtgaan. Daarna niets meer.

Ik nam de trap en droeg mezelf op me te ontspannen. Kalm te blijven en rustig adem te halen. Er was meer dan genoeg tijd.

Op ons redactiekantoor was het donker en stil. Het enige licht was afkomstig van de groene lampjes van onze computers en beeldschermen, die allemaal op stand-by stonden. Ik liet het licht uit, liep naar mijn bureau en bewoog de muis om de apparatuur tot leven te brengen. Het beeldscherm lichtte fel op in het donkere kantoor. Nadat ik mijn gebruikersnaam en wachtwoord had ingevoerd begon de computer aan het trage, ondoorgrondelijke proces dat hem operationeel moest maken, terwijl het ding zich waarschijnlijk afvroeg wat hier aan de hand was.

Een schril, hard gezoem sneed door het kantoor.

Naast de deur knipperde het rode lampje van de intercom. Er was iemand beneden, die naar binnen wilde.

Opnieuw werd er langdurig gebeld en voelde ik me alsof ik geëlektrocuteerd werd. Het zoemende geluid hield secondenlang aan en toen het ophield, zat mijn hart in mijn keel.

Mijn beeldscherm liet mijn bureaublad zien, maar alle icoontjes stonden er nog niet op; die verschenen een voor een, tergend langzaam. Het groene lampje van de harde schijf knipperde om aan te geven dat eraan werd gewerkt.

Ik liep naar het raam, deed een van de lamellen van de luxaflex omhoog en gluurde naar beneden. Er stonden twee agenten in uniform op de stoep. Een van de agenten keek omhoog. Ik liet de lamel los en deed snel een stap achteruit.

Geen paniek. Rustig blijven.

Eén ding tegelijk.

Ik opende onze gezamenlijke account en zag Tori's e-mail boven aan de lijst staan. Maar in plaats van de e-mail te wissen startte ik mijn browser en ging rechtstreeks naar Yahoo. Een e-mailaccount was daar zo anoniem als wat en was zo geregeld.

Ik bedacht een willekeurige identiteit en vulde de gegevens in toen de intercom weer zoemde. Ik keek ernaar en richtte mijn aandacht weer op het beeldscherm. Straks zouden ze misschien een ander kantoor proberen en zou iemand hen binnenlaten.

Diep ademhalen.

Toen mijn account klaar was, ging ik terug naar mijn e-mails en stuurde ik Tori's bericht door naar mijn nieuwe Yahoo-account. Daarna wiste ik het originele bericht, ging naar 'verzonden items', wiste het ook daar en leegde ten slotte de map 'verwijderde items'. Als ik de e-mail nog eens nodig had, had ik er in elk geval een kopie van.

Nu moest ik nog één ding doen. Ik klikte mijn browser aan en wiste de geschiedenis van de websites die ik had bezocht. Een deskundige zou nog steeds in staat zijn die te achterhalen, maar het zou me in elk geval wat speelruimte geven.

Ik hoorde doffe geluiden van beneden komen.

De agenten hadden een andere bel geprobeerd en iemand had open-gedaan.

Ik zette mijn computer uit, met de hoofdschakelaar op de achterkant, liep het redactiekantoor uit en deed de deur achter me dicht. De gang had een L-vorm en het trappenhuis was meteen rechts van me. Ik hoorde kner-pende voetstappen de trap op komen. Ik rende de andere kant op en was op tijd de hoek om. Aan het eind van de gang was de branddeur. Op het moment dat ik mijn hand op de stalen stang legde, hoorde ik elders in de gang iemand op een deur kloppen. Het geluid bleef even na-echoën... en werd overstemd door het jankende alarm toen ik de stang omlaag duwde en het tochtige betonnen trappenhuis in schoot.

Twee trappen, mijn bonzende voetstappen op de betonnen treden, de trapleuning die ik aan het eind vastgreep en als draaipunt gebruikte. Onderaan was weer een deur, die ik openduwde, waarna ik in een vies steegje vol afvoerpijpen en vuilcontainers op wielen terechtkwam.

Kalm blijven.

Ik duwde de deur achter me dicht, reed er een volle vuilcontainer tegen-aan en zette het op een lopen.

De parkeergarage onder de Sphere had een stuk of zes niveaus en mijn auto stond op het onderste. Ik ging met de lift naar beneden, stak mijn bonnetje in de automaat en betaalde.

Het was kwart voor zes. Achter me was een grote posterwand met affiches van de films die nu in de bioscopen draaiden, en er stond een jong stel te overleggen naar welke ze zouden gaan. Ik benijdde hen. Ik wou dat ik zoiets simpels kon doen als nu een filmpje pakken.

Ik liep naar mijn auto, stapte in en luisterde in het halfduister naar het hoge gekrijs van de banden van de auto's op de hoger gelegen niveaus. Elk geluid klonk hier dreigend, en alsof het werd versterkt.

Sarah zou nu van haar werk op weg naar huis zijn, als ze niet al thuis was, en over een kleine anderhalf uur zou ze me in de Olive Tree verwachten. Ik dacht na. De politie wist dat ik in het centrum was geweest. Als ze me probeerden te traceren, zou het niet zoveel uitmaken wanneer ze wisten dat mijn laatst bekende verblijfplaats deze parkeergarage was geweest. Als ik hier wegreed, zouden ze niet weten in welke richting dat zou zijn.

Dus zette ik mijn telefoon aan.

SORRY, typte ik, MAAR ER IS IETS TUSSEN GEKOMEN EN IK GA HET NIET RED-DEN VANAVOND. BEL JE GAUW, DAT BELOOF IK. PAS GOED OP JEZELF.

Ik keek naar het bericht, dat er incompleet en stompzinnig uitzag, en stelde me voor hoe ze zou reageren wanneer ze het las. Als het een brief was geweest, zou ze er een prop van maken en die in de prullenbak gooien. Mijn frustratie nam toe en ik drukte snel op 'verzenden' voordat ik me zou bedenken.

Ik zette het toestel uit, startte de motor en ging op weg naar de uitgang. Ik was halverwege de kromme oprit toen een bord me eraan herinnerde dat ik mijn lichten aan moest doen. Even later reed ik de kille, donkere avond in en zette ik koers naar huis.

20

Vrijdag 2 september

Je rookt te veel, zei Mary tegen zichzelf.

Maar dat was niet erg.

Al sinds haar tienertijd had ze genoten van deze simpele, relatief veilige manier om met de dood te flirten. Elke keer dat ze de rook inhaleerde had ze bijna hetzelfde gevoel als wanneer ze met het scheermesje in haar been sneed. Zonder er ooit over na te denken was roken voor haar altijd een manier geweest om zichzelf in een lichte roes te houden, alsof ze zichzelf op de een of andere manier wilde straffen en de langzame dood van het roken daarvoor de geschikte methode vond.

Ze was ooit aangesproken door een man, voor de deur van een bar, die zei dat alleen interessante mensen rookten. Hij had haar verteld dat het te maken had met de aandrang tot zelfdestructie, alsof die fascinerend of zelfs romantisch zou zijn en meer mensen zich eraan zouden moeten overgeven. Heel even had ze zich afgevraagd hoe interessant hij het zou vinden als ze haar sigaret boven op haar hand had uitgedrukt.

Mary stak haar hand uit het slaapkamerraam en tikte de as van haar sigaret. Ze zat in de hoek van de vensterbank, met haar benen gestrekt voor zich uit en haar kleine voeten tegen elkaar. Het was een oud huis met ouderwetse ramen die, als je ze omhoogschoof, als door een wonder open bleven staan, totdat je ze weer dichtdeed.

Rechts van haar was een vierkante meter koude, donkere buitenlucht. Onder haar een betegelde achtertuin vol gescheurde vuilniszakken. Elk huis in deze straat had zo'n privévuilnisbelt aan de achterkant: afgedankte troep en volle vuilnisbakken, want die moest je naar buiten sjouwen en aan de stoeprand zetten, en daar waren de meeste mensen te lui voor. Het interesseerde ze gewoon niet.

Ze nam een laatste trek van de sigaret en schoot de peuk de nacht in. Maar ze bleef nog even in het raamkozijn zitten. Er waren geen straatlantaarns in het steegje achter het huis. Alles was donkerblauw of zwart, afgezien van het rode puntje van haar weggegooide sigaret.

Mary kon zich voorstellen dat haar vader nu beneden was, dat hij zich had verborgen in het duister en naar haar stond te loeren. Het licht in de slaapkamer brandde, dus hij zou haar goed kunnen zien.

Ben je daar?

Het had lang geduurd voordat ze haar kalmte had teruggevonden toen ze hem die dag voor zijn huis had gezien. Ze was in paniek geraakt omdat ze niet tegen hem op kon, hoewel dat moment toch een keer zou aanbreken. Als hij nu niet beneden was, zou hij morgen komen. En niemand kon hem tegenhouden.

Toch was ze stukje bij beetje zo ver gekomen dat ze het vooruitzicht min of meer accepteerde. Want als ze dat niet deed, zou ze echt krankzinnig worden. In plaats van de angst die haar lichaam produceerde wanneer ze aan hem dacht, had ze haar uiterste best gedaan om in plaats daarvan iets van vastberadenheid te voelen, en dat was voor een deel gelukt. De laatste keer dat ze hem zag was er binnen in haar een sleutel omgedraaid, een deurtje opengegaan en waren al haar gevoelens naar buiten gestroomd. Maar de eerstvolgende keer zou ze beter voorbereid zijn. Hij was maar een mens.

Dat bleef ze in gedachten herhalen, als een mantra die haar door de naderende gekte moest slepen.

Maar een mens.

Mary wipte van de vensterbank en deed het raam dicht. Het schoof stroef en knarsend omlaag, en toen het dicht was duwde ze de pin erin. Toch stonk het nog steeds naar rook in de slaapkamer. Ze vroeg zich af waarom ze eigenlijk de moeite nog nam...

De telefoon ging.

Ze bleef roerloos staan en luisterde naar het geluid dat door het stille huis klonk. Voor zover ze wist bestond er geen mens op deze aarde die een reden zou hebben om haar te bellen.

Opeens was ze niet meer zo zeker van zichzelf.

Het gerinkel hield aan, nietsontziend en alarmerend.

Je moet opnemen.

Ze liep de gang door en ging de woonkamer binnen.

De telefoon had nummerherkenning, maar het nummer op de display kwam haar niet bekend voor... totdat ze het ineens kon plaatsen. Het netnummer van Rawnsmouth. Haar broer. Ze voelde een steek van boosheid toen ze terugdacht aan hoe de politie haar had gevonden. Ze had weinig zin om met hem te praten. Desondanks nam ze op.

174

'Hallo?'

'Mary?'

Ze gaf geen antwoord. Ze wist niet precies waarom. In plaats daarvan pakte ze met haar andere hand het gordijn vast en trok het een stukje dicht, zodat ze vanaf de straat niet meer zichtbaar was.

'Ben je daar?'

'Ja,' zei ze.

'Ik ben het.'

'Dat weet ik. Waarvoor bel je?'

Hij bleef even zwijgen, en toen hij weer iets zei klonk hij erg onzeker.

'De politie heeft me gebeld...'

'Ja, dat weet ik.' Haar boosheid laaide op. 'En jij hebt hun mijn telefoonnummer gegeven. Hoe heb je dat verdomme kunnen doen? Heb ik je ooit toestemming gegeven om mijn gegevens aan anderen door te vertellen? Nou, heb ik dat gedaan?'

'Nee.' Zijn stem klonk alsof hij bijna in tranen was. 'Het spijt me.'

'Je hebt geen idee hoeveel moeite ik heb moeten doen om mijn leven privé te houden. Geen enkel idee. En met één... je hebt me in gevaar gebracht.'

'Wacht nou even.' Hij klonk alsof hij wilde protesteren, maar hij besloot het toch maar niet te doen. Hij wachtte even en zei toen: 'Hoor eens, het spijt me, oké? Ik wist niet dat het zo belangrijk voor je was.'

'Nou, dat is het wel.'

'Ik zeg toch dat het me spijt? Trouwens, wat had ik anders kunnen doen? Hij wilde weten waar ze je konden vinden, en hij klonk niet alsof hij zich zomaar zou laten afschepen.'

Mary deed haar ogen dicht, wreef met haar hand over haar voorhoofd en wilde de hoorn op de haak leggen. Ze wilde dit niet. Maar ophangen kon ze ook niet.

In de loop der jaren was ze door veel emoties geplaagd. Ze was boos geworden op mensen die haar niets hadden gedaan, bang geweest voor wat haar vader misschien van plan zou zijn, en ze had zelfs de hoop gehad dat iemand, waar ook vandaan, hen zou helpen... omdat mensen met het hart op de juiste plaats dat soms deden. Maar één gedachte was altijd dezelfde gebleven. Die had haar beheerst toen ze in die afschuwelijke nacht samen door de sneeuw liepen en was het enige geweest wat ze nog kon voelen. Ik moet hem beschermen. Mijn lieve, onschuldige broertje. Ik moet hem in veiligheid brengen.

Het was alleen die gedachte geweest die haar toen in gang had gehouden.

'Mary?'

Ze deed haar ogen open en vroeg: 'Is dat de enige reden dat je me belt? Om me te vertellen dat de politie heeft gebeld?'

'Nee.' Hij aarzelde. 'Ik... ik heb nog wat geld nodig.'

Ze had het kunnen weten. Waarom zou hij haar anders bellen?

'Geld,' zei ze.

'Ja. Ik... heb niks meer.'

Mary zag haar broer voor zich. Wat hij ook zei of wat hij ook deed, ze zag hem altijd op dezelfde manier, en zou hem ook altijd zo blijven zien. Met zijn grote blauwe ogen en een gezicht zo verstild dat het nergens trilde. Het jongetje dat alle afschuwelijke dingen die hij had gezien had weggestopt, en dat zich soms zo ver in zichzelf terugtrok dat zij hem heel voorzichtig naar buiten moest lokken door troostende woorden in zijn oor te fluisteren. Het maakte niet uit wat hij deed, hij zou altijd dat jongetje blijven, en zij zou zich altijd zo blijven voelen.

'Mary?'

'Hoeveel heb je nodig?' vroeg ze.

Later, op de bank in de woonkamer, met haar benen onder zich opgetrokken, zat ze aan haar broer te denken toen de telefoon opnieuw ging. Deze keer keek ze niet wie er belde maar nam ze meteen op, in de veronderstelling dat hij het weer zou zijn.

'Hallo?'

Geen antwoord.

Ze keek op de display. ONBEKEND NUMMER.

Mary's huid kwam tot leven, begon te tintelen. Opeens voelde ze elk haartje en elk verborgen littekentje op haar hele lichaam.

Langzaam – alsof er een of ander gevaarlijk beest in de kamer was – zwaaide ze haar benen van de bank en stond ze op.

Ze zei niets, drukte de hoorn hard tegen haar oor en luisterde naar de stilte aan de andere kant van de lijn.

Er was daar iemand.

Iemand die naar haar luisterde.

Ze ging de checklist in haar hoofd na. Dit raam, dat raam, de voordeur... allemaal dicht en op slot. De dichtstbijzijnde ontsnappingsroute, desnoods, was via de regenpijp naast het raam van haar slaapkamer. Daaraan denken was een automatisme geworden; ze deed het elke keer als ze 's nachts iets hoorde kraken of boven een leiding hoorde tikken.

Ze liep de kamer door, luisterde naar de loodzware stilte aan de andere kant van de lijn, deed het kamerlicht uit en liep terug naar het raam.

Ze hurkte neer en deed het gordijn een stukje opzij.

Een auto, die recht voor het huis geparkeerd stond.

Ze keek naar beneden maar kon nauwelijks details onderscheiden. Hoewel het donker was in de auto, kon ze door de voorruit zien dat er iemand in zat. Ze kon een been zien. Een been in een joggingbroek.

O God, alstublieft, niet nu! Ze werd overmand door paniek. Nu nog niet. Ze verbrak het contact, zocht het knopje op de hoorn maar haar vinger trilde zo erg dat ze het twee of drie keer moest indrukken. Daarna keek ze weer naar de auto onder het raam, door het smalst mogelijke kiertje dat ze met haar vinger tussen de gordijnen had durven maken.

Er bewoog niets.

Toen werd de motor gestart, drong het doffe geronk door het glas, gingen de koplampen aan en kwam de auto in beweging, reed weg door de straat.

Mary keek hem na en liet ten slotte het gordijn terugvallen.

Heel voorzichtig legde ze de telefoon op het tafeltje. Ze had het gevoel dat haar geest werd verblind en dat al haar gedachten waren gewist. Ze ging op de bank zitten, trok haar benen op tot haar knieën haar kin raakten, deed haar ogen dicht, zocht in zichzelf naar de weerbaarheid en volharding die ze ooit in zich had gehad, maar vond slechts het gevoel van leren riemen om haar polsen en een lichaam dat weigerde te bewegen.

Hɪj ɪs ᴍᴀᴀʀ ᴇᴇɴ ᴍᴇɴs, hield ze zichzelf voor, maar dat was niet waar.

Ze besefte nu dat ze zich had vergist: ze kón dit niet aan. Eén enkel telefoontje was voldoende geweest om haar compleet weerloos te maken. Als ze haar vader tegenover zich zag en zijn stem hoorde... het was uitgesloten dat ze dan nog tot iets in staat zou zijn. Binnen in haar zou er iets knappen, haar verdedigingsmechanisme, het zou uiteenbarsten in stukken die nooit meer door iemand in elkaar gepast konden worden.

Na een tijdje boog ze zich naar voren en pakte met trillende hand haar boek van de salontafel. Ooit was het haar dierbaarste bezit geweest, maar nu voelde het bijna als verraad om het op te pakken. Je bent gekomen om me te redden, dacht ze. Haar vader had altijd laatdunkend gedaan over het goede dat zij in het boek zag, maar ze had hem nooit geloofd. Ze was er vertrouwen in blijven houden. Want als ze die dingen opgaf, had ze helemaal niets meer.

Dus klemde Mary zich daar nu aan vast, aan het beeld van Anastacia die de dolk op haar borst gericht hield en op het allerlaatste moment, toen alles verloren leek, werd gered. Het was alles wat ze nog had. Ze kon haar vader niet alleen aan, maar dat zou ook niet nodig zijn. Haar smeekbede veranderde van toon; het was niet langer een wanhoopskreet.

Iemand zal je komen helpen, zei ze tegen zichzelf.

Die woorden bleef ze herhalen, alsmaar weer, totdat ze al haar gedachten beheersten.

Er móét iemand komen.

21

Vrijdag 2 september

Om halfacht had ik met Sarah in de Olive Tree moeten zitten, maar in plaats daarvan zat ik in de keuken van het huis van mijn ouders, aan het houten tafeltje bij de muur.

Mijn auto stond beneden, aan het eind van de oprit, naast de kromme bomen waarvoor ik nu te groot was om erin te klimmen. Het eerste wat ik had gedaan toen ik binnenkwam was het hele huis doorlopen om te zien of alles in orde was. Zo zag het er wel uit. Voor zover ik kon zien was er niemand binnen geweest nadat Rob, Sarah en ik met opruimen waren begonnen.

Het volgende wat ik deed was naar de keuken gaan, de besteklade opentrekken en een scherp mes uitzoeken dat in de zak van mijn jasje paste. Het was waanzin om te denken dat ik van plan was het echt te gebruiken, maar ik wilde toch iets bij me hebben. Ik voelde nu het gewicht ervan in mijn jaszak en dacht: waar ben je verdomme mee bezig?

Het korte antwoord was: nergens mee. Ik nam af en toe een slokje water en wachtte op wat komen ging. Een telefoonverbinding was er niet meer. Dat had ik me herinnerd toen ik hiernaartoe reed; die was afgesloten nadat mijn vader was overleden. Er stond nog wel een faxapparaat in zijn vroegere werkkamer, dat nog functioneerde, maar een telefoonsignaal was er niet meer. Dus wat Tori's ontvoerder ook in zijn e-mail had gezegd, me hier bellen was uitgesloten.

Wat inhield dat hij hiernaartoe zou komen.

Dat ik hem in levenden lijve zou ontmoeten.

Ik probeerde me te verzetten tegen de paniek die dat idee teweegbracht en probeerde na te denken. Zo rationeel als ik maar kon opbrengen.

Het enige wat ik zeker wist was dat iemand Tori had ontvoerd. Het leek logisch om aan te nemen dat het was gedaan door dezelfde man die Julie en de andere meisjes had vermoord, maar dan riep het wel een aantal verontrustende vragen op. Was het toeval dat hij het eerst op Julie en daarna op Tori had gemunt? Zo ja, dan was het wel een heel groot toeval. En waar was Tori nu? Volgens de pers waren de vorige slachtoffers allemaal thuis op hun bed vastgebonden en daar achtergelaten. Of misschien was dat niet zo. Misschien zou een van hun vrienden, als hij op tijd naar haar huis was gegaan, daar ook wel een brief hebben gevonden, net als ik.

Maar speculeren had geen zin; je moest het doen met wat je wist. En dat waren de brief, de e-mail en de opdrachten die hij me tot nu toe had gegeven. Twee van mijn ex-vriendinnen waren bij de zaak betrokken, mijn vingerafdrukken zaten op een van de plaatsen delict en ik was op de loop voor de politie. Wilde hij me er op de een of andere manier inluizen? Hij zou toch moeten weten dat dat niet zou lukken?

Wat klets je nou?

Ik stond op, liep de gang in, opende de deur van Owens kamer en deed het licht aan om zijn grijze, vergeten wereld zichtbaar te maken.

Het enige verstandige wat ik op dit moment kon doen was naar de politie gaan. Ik had ooit een boek gelezen over onderhandelingen bij gijzelingen en daarin werd altijd dezelfde hoofdregel gehanteerd: ze lieten de ontvoerder nooit vertrekken, zelfs niet wanneer het alle gijzelaars het leven kon kosten. De situatie móést gehandhaafd blijven. Door mijn solistische, eigenzinnige optreden bracht ik zowel Tori's als mijn eigen leven in gevaar, waardoor haar ontvoerder de kans kreeg nog meer slachtoffers te maken. Als ik naar de politie stapte was er ten minste een kans dat zíj hem zouden pakken.

Ik wist dat heel goed.

Maar toch kon ik dat niet doen.

Ik liep naar Owens bureau, verschoof een boek dat daar lag en onthulde een strookje blank, glanzend hout in het grijze vlak. Ik haalde mijn vinger over het hoofdeinde van zijn bed en keek naar het pluimpje stof dat ik had verzameld.

En toen moest ik aan iets denken.

Het was niet helemaal waar dat er nooit iemand in deze kamer was geweest. Ik was hier zelf geweest, ongeveer een jaar nadat Owen was gestorven. Ik had hier gestaan, had gedacht aan het geweerschot waarvan ik me inbeeldde dat ik het had gehoord, en had me heel erg schuldig gevoeld. Want als de theorie die mijn ouders hadden bedacht om zichzelf gerust te stellen waar was, dan had ik hem die dag het leven kunnen redden, en dat had ik niet gedaan. Het was kort daarna geweest dat ik me tegen hen was gaan verzetten, maar de les was me altijd bijgebleven. Hij was van me weggelopen en ik had hem laten gaan.

Zo herinnerde ik het me. Ik was op zijn bed gaan zitten, had om me heen gekeken en had mijn broer meer gemist dan ik ooit iemand duidelijk zou kunnen maken. Ik had gehoopt dat hij – als hij nog ergens voortleefde – me niet zou haten om wat ik die dag had nagelaten. En ik had me afgevraagd of mijn ouders ooit nog van me zouden houden.

Het werd later en later en er gebeurde niets.
Ik begon me zorgen te maken dat ik misschien iets over het hoofd had gezien, voelde een sluipende angst dat ik de feiten op de een of andere manier door elkaar had gegooid, dat ik hier te laat was aangekomen, of dat ik te stom was om de kluif die hij me had toegeworpen van de grond te rapen. Of dat de plannen van de man onverwacht waren gedwarsboomd. Hij wist misschien niet dat er geen telefoon was in het huis van mijn ouders. Ik had geen idee wat er in zijn hoofd omging.
Geleidelijk aan kreeg mijn angst gezelschap van frustratie en boosheid. Ik hád niets over het hoofd gezien. Hij had me de tijd gegeven om in mijn eigen sop gaar te koken, en dat was hem zeker gelukt. Hoezeer ik ook mijn best deed om kalm te blijven en mijn gevoelens opzij te schuiven, ik slaagde er maar voor een deel in. Straks zou de politie voor de deur staan, of ik zou een andere kamer in lopen en dan zou hij daar ineens zijn, midden in de kamer wachtend op mij, terwijl Tori ondertussen lag dood te gaan...
Gevangen in het huis van mijn ouders vermenigvuldigden mijn emoties zich als bacteriën en tegen een uur of elf klom ik bijna tegen de muren op van frustratie, bereid het gevecht aan te gaan, of op de vlucht te slaan, maar zonder opponent, of een plek om naartoe te gaan. Ik ijsbeerde door de woonkamer toen ik het hoorde.
Een telefoon die overging.
Even bleef ik roerloos staan, geschrokken van het geluid. Toen liep ik de gang in.
Waar kwam het geluid vandaan? Het klonk vrij zacht, dus liep ik naar de andere kant van het huis, maar daar klonk het nóg zachter, dus draaide ik me om en liep terug.
De voordeur. Daar kwam het geluid vandaan.
Ik liep ernaartoe en keek door het spionnetje. Niets te zien. Maar het was buiten zo donker dat ik de tuin niet eens kon onderscheiden.
Doe open.

Ik haalde het mes uit mijn zak en hield het naast mijn bovenbeen. Met mijn andere hand maakte ik de ketting los, deed een stap achteruit en trok de deur open.

Een koele nachtbries waaide langs me heen naar binnen.

Een vlaag regendruppels. Verder niets.

De mobiele telefoon lag op het stoepje, met een zacht verlicht beeldschermpje. In plaats van hem op te rapen deed ik een stap de regen in en keek om me heen. De tuin was vol schaduwen; vage vormen die nauwelijks te onderscheiden waren van het duister eromheen; bomen die als huiverende grijze skeletten afstaken tegen de zwarte achtergrond. Ondanks de regen en het briesje was het bijna aangenaam buiten. In de verte klonk zacht geruis en geritsel.

Ik stak het mes weer in mijn zak en raapte de telefoon op.

ONBEKEND NUMMER

Ik drukte het knopje in, hield het toestel bij mijn oor en tuurde in het duister. Als hij in de buurt was, zou ik het schermpje van zíjn telefoon ook moeten zien. Maar ik zag niets.

'Hallo?' zei ik.

Ik kreeg niet onmiddellijk antwoord, maar ik kon wel horen dat er iemand aan de andere kant van de lijn was. En ik hoorde de wind ruisen.

'Schiet de volgende keer een beetje op,' zei de man.

De stem klonk geërgerd en onaangenaam, maar hij leek niet verdraaid te zijn. Had ik deze man eerder horen praten? Helemaal zeker wist ik het niet, maar hij kwam me niet bekend voor.

'Waar is ze?' vroeg ik.

'Nergens.'

'Ik wil met haar praten.'

Hij begon te lachen. Het klonk heel ver weg. 'Nee.'

'Hoe kan ik dan weten dat ze niet dood is?'

'Omdat ik geen moordenaar ben.' Hij sprak die woorden vol minachting uit. 'Ze is pas anderhalve dag weg. Weet je niet hoe lang het duurt voordat je van de dorst omkomt?'

Ik herinnerde me een ezelsbruggetje uit een of ander survivalprogramma op tv: iets over de regel van drie. Drie minuten zonder lucht, drie uur zonder beschutting in de kou, drie dagen zonder water en drie weken zonder

182

voedsel. Maar het menselijk lichaam begint al veel eerder af te sterven; de schade wordt groter en groter en is onherstelbaar. Om over de pijn maar te zwijgen.

Ik zette het beeld van Tori uit mijn hoofd en gaf geen antwoord.

'Het enige wat je hoeft te weten is dat ze alleen is en pijn lijdt, en dat dat zo zal blijven tenzij jij haar komt helpen. Maar dat doe je niet.'

'Waarom doe je dit?'

'Ik doe niks. Net zoals jij niks doet.'

'Ik begrijp het niet.'

'Dan moet je maar wat beter je best doen. Dit gaat over jouw beslissing of je probeert te voorkomen dat ze sterft of niet. Dat is alles. Zo moeilijk is het niet, Dave. Als je besluit niks te ondernemen, laat ik je verder met rust en hoor je nooit meer iets van me.'

'Totdat ze je vinden.'

'Ook al pakken ze me op tijd, ik zal ze nooit vertellen waar ze is. En dan heb jíj haar vermoord, waar of niet? Dit is de enige kans die ze krijgt om te blijven leven. Jij moet beslissen of dat belangrijk is of niet.'

'Ik luister,' zei ik.

'Ja... nog wel.'

Zijn woorden bleven in de lucht hangen, en ik voelde dat er honderden andere woorden waren die onuitgesproken bleven. Er klonk zoveel haat door in zijn stem, zoveel woede gericht op mij. Zelfs in de stilte was het borrelende gif voelbaar.

'Wat wil je van me?' vroeg ik.

'Heb je de brief gevonden?'

Ik knikte, vroeg me af of hij me kon zien.

Er kwam geen reactie.

'Ja,' zei ik.

'En de e-mail?'

'Die heb ik gewist.'

'Dat weet ik. Maar je dikke vriend heeft hem geprint.'

Hoe kon hij dat weten? Ik probeerde me te herinneren wie ik in Carpe Diem had gezien, of in de buurt van het redactiekantoor, maar op dit moment kon ik me geen enkel gezicht voor de geest halen. Ik wist alleen dat niemand mijn aandacht had getrokken.

'Die print heb ik ook,' zei ik.

'In dat geval doe je het volgende: je verlaat het huis en loopt naar je auto.

Trek de voordeur achter je dicht, maar doe hem niet op slot. Anders moet de politie hem later intrappen.'

'Oké.'

De regendruppels sloegen in mijn gezicht toen ik wegliep van het huis, me sterk bewust van die grote, donkere lap tuin achter me. Ik keek over mijn schouder, maar het was te donker om iets te zien. Ik liep de stenen treden af en verwachtte min of meer dat iemand me op mijn nek zou springen toen ik tussen de overhangende bomen aan het begin van het pad door liep. Maar er was daar niemand... alleen de regendruppels die zacht op de bladeren tikten.

Mijn auto stond waar ik hem had achtergelaten, maar er was meer.

Iemand had een kartonnen doos achter een van de achterwielen gezet.

Ik dwong mezelf ernaartoe te lopen. Het deksel was gesloten, maar niet met plakband dichtgeplakt; de vier flappen waren over elkaar gevouwen en de laatste was teruggevouwen om ze vast te zetten. Het karton begon al slap te worden van de regen. De doos stond op de natte oprit, dus ook de bodem zou het regenwater hebben opgezogen.

'Wat moet dit voorstellen?'

'Nog niet openmaken.'

Geïrriteerd draaide ik om mijn as en keek om me heen. Alles was donker en ik zag nergens het schijnsel van een mobiele telefoon.

'Wat moet ik er dan mee doen?'

'Zet de doos op de passagiersstoel, stap in en start de motor. Aan het eind van de oprit sla je links af. Je rijdt twintig meter de straat in en dan stop je.'

Ik haalde mijn sleutels uit mijn zak. Met een *klik* zette ik de deurvergrendeling uit.

'Ik heb twee handen nodig om die doos op te tillen.'

Hij verbrak de verbinding.

De doos had ongeveer het formaat van die van vijf riem printerpapier, die we altijd voor kantoor bestelden, maar wat er ook in zat, het was geen papier. Daar was de doos veel te licht voor. Ik zette hem op de passagiersstoel, stapte in en startte. De versnelling knarste toen ik hem in de achteruit zette, een bocht draaide, schakelde en langzaam de hellende oprit af reed.

Aan het eind sloeg ik links af, reed een stukje de straat in en stopte bij de stoeprand. De ruitenwissers schoven piepend over de voorruit.

Ik keek in mijn achteruitkijkspiegel.

Het huis van mijn ouders was in een rustige woonwijk en zo laat op de avond was er geen enkel verkeer. De enige auto die ik zag stond iets achter de oprit van het huis. De koplampen waren aan maar gedimd, en de ruitenwissers gingen geruisloos heen en weer.

Ik kon het donkere silhouet van de man achter het stuur onderscheiden.

Ik observeerde hem in mijn spiegel en vroeg me af wat er zou gebeuren als ik uitstapte en naar zijn auto zou rennen. Of, dacht ik, hard achteruit zou rijden en zijn voorkant zou rammen. Maar zelfs als ik bijtijds bij hem was, wat moest ik dan doen? Ik had een mes in mijn zak, maar ik was er vrij zeker van dat hij ook gewapend zou zijn. Maar zelfs al wist ik op de een of andere manier bij hem te komen, en hij wilde niet zeggen waar Tori was?

Mijn mobiele telefoon ging over.

Ik nam het gesprek aan en keek via de spiegel naar de auto achter me. Achter de voorruit was een piepklein groen lichtje te zien.

'De brief en de e-mail,' zei hij. 'Maak er een prop van en gooi die naar buiten.'

'Dan moet ik mijn telefoon even neerleggen.'

Ik kreeg geen antwoord, nam aan dat het goed was, legde het toestel op de zitting naast me, maakte een prop van de twee vellen papier en gooide die naar buiten. De prop rolde over de weg naar de goot aan de overkant.

'Zo goed?'

'Ze heeft geluk dat die kloteprop de put niet in is gerold. Let de volgende keer een beetje op.'

'En nu?'

De koplampen van de auto achter me werden op groot licht gezet.

'Rij een stukje door. Weer een meter of twintig. Dan stop je.'

Ik maakte de handrem los en reed langzaam vooruit. Zodra ik dat deed kwam zijn auto ook in beweging, zodat de afstand tussen ons gelijk bleef.

Toen hij bij de prop papier kwam stuurde hij iets opzij, stopte en opende het portier. Ik probeerde een glimp van hem op te vangen, maar door het felle licht van zijn koplampen kon ik niets zien, alleen dat er iets bewoog, als vogels die voor de zon langs vlogen. Het portier ging dicht, de koplampen werden gedimd en ik zag hem weer achter het stuur zitten.

'En nu?' vroeg ik.

'Wacht.'

In mijn spiegel zag ik het groene lichtvlekje verdwijnen. Hij had zijn telefoon neergelegd. Het duurde even voordat ik begreep dat hij de papieren bekeek om te zien of ik hem niet had bedonderd. De woede en haat in zijn stem vormden een sterk contrast met de zorg en de precisie van zijn handelingen. Hij had dit zorgvuldig gepland en wist precies wat hij deed.

'Nu,' zei hij, 'gaan we een eindje rijden.'

22

Vrijdag 2 september

Halftwaalf 's avonds en de teamkamer gonsde van de drukte. Mensen namen telefoontjes aan, er werden rapporten getypt, stapels papier van het ene bureau naar het andere gebracht... door iedereen werd iets harder gewerkt dan gewoonlijk. De deur ging voortdurend open en dicht wanneer agenten nieuwe informatie kwamen brengen of met een nieuwe opdracht op pad werden gestuurd. Er hing een tinteling van energie in de lucht. Het team trok er nu harder aan, want iedereen besefte dat in de afgelopen paar uur alles was veranderd.

Currie keek om zich heen en dacht: het zou moeten voelen alsof we dicht bij een oplossing zitten.

Normaliter zou hij dat gevoel ook hebben, maar ondanks alle drukte om hem heen voelde hij zich vooral gefrustreerd. Hij wilde iets dóén.

Swann en hij zaten aan hun bureau, tegenover elkaar, achter in de teamkamer bij het whiteboard. Currie had de afgelopen twintig minuten noties gemaakt op de A3-blocnote die hij daar altijd voor gebruikte, maar het enige wat hij had bereikt was dat hij een visuele chaos had gecreëerd. Hij legde zijn pen neer en staarde naar de informatie op het bord.

Swann keek op van zijn beeldscherm. 'Alles oké met je?'

'Ik heb het gevoel dat we meer zouden moeten doen.'

'Voelt het niet altijd zo?'

Een retorische vraag.

'Heb je al iets gevonden?' vroeg Currie.

Zijn partner gromde kort – wat dacht je? – en ging door met zijn werk aan de computer. Eerder die avond hadden ze van hun technische man een cd gekregen met stilstaande beelden van de drie camera's bij de winkelpassage waar Julie Sadlers mobiele telefoon was gebruikt. Swann zat ze stuk voor stuk te bekijken. Hij was niet op zoek naar iets specifieks, maar toch bekeek hij ze, gewoon, omdat iemand het moest doen.

Die taak was kenmerkend voor het hele onderzoek. Waar het elke keer op neer leek te komen was dat ze getuigenverklaringen nalazen, zich bezighielden met meningen en achtergronden, en dat ze alle aanwijzingen, hoe miniem ook, nagingen. Currie had daar tot nu toe niets op tegen gehad, omdat een methodische aanpak uiteindelijk resultaat zou opleveren. Als je alles controleerde, hoefde de dader maar één foutje te maken en dan konden ze hem in zijn kraag grijpen. Nu had hij echter het gevoel dat ze actiever zouden moeten zijn.

'We doen wat we kunnen,' zei Swann.

Currie knikte, maar overtuigd was hij niet.

Er stonden twee nieuwe namen op het whiteboard. De eerste was die van Tori Edmonds. Diverse mensen in de teamkamer probeerden te achterhalen waar ze uithing, maar tot nu toe zonder succes. Het was natuurlijk nog steeds mogelijk dat er een onschuldige verklaring voor haar verdwijning was, maar Currie was ervan overtuigd dat haar iets was overkomen, en het was deze overtuiging, meer dan al het andere, die van hem verlangde dat hij in actie kwam. Er waren onderhandelingen gaande om toegang te krijgen tot de gegevens van haar mobiele telefoon, maar de tijd die dat vergde bracht net zoveel frustratie teweeg als alle andere aspecten van deze zaak.

De andere nieuwe naam op het bord – die hem op zijn eigen manier net zo dwars zat – was die van Dave Lewis.

Toen ze Lewis hadden gesproken in verband met de moord op Julie Sadler had Currie zeker geweten dat hij zijn naam eerder had gehoord, alleen had hij zich niet kunnen herinneren waar en wanneer. Eerder vandaag had hij dat uitgezocht. Toen Alison Wilcox was vermoord, hadden ze de ontvoering van Eddie Berries naar een ander team doorgeschoven. Prioriteiten. Dat team had er vluchtig naar gekeken en had het dossier vervolgens onder op de stapel gelegd. Een week daarna, toen Currie wat tijd over had, had hij het dossier nog eens doorgekeken en gezien dat ze ten minste met Drake en Cardall waren gaan praten. Die twee hadden Tori Edmonds 's middags in Staunton Hospital opgezocht op de dag dat Eddie was verdwenen, en waren daarna – wat een verrassing – naar het Korenveld gegaan. Er zat een fotokopie van het gastenboek van het ziekenhuis in het dossier die hun verhaal bevestigde. Dave Lewis was er die dag ook geweest; zijn naam stond direct onder die van hen en ze waren tegelijk weggegaan. Dus kwam hij voor in dát onderzoek, en nu bleek hij ook in twee van de moordonderzoeken voor te komen.

De persoon die Tori Edmonds' huis uit was gevlucht toen Swann en hij daar binnenkwamen was nog niet geïdentificeerd, maar Currie durfde te wedden dat het Lewis was geweest. Hij was daarna niet naar zijn flat teruggegaan en had zijn telefoon uit laten staan. Er was ook iemand in zijn kantoor geweest, die op de loop was gegaan toen twee agenten daar kwamen kijken. Er waren daar geen braaksporen gevonden. Een dezer dagen zouden ze toestemming krijgen om de flat en het kantoor te doorzoeken, maar dat interesseerde hem minder dan de vraag waar Lewis en Edmonds nu waren.

'Hoe gaat het daar?' vroeg Swann. 'Al een doorbraak?'

'Ha ha.'

Op zijn blocnote had Currie Lewis' naam in het midden gezet. Daarvandaan liepen er kronkellijnen naar andere namen, waarvan sommige met een korte opmerking erbij en de meeste gevolgd door een vraagteken. Sommige lijnen kruisten elkaar, andere eindigden in het niets.

'Oké,' zei Swann. 'De gebruikelijke procedure. Vertel me wat we weten.'

'We weten dat Dave Lewis bevriend is geweest met een van de vermoorde meisjes.'

'Julie Sadler.'

'Ja, en ook met Tori Edmonds, die nu door onze moordenaar ontvoerd lijkt te zijn.'

'Akkoord. En waar is Lewis nu?'

'Dat weten we niet. Maar we weten wel dat hij ons minstens één keer, waarschijnlijk twee keer is ontsnapt, en dat hij zich niet meer heeft vertoond op plekken waar hij normaliter wel komt. We weten niet waarom dat is.'

Swann klikte met zijn muis. 'Bingo.'

'En dan hebben we nog het feit dat Lewis, afgezien van Charlie Drake, de laatste persoon is die Alex Cardall gisteravond in leven heeft gezien. Wat ons bij Eddie Berries brengt.'

'Sam, je luistert niet. Ik zei "bingo".'

Swanns gezicht had een blauwige tint door het licht van zijn beeldscherm. Hij was opgehouden met klikken en staarde naar het scherm zonder met zijn ogen te knipperen.

Currie stond op, liep om de bureaus heen, leunde op dat van zijn partner en verstrakte toen hij de foto op het beeldscherm zag. Dave Lewis, in zwart-wit, stond iets van de camera afgewend, maar van zijn gezicht was genoeg te zien om er zeker van te zijn dat hij het was.

'Is om 11.57 uur de winkelpassage binnengegaan en er om 12.09 uur weer uitgekomen.'

Jullie verspillen je tijd aan mij, terwijl jullie op zoek zouden moeten zijn naar wie het wél heeft gedaan.

'We hadden hem,' zei Currie, en hij betrapte zich erop dat juist dit hem het meest dwars zat: dat ze hem in handen hadden gehad voordat ze zijn naam op het whiteboard hadden geschreven.

'Ja.' Swann sloeg zijn armen over elkaar en slaakte een zucht. 'En binnenkort hebben we hem weer.'

Het politiekorps had geen echte kantine op deze verdieping. Het enige wat ze hadden was een kamertje – waarvan Currie altijd zei dat het vroeger waarschijnlijk een wc was geweest – waar ze een koelkast en een klein aanrecht met een paar keukenkastjes hadden neergezet, een koffieautomaat op het aanrecht en een waterkoeler ernaast.

Currie drukte op de knop: zwart zonder suiker. De automaat begon te sputteren en er liep een dun straaltje zwarte vloeistof in het plastic bekertje.

Ze hadden het natuurlijk niet kunnen weten, maar toch... hij was boos, gefrustreerd en woedend op zichzelf. Ze hadden Lewis híér gehad, en ze hadden hem laten gaan! Zo simpel was het. En nu werd Tori Edmonds vermist. Currie dacht terug aan wat er allemaal was gebeurd en zag het nu duidelijk voor zich.

Als ze ver genoeg teruggingen, zouden ze iets vinden wat Lewis in verband bracht met de andere slachtoffers, daar was hij van overtuigd. Maar ze waren pas met hem gaan praten toen Julie Sadler was vermoord. Tijdens dat gesprek had Currie de schrik op Lewis' gezicht ten onrechte aangezien voor verbijstering vanwege Julies dood, maar hij wist nu ineens heel zeker wat het in werkelijkheid was geweest: dat Lewis in paniek begon te raken. Hij had beseft dat ze hem dicht op de hielen zaten. En toen ze hem hadden laten gaan, had hij geweten dat hij niet veel tijd meer had, dus was hij alles gaan versnellen.

Currie haalde het volle bekertje onder het apparaat vandaan en zette er een lege onder.

Klik, rrrrrrr...

Maar met jezelf achteraf dingen verwijten schoot je niet veel op, of wel soms? Tori Edmonds werd nog steeds vermist. Als ze stierf, zou dat hun schuld zijn. Omdat zij dingen hadden nagelaten. Ja, achteraf was alles gemakkelijker te beoordelen, maar dat betekende nog niet dat de gevol-

190

gen minder rampzalig waren, of dat de fouten die ertoe hadden geleid vergeeflijker werden. Met die manier van redeneren bereikte je niets. Dat was nooit zo geweest en zou ook nooit zo zijn.

Toen hij met de twee bekertjes koffie de gang in liep, bleven de vragen over Eddie Berries en Alex Cardall aan hem knagen. Hij begreep niet hoe die twee in het geheel pasten. Het was mogelijk dat ze niets met de zaak te maken hadden, maar Currie geloofde dat niet. Lewis was erbij geweest op de dag dat Eddie was ontvoerd door Drake en Cardall, en Cardall was bij Lewis langs geweest kort voordat hij was vermoord. Dat kon geen toeval zijn, maar hoe de draadjes bij elkaar kwamen wist hij evenmin.

Ze zouden meer duidelijkheid krijgen wanneer ze Lewis in hechtenis hadden.

En Tori Edmonds thuis. Veilig en wel.

Hij duwde met zijn voet de deur van de teamkamer open en zette een van de bekertjes op Swanns bureau. Zijn partner zat voorovergebogen, met zijn ellebogen op het werkblad en zijn handen voor zijn gezicht. Currie wist dat hij zich ook gefrustreerd voelde, want zijn vingertoppen woelden door zijn haar en hij scheen het zelf niet door te hebben.

'Koffie,' zei hij.

Langzaam keek Swann op.

Currie fronste zijn wenkbrauwen. 'Wat is er?'

'Pete Dwyer belde net. Ze zijn klaar met het doorzoeken van Alex Cardalls flat.'

Currie blies in zijn bekertje. 'En?'

'Ze hebben in de slaapkamer, onder een paar losse vloerplanken, een voorraad heroïne en een pak geld gevonden. En weet je wat nog meer?'

'Dave Lewis?'

Swann schudde zijn hoofd. Hij moest bijna lachen.

'Nog veel beter,' zei hij. 'De mobiele telefoon van Alison Wilcox.'

23

Vrijdag 2 september

De man bleef tijdens de hele rit aan de lijn, gaf simpele aanwijzingen wanneer we een kruising of splitsing naderden en hield de rest van de tijd zijn mond. Zolang we door de stad reden, bleef hij steeds op dezelfde afstand achter me, maar toen we bij de ringweg kwamen, kreeg ik de opdracht een matige snelheid aan te houden, waarna hij nog verder achter me ging rijden. Hoewel er relatief weinig ander verkeer was, zag ik hem al snel niet meer.

Dat gaf me tenminste de kans om na te denken. Ondanks de tinteling van gevaar in de lucht probeerde ik rationeel te blijven. Alles wat ik over hem wist, werd in mijn mentale archief opgeslagen.

Ik wist dat hij een man was, dat hij kon autorijden en dat hij een auto had, of er een had gestolen. Hij was thuis in de moderne technologie, die van computers en mobiele telefoons. Wat hij deed had hij goed doordacht, en hij was buitengewoon zorgvuldig in de uitvoering van zijn bedenksels. Tegelijkertijd zat er onder die beheerste zorgvuldigheid heel veel woede... een enorme dosis afkeer en haat jegens mij. Zoals hij tegen me praatte was het alsof ík degene was die voor dit alles verantwoordelijk was. Net als in de brief die hij onder Tori's kussen voor me had achtergelaten, bedacht ik, de manier waarop het nette handschrift in contrast stond met de bizarre, onredelijke inhoud, alsof hij steeds de grip op zijn zelfbeheersing dreigde te verliezen.

Tot nu toe waren dat slechts details en indrukken. Maar ik was het gewend daarmee te werken tijdens mijn goochelacts. Als je maar genoeg materiaal verzamelde, kreeg je vanzelf een vollediger beeld.

'Bij de volgende stoplichten rechtsaf.'

'Oké.'

We verlieten de ringweg en naderden een verpauperd wooncomplex. Links een rij buurtwinkels, afgesloten met stalen rolluiken vol graffiti. De huizen allemaal vierkant en plat, fantasieloze woningen die eruitzagen alsof ze één keer te vaak waren geplaagd en nu hun tanden zouden zetten in het eerste het beste wat te dicht in de buurt kwam. Op dat moment zag ik zijn auto in mijn achteruitkijkspiegel, weer – het begon irritant te worden – op dezelfde afstand achter me. Zijn timing en maatvoering waren nog steeds perfect.

'Links afslaan,' droeg hij me op. 'Stop onder de tweede lantaarn en zet je motor af.'

Ik reed de bocht om, minderde vaart bij de eerste lantaarn en kwam precies onder de tweede tot stilstand. Het oranje licht viel door de voorruit naar binnen. Ik zette de motor af en hoorde opeens de regen op het dak tikken. Algauw zat ook de voorruit vol regendruppels, die tot gele spinnenwebben uiteen werden getrokken.

Achter me stopte de man meteen om de hoek, met meer afstand tussen onze auto's deze keer.

Ik keek naar links en naar rechts door de zijraampjes, maar ik had geen idee waar ik was. Links van me waren woonhuizen, met grimmige, grijze voorpuien. Aan de overkant van de weg was een geasfalteerd terrein dat afliep naar ijzeren hekken met prikkeldraad erop en brede pakhuizen van één verdieping daarachter. Op een grasstrook bij het hek stond een telefooncel met ingeslagen ruiten, en een brievenbus ernaast.

'Waarom hier?' vroeg ik.

'Dat merk je snel genoeg.'

Ik keek in mijn spiegel en zag het. Een CCTV-camera aan de eerste lantaarnpaal, op mijn auto gericht. Hij had de zijne net uit het zicht geparkeerd.

'En nu?'

'Nu maak je de doos open.'

'Oké.'

Een beetje angstig voor wat ik misschien in de doos zou aantreffen trok ik de flappen omhoog. Op het eerste gezicht leek de doos leeg. Pas toen ik hem schuin hield hoorde ik iets verschuiven en zag ik de donkere vormen onderin. Ik zette de doos terug op de passagiersstoel.

Kleren.

'De politie zal haar kleding inventariseren,' zei de man. 'Iemand die haar goed kent zal worden gevraagd of er iets ontbreekt.'

Ik probeerde een huivering van afschuw te onderdrukken.

'Maar wie zal er merken dat er een spijkerbroek ontbreekt?' zei hij. 'Of een topje? Zeker niet iemand die zo weinig om haar gaf.'

'Waarom heb je ze bewaard?'

'Omdat ze iets voor me betekenden. Haal de telefoon uit de doos.'
'Wat?'
'Haal verdomme die klotetelefoon uit de doos. Hij ligt onderin.'
Ik stak mijn hand in de doos en vond het toestel. Toen ik het eruit haalde, raakten mijn vingers iets zachts en schrok ik. Alleen kleren, zei ik tegen mezelf. Maar wel kleren die waren besmet door de manier waarop ze in deze doos waren terechtgekomen. Hij had ze meegenomen uit de kamer van een meisje dat uitgedroogd en dood op haar bed lag. Julie...
'Zet hem aan.'
Het was een oud model Nokia, die je bovenaan moest aanzetten. Ik hield het knopje ingedrukt en wachtte totdat het toestel opgestart was en er een plaatje op de display verscheen.
'Ga naar "berichten verzenden". Er is maar één bericht. Open het.'
Ik deed wat hij me opdroeg en zag de tekst op de display.

HOI. SORRY VOOR DE RADIOSTILTE. HEB HET DRUK, VERDER ALLES OK. HOPELIJK MET JOU OOK. BEL JE BINNENKORT. TORI.

O mijn god.
'Is dit haar telefoon?'
Hij gaf geen antwoord. 'Ga naar "doorsturen" en dan naar "contacten". Daar vind je ene Valerie. Stuur haar het bericht.'
Ik had gelijk gehad: de man probeerde me erin te luizen. Maar je kon de schuld van dit soort misdaden niet zomaar op iemand anders schuiven. De politie zou er heus wel achter komen. Hij geloofde toch zelf niet dat hij hier iets mee zou bereiken?
Tenzij hij gestoord was.
'Maar...'
'Doe het. Nu! Hou de telefoons bij elkaar zodat ik de piep kan horen.'
Ik zocht in de lijst totdat ik Valeries naam vond en keek in mijn spiegel naar de CCTV-camera. Daarom was ik hier: om mezelf voor de camera in diskrediet te brengen. De politie zou uitzoeken waar het bericht was verzonden, de opnames van CCTV bekijken en mijn auto zien.
Ik scrolde door Tori's contactenlijst en klikte in plaats van Valerie mijn eigen naam aan.
Dat zou moeten lukken. De man zou de piep horen en geloven dat ik het bericht had verzonden. En als de politie mij als een verdachte beschouwde

en mijn telefoon controleerde, zou dit toch wel een groot vraagteken voor hen oproepen.

Mijn duim ging naar de kiesknop.

En kwam tot stilstand toen ik aan iets afschuwelijks moest denken.

Hoe behoedzaam was hij?

'Waarom duurt het verdomme zo lang?'

'Ik kan niet met dit toestel overweg,' zei ik. 'Sorry.'

Ik drukte op 'cancel' en 'menu', en daarna weer op 'contacten'.

Ik scrolde omlaag. Valerie, Valerie, Valerie...

Ik klikte de naam aan.

'Als je dat bericht niet verstuurt,' zei de man, 'hang ik op en rij ik weg. Nog vijf seconden en dan heb jij haar vermoord.'

De display gaf aan dat ik Valeries nummer belde. Zodra ik het toestel hoorde overgaan verbrak ik de verbinding. Want heel even had ik het afschrikwekkende vermoeden dat er geen Valerie bestond – dat Valeries telefoon zich in de hand van de man dertig meter achter me bevond – en dat hij me alleen uitprobeerde. Ik moest het zeker weten.

'Oké.'

Met het zweet op mijn voorhoofd ging ik snel terug naar het menu en stuurde ik het bericht door aan mezelf.

De telefoon piepte.

'Hoor je dat?'

'Ja. Ik heb het gehoord. Zet haar telefoon uit.'

'En dan?'

'Uitstappen en de straat in lopen,' droeg hij me op. 'Nummer zesentwintig is vijf huizen verderop. De voordeur is open. Ga naar binnen.'

'Wat?'

'Doe verdomme wat ik je zeg! Niet omkijken. En hou je telefoon uit het zicht.'

Hij verbrak de verbinding.

Ik stapte uit de auto en werd onmiddellijk gegrepen door de regen toen ik over de stoep langs de huizen liep. Ik was bang. Waarom wilde hij dat ik dat huis binnenging? Wilde hij me achternakomen? Maar ik wilde niet ongehoorzaam zijn en achteromkijken. Ik was blij dat ik het mes bij me had. Ik hoopte alleen dat ik de kans kreeg het te gebruiken.

Wat ben je verdomme van plan?

Nummer zesentwintig.

Een grauw, half vrijstaand huis met een ijzeren hekje dat het betonnen plaatsje van de straat scheidde. Het hekje piepte erbarmelijk en schraapte over de grond toen ik het openduwde, en het viel bijna om toen ik het losliet. Bij de voordeur keek ik omhoog. Er brandde geen licht. Er was geen enkel geluid te horen. Een stil, verlaten huis, net als dat van Tori was geweest.

Diep ademhalen.

De deur was niet op slot. Ik deed hem open en stapte het halletje in. Het windcarillon naast de deur bracht een zacht gerinkel voort. Aan de rechterkant was de trap naar boven en recht voor me de donkere, door de maan verlichte keuken. Aan de linkerkant twee deuren, allebei afgesloten.

Ik deed de voordeur achter me dicht – hij had niet gezegd dat ik dat niet mocht doen – nam het mes in de ene hand, mijn mobiele telefoon in de andere, en wachtte totdat hij me zou bellen. De seconden tikten weg, maar er gebeurde niets. De display bleef donker en het toestel zweeg, net als het huis waarin ik me bevond.

Toen hoorde ik het en keek ik langs de traptreden naar boven.

Een zacht, zoemend geluid op de eerste verdieping.

Tori. Ik aarzelde geen seconde.

Boven was het zoemen van de vliegen duidelijker te horen en werd ik getroffen door de stank. Het was alsof ik een giftige wolk binnenstapte, een misselijkmakende mist waartegen mijn keel protesteerde zonder dat ik er iets aan kon doen. Het deed me denken aan de laatste keer dat ik mijn vader in het verpleeghuis had opgezocht, toen zijn huid een gelige tint had gekregen en hij rook alsof hij de dood uitwasemde. Diezelfde zoete stank hing hier in de lucht, vochtig als een damp.

Ik drukte de mouw van mijn jasje tegen mijn neus en opende de deur van de slaapkamer.

De gordijnen waren open. Er viel een brede streep licht naar binnen, schuin over het meisje dat op het bed lag. De vliegen schoten er als zwarte streepjes doorheen.

O god.

Ik ging bijna onderuit.

Wat er op het bed lag, zag er niet meer uit als een mens. Daar lag ze te stil voor, meer als een ding dan een menselijk wezen: een wassen beeld, naakt, met de armen en benen gespreid. Ik keek naar de leren riemen om de polsen, die aan het hoofdeinde waren gebonden, en de van afgrijzen gekromde vingers erboven. Om het hoofd was een touw gebonden, waardoor de mond een stukje openstond.

Een van de ogen was dicht. Het andere stond een stukje open, maar liet alleen een partje oogwit zien.

En alles absoluut roerloos.

Zonder na te denken deed ik een stap naar het bed toe, om het gezicht beter te zien, me ervan te overtuigen dat... en ik deinsde wankelend achteruit terwijl mijn hart zich door mijn keel naar buiten probeerde te wringen. Emma.

Mijn mobiele telefoon ging.

Met trillende hand bracht ik het toestel naar mijn oor. Een paar seconden lang hoorde ik alleen het zeurende zoemen van de vliegen in de lucht. Toen hij eindelijk iets zei, klonk zijn stem killer en onmenselijker dan ooit.

'Jij hebt haar laten doodgaan.'

Dat was niet waar, maar de vijandigheid in de stem was zo groot dat ik niet meer rationeel kon nadenken. Emma, die al die tijd hier had gelegen, vergeten en verwaarloosd. Aan wie ik nauwelijks had gedacht sinds ze bij me was weggegaan. Die nu niet eens een mens meer was. Die hier als een afgedankt ding op het bed lag.

'Waarom?' vroeg ik zacht.

'Omdat jij denkt dat je beter bent dan andere mensen.' En hoe kil zijn stem ook klonk, toch kon ik horen dat hij het leuk vond om dit te zeggen. 'Maar zie je, jij bént niet beter dan anderen. Jij geeft helemaal niet om mensen wanneer het je te veel moeite kost.'

'Waarom doe je dit?'

'Dat had jij jezelf moeten afvragen. Elke seconde dat je niks hebt gedaan.'

Ik deed mijn ogen dicht. Maar ook al zag ik Emma nu niet meer, ik rook wel de ontbinding van wat er van haar over was. En ik voelde nog iets anders, iets wat dieper ging en wat hier ergens in de lucht hing. Ik voelde me een zondaar die helemaal alleen in de waardige, echoënde stilte van een kathedraal stond.

'Wat wil je van me?' vroeg ik.

'Niks.'

'Wat?'

'Niks. Je hebt haar al een keer laten barsten. Nu ga je dat nog een keer doen. Je loopt het huis uit, stapt in je auto en rijdt weg.'

'Wat... en ik laat haar hier liggen?'

'Ja. Zoals je haar al eens eerder aan haar lot hebt overgelaten.'

Ik deed mijn ogen open, dwong mezelf naar haar te kijken en deed mijn uiterste best om niet te denken aan het meisje dat ik vroeger had gekend. Dit was Emma niet. En ik kon niets meer voor haar doen.

'Of is het allemaal te veel voor je en geef je niet genoeg om Tori?'

Het spijt me, Emma.

'Goed dan.'

Ik draaide me om, liep de slaapkamer uit en ging weer naar beneden. De voordeur was nog dicht.

'Kan ik naar buiten komen?' vroeg ik. 'En dan?'

Het duurde even voordat de man antwoord gaf.

'We zijn klaar voor vanavond,' zei hij. 'Morgen gaan we meer pret beleven. Het kan me niet schelen wat je in de tussentijd doet, maar vergeet niet dat de politie naar je op zoek is. Als je hun ook maar iets vertelt, hoor je nooit meer van me. Ik hou je in de gaten.'

'Oké.'

'Onthoud dat goed, Dave,' voegde hij er snel aan toe. 'Onthoud dat heel goed. Want je denkt misschien dat je zo verdomde slim bent, maar dat ben je niet. Je hebt geen idee wat ik allemaal kan.'

Ik deed de voordeur open en kwam naar buiten. Had het zin om mijn vingerafdrukken van de deurknop te vegen? Ik wist niet precies of dat me nu meer of minder schuldig zou doen lijken. Het leek me beter om niets te doen.

'Ik heb het begrepen,' zei ik.

Hij lachte, genoot van het idee.

Toen werd de verbinding verbroken.

Ik liep de nacht weer in. Het tikken van de regendruppels maakte me aan het schrikken, en ik huiverde. Een laatste blik achterom naar het huis – het spijt me zo – en ik liep terug naar mijn auto terwijl ik recht in de camera van CCTV keek.

Achter mijn auto was niets meer te zien; de man was al weggereden. En toch voelde ik zijn ogen op me gericht bij elke stap die ik deed.

DEEL 4

24

Zaterdag 3 september

Toen ik weer in de auto zat had ik geen idee wat ik moest doen. Waar kon ik naartoe? Alle plekken waarvan ik de sleutel had waren niet langer veilig. Maar ik kon ook niet blijven tanken en door de stad blijven rijden, want de politie zou naar mijn auto op zoek zijn en het was zelfs waarschijnlijk dat mijn bankrekening in de gaten werd gehouden. De tank was nog voor een kwart gevuld, in mijn portefeuille zat nog tien pond en er bestond geen gemakkelijke manier om een van beide aan te vullen. Desondanks reed ik weg, zonder na te denken, want de enige plek waar ik niet wilde zijn was hier.

Ik reed doelloos rond met een duizelend hoofd, toen ik opeens aan iets moest denken. Ik kneep harder in het stuur.

Je hebt geen idee wat ik allemaal kan.

Ik wist niet hoe of waarom, maar het was duidelijk dat de moordenaar míj voor zijn project had uitgekozen. En als hij van Julie en Emma wist, was het mogelijk dat hij ook van Sarahs bestaan op de hoogte was.

Onmiddellijk gaf ik richting aan en reed ik de eerstvolgende bocht om. Toen ik echter in de buurt van haar huis kwam, begon ik me af te vragen wat ik aan het doen was. Want als hij nu eens niet van haar bestaan wist? Als ik bij haar langsging of haar zelfs alleen maar belde, zou ik haar misschien juist in gevaar brengen.

Ik wist niet wat ik moest doen.

Het enige wat ik wilde was mijn auto ergens neerzetten en instorten. Dat iemand anders dit hele gebeuren afhandelde.

Uiteindelijk reed ik haar straat in en gaf mijn ogen goed de kost, met de bedoeling alleen langs haar huis te rijden om te kijken of er iets verdachts gaande was. Maar toen was het geluk me enigszins ter wille, want ik zag een onopvallende parkeerplek op enige afstand van haar huis. Er ver genoeg vandaan om de moordenaar, als die me schaduwde, niet op het idee te brengen waarom ik daar stond, maar dichtbij genoeg om van schuin opzij de voorkant en de ingang te zien. Ik zette de auto er neer. In de context van wat er eerder vanavond was gebeurd, voelde het verdomme als een lot uit de loterij.

Ik bleef in mijn auto zitten, voelde me aangeslagen maar vastbesloten. Het had geen zin om te proberen te slapen en ik kon nergens anders naartoe. Dus zou ik hier de rest van de nacht blijven wachten om, voor zover dat mogelijk was, mezelf ervan te overtuigen dat Sarah in veiligheid was.

Het tikken van de regendruppels op het dak klonk nu bijna vredig. Ik begon na te denken over wat er was gebeurd, en de stukjes van wat ik te weten was gekomen in elkaar te passen om een vollediger beeld te krijgen. De moordenaar had gelachen toen ik zei dat ik het had begrepen, en het was duidelijk dat ik diep in de problemen zat. Misschien zou zijn poging om de schuld op mij te schuiven niet standhouden als die grondig werd onderzocht. Aan de andere kant onderschatte ik misschien de mogelijkheden die hij had om dat op een overtuigende manier te doen. Een handvol details was genoeg. Zo moeilijk was het niet.

Maar waarom ik?

Je denkt dat je zo verdomde slim bent, maar dat ben je niet.

Dat zag hij verkeerd. Ik voelde me helemaal niet slim. Sterker nog, terwijl ik hier in mijn auto zat voelde ik me de grootste domkop van de hele wereld. Ik wíst dat ik naar de politie moest stappen – mezelf moest aangeven en proberen alles uit te leggen – en elke keer wanneer ik mijn ogen dichtdeed, zag ik Emma's gemummificeerde lichaam voor me. Dat gezicht dat van me wilde weten waarom ik haar was vergeten, en hoe ik het kon opbrengen haar nu wéér aan haar lot over te laten.

Maar door dat beeld moest ik ook weer aan Tori denken. Als ik dit niet doorzette, zou iemand haar over een paar dagen zo vinden. Zolang ik geloofde dat ze nog in leven was, moest ik hiermee doorgaan. Ik zou het mezelf nooit vergeven als ik het niet in elk geval had geprobeerd.

Dus bracht ik de nacht in mijn auto door, onderuitgezakt achter het stuur, zichtbaar voor iedereen en met al deze gedachten die door mijn hoofd spookten. Op een zeker moment hield het op met regenen, werd het nog stiller en bleef alleen het geruis van de wind over. Maar uiteindelijk begonnen de eerste vogels te zingen en zag ik het bovenste randje van de zon boven de horizon verschijnen. Langzaam klom hij verder omhoog, in een geel en oranje licht waarin de restanten van de buien van de afgelopen nacht zichtbaar werden, de grillige wolken die langs de hemel schoven.

Iets na zeven uur werd er in Sarahs huis een licht aangedaan. Terwijl ik ernaar keek ging in het vertrek ernaast ook het licht aan.

Ze was ongedeerd.

Ik rilde, startte de motor en reed weg.

Om halfnegen zat ik in een groot café een kilometer of tien buiten het stadscentrum. Een groezelige tent waar het naar frituurvet stonk en alle oppervlakken waren bedekt met een vette bruine aanslag. Op de formica-tafeltjes stonden plastic flacons met ketchup en bruine saus, die om de spuitopeningen zaten gekoekt. Opgedroogde druppels van beide sierden ook de geplastificeerde menu's.

Het café lag aan de hoofdweg, een paar kilometer van het huis van mijn ouders. We reden er vroeger altijd langs met de schoolbus, vonden het spannend omdat er vooral vrachtwagenchauffeurs kwamen, en een paar waaghalzen uit de zesde klas waren er naar binnen gegaan om snoep te kopen. In die tijd vertegenwoordigde het café een onbekend, bijna exotisch gevaar. Dit was de eerste keer dat ik er binnenkwam en het bleek een doodgewone cafetaria te zijn. Op dit uur van de dag zaten er alleen een paar chauffeurs van bezorgdiensten aan het eind van de bar, doorleefde types die om hun eigen grappen lachten en flirtten met de serveerster. Achter de counter hoorde ik de bacon sissen, werd er iets uit pannen geschraapt en produceerde een koffiezetapparaat een schor, hoestend geluid.

Toen ik in de auto zat en het café zag, besloot mijn lichaam dat het hoog tijd was om iets te eten. En toen ik mijn auto naast de brievenbus voor het café parkeerde, merkte ik pas hoeveel honger ik had.

Ik nam een slokje zwarte koffie. De restjes van mijn ontbijt stonden nog voor me op tafel en daarnaast lagen drie mobiele telefoons: mijn eigen telefoon, die van Tori en het toestel dat de moordenaar voor de deur had neergelegd. De koffie was heet, bitter en sterk. Elke keer als ik een slokje nam, bleef de smaak als een laag verf aan mijn verhemelte kleven.

Het gaf me in elk geval de kans om mezelf een beetje bezig te houden, want afgezien van wachten totdat de moordenaar me weer zou bellen had ik geen idee wat ik op deze vreugdevolle dag moest doen. Ik had mijn beide handen gevouwen om de koffiemok, die al iets begon af te koelen, toen de serveerster naar mijn tafeltje kwam lopen.

'Klaar met eten?'

'Ja. Het was lekker. Bedankt.'

Ze glimlachte en begon af te ruimen. Als ze het vreemd vond dat er drie mobiele telefoons op tafel lagen, was ze zo vriendelijk daar niets van te laten merken.

Toen ze was weggelopen, pakte ik mijn eigen telefoon en keek naar het lege, onverlichte schermpje. Ik was compleet afgesloten van mijn vroegere leven; de persoon die ik een week geleden was geweest was iemand die zich aan de andere kant van een spiegel leek te bevinden. De koffie had me gewekt uit de droomtoestand waarin ik sinds vannacht had verkeerd en de eerste sporen van paniek begonnen zich weer te roeren onder de oppervlakte. Maar ik voelde me vooral verdrietig. Er was niets ter wereld waarnaar ik meer verlangde dan naar mijn normale leven... al was het maar even.

Ik zette mijn telefoon aan. Ik zou hier toch snel weggaan.

Het duurde pijnlijk lang voordat het toestel was opgestart en het een netwerk had gevonden. Even leek het erop dat er helemaal niets gebeurde. Ik wachtte, met ongepaste opwinding, en met pijn in mijn hart.

Biep.

Twee nieuwe berichten.

Ik wachtte nog wat langer, maar dat scheen alles te zijn.

Het eerste was het bericht dat ik de afgelopen nacht met Tori's telefoon aan mezelf had gestuurd. Het andere was van Sarah. Ze had het gisteravond om een uur of zeven verstuurd, toen ik in de keuken van het huis van mijn ouders zat en mijn telefoon al uit had gezet.

> HOI. ZOU LEUK ZIJN JE WEER TE ZIEN ALS JE TIJD HEBT. MAAK ME EEN BEETJE ZORGEN. HET GING ZO GOED MAAR EERLIJK GEZEGD WEET IK HET NU NIET MEER. ALLES OK MET ONS? SPREEK JE GAUW, SCHAT. PAS GOED OP JEZELF. XSX

Vreemd genoeg schoot ik bijna vol toen ik dit las, en ik moest een paar keer met mijn ogen knipperen om weer duidelijk te kunnen zien. Beheers je, zei ik tegen mezelf.

Het toestel trilde.

ONBEKEND NUMMER

Ik keek om me heen. De andere klanten waren hier al geweest toen ik binnenkwam, en ze zaten zo ver van me vandaan dat ze me niet konden horen. Toch keerde ik me van hen af voordat ik het gesprek aannam.

'Hallo?'

'Dave Lewis?'

Ik herkende de stem. Fuck.

'Rechercheur Sam Currie hier. We hebben elkaar een paar dagen geleden gesproken.' Hij klonk aarzelend, niet onvriendelijk. 'Waar hang je uit, Dave?'

Het had geen zin om te liegen. Hij zou het binnen een paar minuten weten.

'Ik ben in een café.'

'Welk café? We moeten echt met je praten. Als je me vertelt waar je bent, komen we je ophalen.'

'Nee,' zei ik. 'Dat kan ik niet doen.'

'Dave, er is een arrestatiebevel voor je uitgevaardigd. Je maakt het alleen maar moeilijker voor jezelf als je niet vertelt waar je bent. We kunnen je komen halen en dan kunnen we erover praten. Nou, wat zeg je daarop?'

Ik zei niets; er viel niets te zeggen. Hij had gelijk, maar dat maakte niet uit. En ik kon hem niet uitleggen waarom niet.

'Goed dan,' zei hij, waarna hij van tactiek veranderde. 'Misschien wil je me dan vertellen waar zíj is?'

'Wie?'

'Je weet best wie.' Hij liet een stilte vallen. 'Tori Edmonds. Waarom komen jullie niet samen naar het bureau? Dan kunnen we er een punt achter zetten. Je wilt haar toch geen kwaad doen?'

'Nee,' zei ik.

'We weten dat je gisteren in haar huis bent geweest.'

Ik zei niets.

'Waarom was je daar, Dave? Kom op, help me. Ik wil het zo graag begrijpen.'

'Ik kan het nu niet uitleggen.'

'Waarom niet?'

Ik opende mijn mond om iets te zeggen – hoewel ik nog niet wist wat – en deed hem meteen weer dicht. Opeens zat zijn voorlaatste vraag me dwars. Waarom was ik naar Tori's huis gegaan?

Alles wat er was gebeurd had ik alleen maar geanalyseerd terwijl het gebeurde, waardoor ik geen tijd had gehad om te zien hoe het in het totaalbeeld paste. Het was bijna een maand geleden dat ik Tori voor het laatst had gezien. Daarvoor, als ik Staunton buiten beschouwing liet, was er een halfjaar verstreken. Die brief van de moordenaar had een eeuwigheid onder haar kussen kunnen liggen als ik niet naar haar huis was gegaan. Dus waarom wás ik daar naartoe gegaan?

'Dave,' zei Currie. 'Voor de laatste keer: vertel me waar...'

Ik verbrak de verbinding.

Waarom had ik daar niet eerder aan gedacht? Ik moest onmiddellijk iets doen. In plaats van niet te weten waar ik naartoe moest gaan, was er een plek waar ik al uren had moeten zijn. De eerste verdomde plek waar ik naartoe had gemoeten.

Ik veegde de telefoons bij elkaar, stak ze in mijn zakken en liep de deur uit, naar mijn auto.

De brievenbus en het café draaiden weg in de achteruitkijkspiegel en verdwenen achter me toen ik wegreed. Vloekend op mezelf omdat ik zo dom was geweest schakelde ik naar een hogere versnelling en ging op weg naar de stad.

25

Zaterdag 3 september

Sam Currie nam een slokje koffie en probeerde zijn gedachten te ordenen. Dat viel niet mee. Swann en hij hadden de hele nacht doorgewerkt en hij had de grens van zijn vermoeidheid al uren geleden overschreden, zodat hij zich nu voelde alsof hij aan het slaapwandelen was en zich nergens meer op kon concentreren. Er gebeurde te veel, en elke keer wanneer hij zich in één facet van het onderzoek probeerde vast te bijten, leken de andere hem door de vingers te glippen.

De enige gedachte die standhield was: we hadden hem, en we hebben hem laten gaan.

Dat was de enige die ertoe deed, nietwaar?

Hij ijsbeerde door het redactiekantoor van *Sceptici Anonymus*, ging bij het raam staan en keek naar de mensen op straat. Die vormden patronen terwijl ze onder hem langsliepen, en als hij lang genoeg naar hen keek, vervaagden ze totdat er alleen nog ondefinieerbare vormen en kleuren overbleven.

Jezus christus.

'Meneer?'

Hij draaide zich om. Een van de agenten wees naar het rek met dozen cd's en diskettes tegen de muur.

'Wilt u deze allemaal meenemen?'

Currie knikte. 'Ja, alles.'

Aan de andere kant van het kantoorvertrek leunde Rob Harvey, Lewis' collega, achterover in zijn stoel en hij leek verre van blij met wat hij om zich heen zag gebeuren. Wat niet zo vreemd was, want vier politiemensen waren bezig het merendeel van zijn hardware en documentatie in te pakken terwijl de deadline van het volgende nummer van hun tijdschrift met rasse schreden naderde, zoals Harvey al enkele keren had benadrukt. Currie had daarop geantwoord dat hij dan pech had gehad en dat zijn deadline hem niet interesseerde. Harvey had hem alleen maar aangekeken en Currie had zich afgevraagd of de man niet aan het syndroom van Asperger leed.

Achteraf had hij het zichzelf kwalijk genomen. Na zijn aanvankelijke irritatie had hij Harvey uitgelegd hoe belangrijk het was dat ze Dave Lewis vonden – zowel in zijn eigen belang als dat van anderen – en was Harvey iets coöperatiever geworden. Hij was ermee akkoord gegaan dat ze voor onbepaalde tijd op de redactie zouden blijven voor het geval Lewis contact met hem opnam. Als hij belde, zou Harvey doen alsof alles normaal was en proberen hem zo lang mogelijk aan de lijn te houden zodat zij konden traceren waar hij vandaan belde.

En ze hadden in elk geval een beginpunt kunnen destilleren uit het gesprek dat hij zojuist zelf met Lewis had gehad.

Ik kan het nu niet uitleggen.

Wat zou hij daar verdomme mee bedoelen? Currie wist dat hij ergens rustig moest gaan zitten om de opname van dat gesprek af te luisteren en te proberen te analyseren wat Lewis had gezegd, om erachter te komen wat er in zijn hoofd omging en hem over te kunnen halen zichzelf aan te geven. Maar daar had hij de afgelopen nacht geen tijd voor gehad. Het onderzoek had zijn kookpunt bereikt en de ontwikkelingen borrelden sneller op dan ze aankonden. Hij begon inmiddels het gevoel te krijgen dat hij langzaam werd gekookt.

Meteen nadat Dave Lewis was herkend op de beelden van CCTV was er een technisch team naar zijn flat gestuurd om daar een kijkje te nemen. Ze hadden zijn laptop geconfisqueerd en waren nu bezig de hele flat uit te kammen. Tot nu toe hadden ze niets gevonden.

Andere rechercheurs namen de oudere zaken door om te zien of ze een verband konden vinden. Ook zij hadden nog niets gevonden.

Maar de afgelopen nacht had ook een paar nieuwe ontwikkelingen opgeleverd. Om te beginnen was er de sms die Lewis met de telefoon van Tori Edmonds had verzonden. In normale omstandigheden zou Currie dolblij zijn geweest met een dergelijke ontwikkeling, want ze hadden Currie niet alleen op film terwijl hij het bericht verstuurde, maar ook toen hij daar een huis binnenging. Wat ze in dat huis hadden gevonden, was echter niets om blij mee te zijn.

Ze hadden de identiteit van Emma Harris vastgesteld en wisten dat ook zij ooit contact met Dave Lewis had gehad. Haar vrienden hadden de bekende sms ontvangen. Lewis scheen sneller en sneller te handelen en zich nauwelijks nog zorgen te maken over de fouten die hij daarbij maakte. Wat aangaf dat hij zichzelf niet meer in de hand had. Currie wist niet precies welke kant het met de man op ging, maar wel dat het er niet goed uitzag voor Tori Edmonds.

Je had hem. Je had hem verdomme in handen!

Curries telefoon zoemde en wekte hem uit zijn gedachten. Hij zette zijn koffie op het bureau en liep de gang op om het gesprek aan te nemen.

'Sam? Met James. Hoe gaat het daar?'

Swann was op het bureau, coördineerde het werk op de diverse plaatsen delict.

'We zijn nog bezig.' Currie wreef zich in de ogen en masseerde de brug van zijn neus. 'En jij?'

'Er zijn een paar vingerafdrukken in Emma Harris' huis gevonden. Maar we weten pas of ze van Lewis zijn als we die schoft zelf hebben kunnen printen.'

'We weten dat hij daar geweest is.'

'Ja. En we zitten duidelijk in dezelfde situatie als met de afdrukken in Cardalls flat.'

Currie knikte. Ze wisten nog steeds niet hoe de mobiele telefoon van Alison Wilcox daar onder de vloerplanken terecht was gekomen. Het enige werkbare scenario dat ze hadden was dat Lewis hem naar zijn flat was gevolgd nadat Drake en hij bij hem langs waren geweest, dat hij Cardall had vermoord en de telefoon daar had verstopt. Maar ze hadden geen idee waaróm hij dat gedaan zou hebben.

Wat aansloot bij een van de andere vragen die de afgelopen nacht was opgedoken. Als Lewis Tori Edmonds had ontvoerd, waarom had hij dan tegen Charlie Drake gezegd dat hij zich zorgen om haar maakte? Hij nam aan dat er maar één antwoord mogelijk was: omdat Lewis het leuk vond om mensen op het verkeerde been te zetten. Dat had hij tijdens de eerdere moorden immers ook gedaan?

Maar toch... op de een of andere manier voelde het niet goed.

'Al een teken van leven van Charlie Drake?'

'Verdwenen als sneeuw voor de zon,' zei Swann. 'Zelfs niet in het Korenveld, om zijn zorgen te verdrinken.'

'Shit.'

'We hebben wel nieuws gekregen van het team in het huis van Lewis' ouders.'

'O ja?'

'Er is niks gevonden, maar het ziet er wel naar uit dat hij daar bezig is geweest met spullen inpakken. Er brandden een paar lichten toen ze binnenkwamen. Het ziet ernaar uit dat hij daar gisteren in elk geval een deel van de avond is geweest.'

Ze hadden die ochtend, toen ze Lewis' ouders probeerden te traceren, pas ontdekt dat Lewis eigenaar van het pand was. Weer een kans die ze hadden gemist.

'Het team is daar nog bezig. Ze kammen het hele huis uit, maar tot nu toe is er niks opzienbarends gevonden.'

'Dat begint me deprimerend bekend in de oren te klinken.'

'Wacht even.' Het bleef even stil en toen zei Swann: 'Het ziet ernaar uit dat we geluk hebben met zijn mobiele telefoon.'

Currie ging rechtop zitten. 'Hè?'

'Ja. Hij heeft hem aan laten staan. Ze volgen hem nu live. Hij bevindt zich in een auto.' Hij viel weer even weg. Currie kon niet verstaan wat zijn partner zei, maar het was duidelijk dat hij met iemand op het bureau in gesprek was. Na een paar seconden kwam hij weer aan de lijn. 'We hebben een arrestatieteam ingezet. Het zal niet lang duren voordat we hem hebben.'

'Dat is goed nieuws.'

Maar wat zullen ze vinden als ze daar zijn?

'Er is nog iets anders,' zei Swann. 'Maar dat is iets vreemds. We weten dat hij de afgelopen nacht een sms heeft verstuurd met Tori Edmonds' toestel; dat is door CCTV vastgelegd.'

'Ga door.'

'We hebben het nummer getraceerd. Weet je naar wie hij dat bericht heeft gestuurd? Naar zijn eigen nummer.'

Currie fronste zijn wenkbrauwen en dacht na. Waarom zou hij dat doen?

'Vreemd.'

'Heel merkwaardig. Hopelijk kunnen we het hem straks vragen.'

'Ja, dat zou leuk zijn...'

Swann aarzelde. 'Alles in orde met je, Sam? Je klinkt vermoeid.'

'Ik ben niet moe. Hoor eens, laat het me weten als ze Lewis hebben. Misschien hebben ze gewapende bijstand nodig. Of een onderhandelaar.'

'Wordt aan gewerkt. En jij, wat ga jij doen?'

'Ik ben hier zo klaar en dan kom ik naar jou toe.'

'Oké. Ik zie je straks.'

'Tot zo.'

Currie hing op. Ik ben niet moe, mompelde hij, wat niet verder bezijden de waarheid had kunnen zijn. Maar zelfs als hij nu in de gelegenheid was geweest om even te gaan liggen en zijn ogen dicht te doen, zou dat geen enkele zin hebben gehad. Zijn geest werd te zeer in beslag genomen door Tori Edmonds en wat haar zou kunnen gebeuren, of misschien al met haar wás gebeurd. En hij was zich ook bewust waar dit gevoel hem aan herinnerde... aan de kansen die hij had laten lopen toen hij niet bij zijn zoon langs was gegaan. In zijn hoofd was Tori Edmonds net als Neil geworden. Elk obstakel dat hij tegenkwam om haar te vinden drukte hem met zijn neus op zijn eigen tekortkomingen. En elke nieuwe ontwikkeling, hoe verwarrend ook, wond de veer binnen in hem alleen maar strakker op.

Hij ging het kantoorvertrek weer binnen. Zijn koffie was nog warm en hij nam een flinke slok. Cafeïne zou je wakker houden, maar hij wist wel beter. Op hem had het in elk geval niet dat effect. Het enige wat hij ervan kreeg, was een vieze smaak in zijn mond.

Hij liep naar het bureau van Rob Harvey. 'Sorry voor de overlast.'

Harvey haalde zijn schouders op en keek hem met een meewarige glimlach aan.

'Het is al goed,' zei hij. 'Ik maak me ook zorgen. Hij is een goeie vriend van me, begrijpt u?'

'Ja, ik begrijp het. Maar je hebt het juiste gedaan.'

Na Swanns nieuws over de mobiele telefoon bestond er echter een goede kans dat ze Harvey niet meer nodig hadden.

'Als je weg wilt, kun je gaan,' zei Currie.

'Ik blijf nog wel even.'

'Oké...'

Zijn telefoon ging weer. Fuck.

'Sorry, maar ik moet dit gesprek aannemen.'

Hij liep de gang weer op, hoopte dat het nieuws over de arrestatie zou zijn. Goed nieuws. Maar de stem die hij hoorde herkende hij niet.

'Sam Currie?'

'Ja.'

'Ik hoop niet dat ik je stoor. Je spreekt met Dan Bright. Je had gevraagd of ik je wilde terugbellen?'

'O, ja,' zei Currie. De rechercheur die twaalf jaar geleden de zaak van Frank Carroll had gedaan. Zijn telefoontje naar Richmond leek eeuwen geleden, en hij had hier nu eigenlijk geen tijd voor. 'Bedankt voor het bellen.'

'Nou, ik ben nog een stap verder gegaan. Ik sta op dit moment in jullie teamkamer. Rechercheur... Swann? Hij heeft me je mobiele nummer gegeven.'

'Oké.'

Het bleef even stil, alsof Bright naar iets stond te kijken en voor de laatste keer de feiten controleerde voordat hij zich erover uitsprak.

'Ik sta naar jullie whiteboard te kijken,' zei hij. 'En ik denk dat we moeten praten. Nu meteen.'

26

Zaterdag 3 september

Een uur later stond ik op Park Row in het centrum tegenover een imponerende maar verder neutrale voordeur. In de meeste panden waren banken en kantoren gevestigd, maar de overige had men heringericht tot luxe flats, inspelend op de recente vraag naar woningen in de binnenstad. Dit smalle, tien verdiepingen hoge pand was een van de laatst opgeleverde prestigeobjecten in het hartje van de stad. De prijzen van de flats begonnen bij een half miljoen.

Dat kon Thom Stanley zich wel veroorloven. Hij had in de afgelopen paar jaar een kapitaal verdiend met zijn optredens, de twee boeken die hij had geschreven en een tv-special die op z'n minst bedenkelijk kon worden genoemd. Maar zijn inkomsten had Stanley altijd angstvallig stilgehouden, alsof het geld dat hij verdiende een bezoedeld en ongewenst bijproduct was van het werk dat hij eigenlijk uit pure goedhartigheid deed.

Ik drukte op de naamloze bel van nummer 12 en wachtte. Achter me haastten de zakenmensen zich naar hun werk. Het was een mooie dag geworden. Ik keek opzij en zag de blauwe hemel tussen de kantoortorens aan het eind van de straat. De zon werd weerspiegeld in de ruiten van de langsrijdende auto's, heel kort, alsof van elke auto een flitsfoto werd gemaakt. Waar ik stond reikte het zonlicht nog niet tot straatniveau, waren de twee rijbanen vol auto's en bussen in schaduw gehuld en had alles vanaf de straat tot en met de kostuums van de voorbijgangers een saaie, grijze tint.

Toen ik na een minuut nog geen reactie had gekregen belde ik nog eens aan, een paar keer achter elkaar, in de hoop de bewoner dermate te irriteren dat deze zou opendoen.

Er bestond een goede kans dat Stanley thuis was. Het eerste avondoptreden van zijn landelijke tournee was morgen in Albany en een subtiel telefoontje naar zijn uitgever had geleerd dat hij vandaag pas laat in de middag zou vertrekken. Ze had erop aangedrongen dat hij absoluut geen contact met de pers wilde terwijl hij zich voorbereidde op zijn tournee.

'Nee, natuurlijk niet,' had ik geantwoord, alsof ik niet al weken geleden zijn telefoonnummer en adres had gekregen van Robs niet-bestaande vriend bij de telefoondienst.

De intercom kwam krakend tot leven. 'Ja, wat is er?'

'Meneer Stanley? Hebt u een paar minuten tijd voor me? Ik zou u graag even willen spreken.'

'Wie ben je?'

'Mijn naam is Dave Lewis. Ik ben uitgever van het tijdschrift *Sceptici Anonymus*. U hebt waarschijnlijk van ons gehoord.'

Het bleef even stil.

Toen vroeg hij: 'Hoe ben je aan dit adres gekomen?'

'Van uw agent.'

'Merkwaardig.'

'Ik zou graag even met u willen praten over uw optreden in de Western van afgelopen donderdag. Voor een reactie op ons artikel.'

Er viel weer een stilte. 'Wij hebben elkaar niks te zeggen.'

'Het zou in uw eigen belang zijn. We hebben beeldmateriaal dat nogal belastend voor u is.'

Weer een stilte. Maar Stanley was een intelligent mens. Ik had wel verwacht dat het woord 'beeldmateriaal' zijn belangstelling zou wekken. Ik kon hem zien staan in zijn chique flat, bij de intercom, met een vragende uitdrukking op zijn gezicht.

Terugdenkend aan alle dingen die hij had gezegd en gedaan.

'Het hoeft niet lang te duren,' loog ik.

'Goed dan.'

De intercom viel stil. Een seconde later hoorde ik een melodieus gezoem, alsof er een stemvork werd aangeslagen, gevolgd door een klik die de deur opende. Ik ging naar binnen.

De receptie had een glanzende parketvloer, crèmekleurige wanden en brievenbussen met afsluitbare matglazen deurtjes. Daarnaast was een rek dat voor de helft met keurig opgevouwen kranten was gevuld. De lift had spiegelwanden met goudkleurige sponningen en toen ik op de vierde verdieping uitstapte, kwam ik in een gang waar een schoonmaakster met een zacht zoemende stofzuiger de plinten aan het zuigen was. Niet iets waar ik vrolijk van werd. Rob kon waarschijnlijk een overtuigender paragnostenact neerzetten dan Thom Stanley, en we hadden al vaker het idee geopperd, voor de grap, om onze talenten op die manier ten gelde te maken.

Nu ik hier om me heen keek, leek dat niet eens zo'n slecht idee.

Stanleys deur was dicht toen ik daar aankwam, dus ik klopte erop en deed enigszins nerveus een stapje achteruit.

Ik nam hier een risico, op meer dan één manier. Afhankelijk van wat er in de pers over de zaak was gezegd, was het mogelijk dat Stanley wist dat de politie naar me op zoek was. Misschien was hij ze nu wel aan het bellen. Het andere risico was directer, en ik voelde een tinteling van angst door me heen trekken. Ik was me zorgen over Tori gaan maken nadat hij haar naam op die opvallend vreemde manier tijdens zijn optreden had genoemd, en ik kon gewoon niet geloven dat dat toeval was geweest. Aangezien ik evenmin geloofde dat hij echt helderziend was, moest het betekenen dat hij iets wist. Ik achtte hem niet tot moord in staat – of de zaken moesten wel heel slecht gaan – maar het was duidelijk dat hij haar naam met een reden had genoemd, en zeker niet omdat een of andere klotegeest hem dat had opgedragen.

Opnieuw was ik blij dat ik het mes bij me had.

Hij deed open.

Ik schrok een beetje van hoe hij eruitzag. Zijn haar zat in de war, zijn gezicht was vlekkerig en hij had donkere wallen onder zijn ogen, alsof hij de afgelopen nacht weinig had geslapen. Of misschien kwam het door de aanblik van hem in zijn badjas in plaats van een mooi overhemd en een spijkerbroek. Wat de verklaring ook was, het was duidelijk dat de beroemde acteur nog op de kleerhanger in de kast hing. Ik stond tegenover iemand die er ziek uitzag, iemand die met een griepje van zijn werk was thuisgebleven.

'Je kunt beter binnenkomen, denk je ook niet?'

Hij draaide zich om en liep de flat in. Ik ging hem achterna, stak quasi-achteloos mijn handen in mijn zakken om het mes te kunnen trekken als het nodig was.

Maar Stanley liep gewoon door, zo te zien richting keuken.

De flat was ruim, had een open indeling en was overal even mooi. Hier boven kreeg de zon tenminste een kans, scheen hij naar binnen door de grote ramen over de hele lengte van de flat en werd het interieur in een helder licht gezet: de banken, de smetteloze vloerkleden, het mahoniehout van de overige meubels. Het was alsof je in een Ikea-catalogus stond. Overal waar ik keek had je een commercial voor de meubelgigant kunnen filmen.

De keuken was groot, werd verlicht door spotjes in het plafond en stond vol met roestvrijstalen keukenapparatuur. In het midden was een soort eetbar waar hij omheen liep en achter ging staan, wat ik wel zo prettig vond. Ik ging aan de andere kant van de bar staan.

'Hopelijk verwacht je niet dat ik je iets te drinken aanbied.'

'Ik hoef niks. Bedankt.'

Hij sloeg zijn armen over elkaar. 'Nou, goed dan. Wat zei je over beeld-materiaal?'

Op weg hiernaartoe had ik nagedacht en besloten dat ik niet meteen over Tori zou beginnen. Ik wilde hem eerst een eerlijke kans geven, al was het alleen maar om te zien hoe hij zou reageren. Misschien zou ik hem zelfs uit zijn tent lokken door hem de waarheid te vertellen en hem voor te stellen dat we het artikel over hem zouden schrappen.

'Herinner je je het echtpaar tot wie je afgelopen donderdag het woord hebt gericht?' vroeg ik. 'Nathan en Nancy Phillips?'

Hij fronste zijn wenkbrauwen. 'Nee.'

'Je hebt het voor de pauze met hen over hun zoon Andrew gehad.'

De frons werd dieper. Hij begon met zijn wijsvinger op zijn elleboog te tikken. Ik nam aan dat zijn hersenen op volle toeren werkten en hij pro-beerde in te schatten welke kant dit op ging voordat het te laat was.

'O, ja,' zei hij. 'Andrew.'

'Die wij hebben bedacht. Andrew bestaat niet.'

De vinger hield op met tikken. Even maar, en ging toen weer door.

'We hebben het hele gesprek op tape,' zei ik.

Hij reageerde niet.

'We hebben ook beelden van je waarop je een halskettinkje verstopt toen je bij hen thuis was. Heb je daar misschien commentaar op?'

Afgezien van de frons geen reactie. Hij begon me op mijn zenuwen te werken.

'Nee?' vroeg ik. 'Misschien maak je nu een raming van de schade die je carrière hierdoor kan oplopen? Want dat dat gaat gebeuren, lijkt me nogal duidelijk.'

Hij schudde zijn hoofd. 'Alsof dat er iets toe doet.'

'Dus je geeft toe dat je dat hele verhaal uit je duim hebt gezogen?'

'Natuurlijk.' Hij snoof. 'We zijn allebei profs. We weten hoe het werkt, of niet soms?'

'Ik weet dat je een oplichter bent.'

'Jezus christus.' Hij leunde op de bar, keek naar de plek tussen zijn beide handen en riep zichzelf tot de orde. Toen hij naar me opkeek, was de minachting van zijn gezicht te lezen. 'Denk je nu echt dat het me iets kan schelen hoe iemand als jij over me denkt? Ik ben niet zoals jij. Wat ik doe, doet niemand kwaad. Het enige wat ik ooit heb gedaan is een beetje troost bieden.'

'Je buit mensen uit.'

'O ja?' Hij schoot bijna in de lach. 'Ik walg van je. Smeer 'm.'

Zijn gezicht was vertrokken van haat, maar toch zag ik ook andere emoties, die dieper zaten.

Opeens besefte ik dat ik geen idee had wat hier precies gaande was. Hij had het nieuws over Nathan en Nancy niet verwacht, maar deed alsof het volkomen onbelangrijk was.

Mijn hand zat nog steeds in de zak van mijn jasje. Ik tastte naar het heft van het mes en sloot mijn vingers eromheen. Voor het geval dat.

'Meneer Stanley...'

'Nee,' zei hij. 'Nee. We weten allebei waarom je hier écht bent. Je denkt dat je zo slim bent, hè? Maar uiteindelijk zal blijken dat je geen haar beter bent dan ik. Daar ga ík voor zorgen. En ga nu maar weg.'

'Waar heb je het over?'

'Tuig! Dat ben je.'

'Ik weet niet...'

'Je weet heel goed waar ik het over heb,' zei hij. 'Over haar.'

'Tori?'

Onmiddellijk boog hij zijn hoofd en keek weer naar het tafelblad.

Ik deed een stap achteruit. 'Ik weet echt niet waar je het over hebt.'

'Jij hebt me die naam laten zeggen. Doe maar niet alsof het niet zo is. En toen zag ik haar, gisteravond in het nieuws. Wat een lage, vuile streek. Maar heel slim, dat moet ik toegeven.'

Het begon te duizelen in mijn hoofd. Stukjes vielen op hun plaats.

'Ik ben niet degene geweest die je die naam heeft doorgegeven,' zei ik.

'Nee, dat zal wel niet. Wie dan wel?'

Na een paar seconden, toen ik geen antwoord gaf, keek hij op. En achter zijn boosheid zag ik ten minste één emotie die ik herkende. Dat was angst.

Ik zei: 'Ik denk dat je beter open kaart met me kunt spelen, Thom.'

Het was begonnen met een gewone witte envelop. Die was de afgelopen donderdag voor Stanley afgegeven en lag op hem te wachten in zijn chique brievenbus beneden bij de receptie. Er zat geen postzegel op en niets wat hem iets vertelde over de afzender, alleen zijn naam, die op de voorkant was geschreven.

'Wat zat erin?' vroeg ik.

'Er zat geld in. Veel geld. Vijfduizend pond.'

Maar dat was het enige geweest – geen verklarend briefje – en Stanley vertelde me dat hij buitengewoon verbaasd was geweest. Hij had geen idee wie het geld had gestuurd en waar het voor was, en hij wist ook niet hoe hij daarachter moest komen. Aangezien zijn huisadres niet algemeen bekend was, nam hij aan dat het van zijn agent afkomstig was – een of andere achterstallige betaling die hij was vergeten – maar toen hij haar belde, wist ze van niets.

'En toen werd ik gebeld.'

Thuis, op zijn privénummer, en de beller wilde niet zeggen wie hij was. Hij vertelde Stanley dat hij zakenman was en een zakelijk voorstel had, meer niet, en dat er nog eens vijfduizend pond bezorgd zou worden als Stanley hem een kleine dienst wilde bewijzen. Dat was alles.

'Hij vertelde me dat zijn dochter die avond in het publiek zou zitten en dat ze heilig geloofde in wat ik deed,' vertelde Stanley. Hij lachte, maar het was geen blijde lach. 'Uit de manier waarop de man het zei was duidelijk op te maken dat hij er geen barst van geloofde. Toch bleef ik naar hem luisteren, dus blijkbaar had hij gelijk, denk je ook niet?'

Ik onthield me van commentaar, hoewel ik de ontkenning van zijn eigen bekwaamheden ronduit ontnuchterend vond.

'Wat wilde hij je laten doen?'

'Hij zei dat zijn vrouw Tori heette. Zijn dochter was in het afgelopen jaar van haar vervreemd geraakt en zijn vrouw vond dat heel erg. Hij dacht dat dit misschien de manier kon zijn om de twee weer samen te krijgen... om zijn dochter zo ver te krijgen dat ze contact met haar opnam. Hij zei dat ze me zeker zou geloven en dat dit het enige was wat hij nog had kunnen bedenken. Hij zei dat hij ten einde raad was.'

'Ik durf te wedden dat je hart brak toen je dat hoorde.'

'Ja, inderdaad.'

'Maar het geld gaf de doorslag.'

Daar ging hij niet op in. 'Het leek zo simpel om iemand op die manier een plezier te doen. Ik had een korte act bedacht voor als zijn dochter haar hand zou opsteken, maar natuurlijk stak er niemand zijn hand op.'

'En toen?'

'De rest van het geld zou gisteren worden gebracht.'

'Maar dat gebeurde niet.'

'Nee. En toen zag ik haar in het nieuws. Het is zo'n ongebruikelijke naam dat die me meteen opviel.'

'En toen dacht je dat wij je in de val hadden gelokt.'

'Ja, dat dacht ik.'

Zijn verschijning toen hij had opengedaan – het zichtbare gebrek aan slaap – was nu beter te begrijpen. Stanley dacht dat hij er op een sluwe manier toe was verleid om een naam te noemen die in het nieuws was geweest. Als iemand uit het publiek van die avond het had opgemerkt en het verband had gelegd, zou hij denken dat dit van zeer slechte smaak getuigde. Ook nu nog bestond de kans dat iemand het zich zou herinneren. Dan zou hij óf moeten bekennen dat hij geld had aangepakt om de boel op te lichten, óf hij moest de leugen volhouden en het risico nemen dat er veel ergere dingen konden gebeuren. Toen ik bij hem had aangebeld en het woord 'beeldmateriaal' had genoemd, moest hij hebben gedacht dat ik hem daarmee kwam confronteren.

'Heb je niet overwogen de politie te bellen?' vroeg ik.

'Waarom zou ik dat doen?'

Hij keek me aan met een mengsel van afschuw en zelfmedelijden. De kracht van de ontkenning. Misschien had hij medeleven verwacht, omdat hij zich in al zijn onschuld in deze precaire situatie had gewerkt.

'Heb je geen idee wie het anders geweest kan zijn?'

'Nee.'

Maar hij zei het te snel en ik wist dat hij er in elk geval over had nagedacht. Natuurlijk had hij dat gedaan. Ook al kon hij onmogelijk begrijpen waarom iemand zou willen dat hij die naam noemde.

En hij was niet alleen bang om als oplichter ontmaskerd te worden. Hij was vooral bang omdat hij voor het eerst in zijn leven de randen van het échte duister had aangeraakt.

'Heb je de envelop nog waar het geld in zat?'

Hij knikte. 'Hier.'

We liepen de woonkamer in, hij pakte de envelop van het raamkozijn en reikte hem aan.

Vingerafdrukken.

'Ik wil hem niet aanraken. Ik wil alleen de voorkant zien.'

Hij hield hem voor me op. Kleine, nette zwarte letters.

Hetzelfde handschrift.

'En toen hij belde?' vroeg ik. 'Heb je het nummer genoteerd?'

'Het was een onbekend nummer.'

'Oké. Hoe laat belde hij?'

'Dat weet ik niet precies meer. Om een uur of elf, geloof ik.'

Na zijn aanvankelijke halsstarrigheid leek hij nu graag bereid me alles te vertellen. Grappig was dat. Alsof hij, door me de informatie te geven, ook een deel van de verantwoordelijkheid op me kon afschuiven. Meelijwekkend, in feite, maar desondanks maakte ik gebruik van zijn zwakheid.

'Je weet dat je tot je kruin in de problemen zit, hè?' vroeg ik. 'Nou?'

Hij zag er ronduit ellendig uit. 'Ik heb de afgelopen vierentwintig uur maar aan één ding gedacht: dat ik dit kon terugdraaien. Dat ik kon doen alsof het nooit gebeurd was.'

'Ja, maar zo werkt het niet in het leven, Thom.'

Ik keek hem recht aan. Hij stond als een donker silhouet bij het raam. Het licht achter hem was fel, maar toch was hij de eerste die zijn blik afwendde.

Ik zei: 'En nu wil ik graag van je telefoon gebruikmaken.'

27

Zaterdag 3 september

Wat is er met je handen gebeurd?

Op haar meer heldere momenten wist Tori dat ze op haar linkerzij in een heel kleine ruimte lag. Zo klein dat ze haar benen had moeten optrekken, met haar knieën tegen haar borst, en dat haar hoofd en voeten toch de uiteinden raakten. Haar hele lijf was verstijfd. Er was iets voor haar mond gebonden.

Waar was ze? Wat...

Wat is er met je handen gebeurd?

Ze wist niet wat die woorden betekenden, maar ze beangstigden haar. Wat wás er met haar handen gebeurd? Die zaten muurvast achter haar rug; ze kon ze niet van elkaar doen en wanneer ze haar vingers bewoog, raakten die iets hards dat met een grof geweven stof was bekleed. Wat geen van beide goed nieuws was, hoewel het niet de echte reden was van de angst die ze voelde wanneer ze aan die vraag dacht.

Waar was ze?

Ze wist het wel, maar ze kon het zich niet herinneren. Het was hier benauwd en smerig warm. Ergens vóór haar was een rij gaatjes waar staafjes daglicht doorheen kwamen, als sigaretten, maar ze was niet in staat haar hoofd ernaartoe te buigen, een klein stukje maar, totdat er een vleugje frisse lucht langs haar neus streek en dan weer verdwenen was.

Ze was hier aan het doodgaan.

Tori begon te huilen en meteen kwam haar lichaam tot leven, als een inbraakalarm dat op een ingeslagen ruit reageert. Al haar zenuwuiteinden schreeuwden het uit van de pijn. Haar spieren ook: die verkrampten, werden gevoelloos of begonnen een eigen leven te leiden. Ze had een brandend gevoel in haar buik. Ze probeerde te schreeuwen, hoorde ze, maar haar tong was zo dik en zo droog dat die haar hele mondholte vulde. Dus kokhalsde ze, maar ze kon niet slikken omdat haar keel vol zand en metaalsplinters zat.

Blijf ademhalen...

Langzaam en niet te diep.

Toen begon alles te trillen en te schudden. Ze hoorde een doffe *woemf* en geronk, gevolgd door een tikkend en suizend geluid. Door de luchtgaatjes kwamen benzinedampen naar binnen, als roze serpentines in het duister. Ze kon ze zien... nee, ze kon ze ruiken.

De kofferbak van een auto. Nu wist ze het weer.

Ze hoorde een schril, piepend geluid, werd achteruitgedrukt in de kofferbak, en de pijn werd erger.

Ze bevond zich in een auto en had het gevoel dat ze hier al een eeuwigheid achterin lag. Talloze zwarte uren lagen achter haar. Wat voor dag was het? Geen donderdag meer. Dat was het laatste wat ze zich herinnerde...

De auto schokte hevig, reed over een verkeersdrempel, en met deze herinnering in haar hoofd verloor Tori het bewustzijn.

Het verkeer was een ramp.

Ze stond vast op de ringweg; de auto's om haar heen maakten haar licht nerveus en gaven haar het gevoel dat ze haar eigen autootje moest beschermen. Iedereen was zo ongeduldig. Ze hoorde claxons die door andere claxons werden beantwoord. Auto's wrongen zich in de voortkruipende stroom. Automobilisten eigenden zich een plekje op de weg toe, scholden op anderen en zwaaiden met hun vuist. Ik eerst, ik eerst. Nu! Nu meteen!

Ze zette de radio aan, schoof een cassettebandje in de opening en hoorde de geruststellende *klik*. Binnenkort zou ze het apparaat vervangen door een met een cd-speler erin. Je kon niet eens meer cassettebandjes kopen, toch? Maar ze stelde het altijd uit. Ze was gek op haar oude verzamelbandjes, ondanks de beperkingen van het systeem, of misschien juist wel daardoor. Het zachte geruis van het bandje was net zo geruststellend als de muziek zelf, en haar handschrift in blauwe ballpoint op de indexkaartjes gaf een vertrouwd beeld van de muziek die ze mooi had gevonden. Zelfs het repareren van vastgelopen bandjes, met een pen in een van de openingen en ze weer opwinden, had wel iets leuks. Maar ze zouden een keer breken, en dan kon ze ze weggooien. Haar favoriete songs kon ze wel vervangen, maar op de een of andere manier zouden ze niet meer hetzelfde klinken.

Tori ontspande zich enigszins toen de pianoklanken van *The Heart Asks Pleasure First* de agressieve wereld om haar heen overstemden. Ze moest aan Dave denken, aan hoe ze tegen hem had gelogen toen ze hem zei dat ze zich niet kon herinneren dat hij haar in het ziekenhuis was komen opzoeken, zonder te weten waarom ze dat precies had gedaan. Ze reed een paar meter door, totdat de rode remlichten van de auto voor haar, fel oplichtend in de oranje buitenverlichting, haar weer tot stoppen dwongen, dacht aan hoe het vandaag op haar werk was geweest en kwam tot de conclusie: Valerie vertrouwt me niet meer.

Ze zou willen dat haar opname in het ziekenhuis, van drie weken geleden, vanwege een gebroken been, een auto-ongeluk of in elk geval iets lichamelijks was geweest. Desnoods een besmettelijke ziekte. Wanneer je lichaam schade had opgelopen, herkenden en begrepen mensen dat. Ook als ze zelf nooit iets soortgelijks hadden meegemaakt, konden ze er iets mee. Als je weer aan het werk ging nadat je gebroken pols was genezen, zat je tenminste niet opgescheept met collega's die je voortdurend zijdelingse blikken toewierpen alsof je elk moment kon doordraaien en met koffiekopjes kon gaan smijten.

Valeries afgewende blikken en gemompelde excuses om snel te kunnen vertrekken hadden Tori het gevoel gegeven dat ze werd verraden. Alsof Tori iets had verzwegen over een of ander crimineel verleden en Valerie het risico liep dat ze als medeplichtige zou worden beschouwd. Sterker nog, ze waren haar vandaag allemaal uit de weg gegaan. En toen ze dachten dat ze niet keek, hadden ze zelfs haar werk gecontroleerd. In hun ogen was Tori beschadigd, besmet, en geen gewoon mens meer. Je breekt je pols en de mensen kunnen het zien als hij weer is geheeld. Je raakt op een minder zichtbare manier beschadigd en ze zullen denken dat je altijd beschadigd bent geweest en het nooit meer goed zal komen.

Het leven was soms verdomd moeilijk.

Blijf ademen...

Langzaam en niet te diep.

Later, toen ze de wereld had buitengesloten door de gordijnen dicht te trekken, de lichten aan had gedaan en door warme, vrolijke kleuren werd omgeven, had ze een simpel maal voor zichzelf klaargemaakt: bonen in tomatensaus op geroosterd brood. Toen ze klaar was met eten en de restjes in de vuilnisbak wilde gooien, was ze opeens blijven staan. Ze had boven een geluid gehoord.

Ze verroerde zich niet, hield haar hoofd schuin en spitste haar oren.

Ze had een vloerplank horen kraken.

Maar het geluid herhaalde zich niet, dus veegde ze het bord af en zette het in de spoelbak.

Ze wilde net de warme kraan opendraaien toen ze het weer hoorde. Het klonk alsof het uit de logeerkamer kwam, die recht boven haar was, en hoewel het geluid zich niet herhaalde, bleef ze naar de smalle barst in het plafond staren.

Natuurlijk kraakte alles in huis. Het hout was oud en de muren waren dun. Af en toe kon ze de buren in bed bezig horen en voelde ze een lichte steek van afgunst. Niet zozeer vanwege de seks maar vanwege de stilte erna, wanneer Tori zich kon voorstellen dat ze liefkozend naast elkaar lagen. Dat zou leuk zijn. Iemand die haar in zijn armen hield.

Kraak.

Het had niets te betekenen. Vloerplanken zetten uit en krompen doorlopend wanneer in de loop van de dag de temperatuur veranderde. Maar toch liep ze de keuken uit en de woonkamer in, naar de trap bij de achterdeur. Ze bleef staan en luisterde, maar ze hoorde niets. Op de overloop boven haar bewoog niets en was alles doodstil.

Ze liep de trap op.

De deur van de logeerkamer stond open. Tori kon gemakkelijk naar binnen kijken, en natuurlijk was er niemand.

God, ze moest echt eens iets met die kamer doen. Ze ging in de deuropening staan, deed het licht aan en keek onthutst naar de kale vloerplanken, naar de kast met de deur die niet goed wilde sluiten. Aan het plafond hing een kale gloeilamp en recht tegenover haar waren de ramen met de paarse gordijnen, die iets te klein waren. Ze zag zichzelf in het onbedekte glas in het midden, en het spiegelbeeld van de man die achter de deur stond.

Hij trapte de deur dicht, heel hard, en voordat ze het wist vloog ze tegen de kast en viel ze bewusteloos op de grond.

Ze werd wakker, net zo doodsbang als daarvoor, en besefte dat ze had gedroomd. De auto schokte en herinnerde haar aan waar ze was. O mijn god. Nog steeds in de kofferbak. Wat wilde hij? Waar bracht hij haar naartoe? Ze was bijna zo ver dat ze het liefst dood wilde, om ten minste een eind aan dit lijden te maken. Haar spieren, die al in brand stonden, schreeuwden het uit bij elke oneffenheid in het wegdek. De pijn was ondraaglijk, maar toch werd ze gedwongen die te verdragen.

Blijf ademen.

Zonder zich te laten weerhouden door de kramp in haar lichaam probeerde ze haar hoofd dichter bij de luchtgaatjes te krijgen en strekte ze haar pijnlijke nek zo ver ze kon. Maar het enige wat ze ermee bereikte was dat de stank van benzine sterker werd en dat ze niet goed meer kon zien omdat de damp op haar ogen sloeg. Dat kon toch niet? Haar zintuigen leken in de war. Ze wist dat ze weer buiten kennis ging raken.

Maar op dat moment minderde de auto vaart, kwam tot stilstand en hoorde ze dat de handrem werd aangetrokken. Ze waren ergens gestopt. Ze spitste haar oren, probeerde te horen of er iemand was, maar hoorde niets. Desondanks kwam ze in actie en schopte ze zo hard als ze kon tegen de zijkant van de auto.

Maar haar benen bewogen nauwelijks; ze had er geen kracht meer in. Ze wilde...

Stemmen.

Tori riep zichzelf tot de orde en luisterde. Mensenstemmen, absoluut. Of in ieder geval van één mens. De helft van een gesprek. Dat was het moment waarop ze besefte dat het de bestuurder van de auto was, die in een mobiele telefoon praatte, maar het geluid klonk te dof om verstaanbaar te zijn. Ze probeerde te horen wat er werd gezegd, maar kon er niets van maken. De woorden zweefden langs haar heen, net als de frisse lucht die door de gaatjes kwam... vervormde indrukken van een taal die ze niet begreep.

En toen ze het hoorde dacht ze: wat is er met je handen gebeurd?

O god, ze wist nu wat dit betekende.

Tori begon te gillen, geluidloos, zonder acht te slaan op het stof en de metaalsplinters in haar keel, totdat de pijn te erg werd en ze weer in het duister wegzonk.

28

Zaterdag 3 september

Er bestaat een goede methode om goocheltrucs te analyseren. Je begint aan het eind – bij dat wat je niet kunt verklaren – en werkt langzaam achteruit, langs de dingen die je wel weet, en concentreert je op de ruimten daartussenin. Op die manier kun je het geheim ontsluieren. Ga uit van de feiten binnen de truc en zoek uit hoe die tot stand zijn gekomen.

Wanneer een ring in een plantenpot bij de deur opduikt, moet iemand die erin hebben gelegd. Als er maar één persoon in de buurt van die deur is geweest, moet hij het hebben gedaan. En als er maar één moment is waarop hij die ring heeft kunnen pakken, moet het tóén gebeurd zijn. Door de feiten een voor een door te nemen, kun je de ruimten ertussenin inkleuren.

Deze methode is ook toe te passen op al het andere in het leven. Als ik kon uitvinden hoe de moordenaar had kunnen doen wat hij had gedaan, zou ik meer over hem te weten komen.

Het was duidelijk dat hij veel over mij wist, en die informatie was hem niet zomaar komen aanwaaien. Hoe had hij die dan wel verkregen? Hij kende drie van mijn ex-vriendinnen. Het was mogelijk dat óf Julie, óf Emma hem over Tori had verteld, want mijn relatie met Tori was vóór die met hen geweest, en ze hadden haar allebei wel een keer ontmoet. Maar Julie en Emma kenden elkaar niet. Hij kon Julie niet hebben ontvoerd en van haar van Emma's bestaan hebben gehoord, of andersom. Wat inhield dat hij zijn informatie uit een andere bron moest hebben. De meest voor de hand liggende verklaring was dat ik zijn vertrekpunt was, dat hij mij om de een of andere reden tot zijn doelwit had gekozen. Als ik met andere meisjes uit was geweest, zou hij díé hebben ontvoerd.

Hij wist dus wie mijn ex-vriendinnen waren, die van ten minste de afgelopen twee jaar. Hij wist waar het huis van mijn ouders was. En hij had Thom Stanley omgekocht om me de afgelopen donderdag in het theater een boodschap over te brengen, dus hij had geweten dat ik daar zou zijn.

Van het eindresultaat naar het geheim. Hoe graag ik ook wilde dat het niet waar zou zijn, kon ik op de hele wereld maar één persoon bedenken die al die dingen wist.

Op zaterdag rond lunchtijd is de campus van de universiteit vrijwel verlaten. Ik zat op een muurtje op enige afstand van het hoofdgebouw en keek naar de ingang. Vanaf de ingang werd het pad breder en splitste het zich bij een bloemperk in de vorm van een oog, met het hoofdgebouw als wenkbrauw erboven en het weer smaller wordende pad als lachlijntjes aan weerskanten ervan.

Heel af en toe liepen er een paar studenten voorbij, pratend in hun mobiele telefoon of luisterend naar hun mp3-speler, maar verder was er niemand te zien. Het pad en de gazons lagen bezaaid met flyers, als getuigenissen van de festiviteiten van de afgelopen avond: blaadjes papier die door de regen tegen de grond waren gedrukt en vervolgens waren opgedroogd zodat ze er als stickers op gelijmd leken. Boven de hoofdingang stond een van de grote boogramen open. In de vensterbank stonden twee grote speakerboxen, maar er kwam geen geluid uit.

Toen ik Rob vanuit Thom Stanleys flat had gebeld, had ik niet gezegd waar hij naartoe moest komen. Ik hoopte dat hij zich herinnerde wat ik de vorige avond in Carpe Diem tegen hem had gezegd. *Weet je nog waar we elkaar voor het eerst hebben ontmoet?* Als de politie meeluisterde, had er gewoon iemand met Stanleys telefoon gebeld en had er een onbeduidend gesprekje over een eerder geplande lunchafspraak plaatsgevonden.

Als de politie hier opdook, zou dat betekenen dat ze óf Rob hiernaartoe waren gevolgd, óf dat hij me had aangegeven. Als ik gelijk had, was het uitgesloten dat hij dat laatste zou doen. En ondanks het feit dat ik de stem van de man die ik gisteravond had gesproken niet had herkend, kon ik geen andere verklaring bedenken. Omdat afgezien van Rob niemand al die dingen over me wist.

Een minuut of vijf later kwam hij aanlopen. Ik keek toe terwijl hij links van me het pad op kwam lopen, op zijn bekende ontspannen, bijna slome manier, alsof hij verwachtte dat iemand hem zou uitlachen en hij daar ver boven stond. Maar voor zover ik kon zien was er verder niemand.

Toen hij het hoofdgebouw naderde sprong ik van het muurtje af.

'Rob.'

Even keek hij verbaasd om zich heen en toen zag hij me.

Ik wenkte hem. 'Hier.'

Terwijl hij naar me toe kwam observeerde ik zijn gezicht en vroeg ik me af of mijn vermoedens waar konden zijn. Ik wilde dat niet, en ik kon het me ook nauwelijks voorstellen. Hij was al bijna tien jaar mijn beste vriend, was er altijd voor me geweest en ik had altijd op hem kunnen rekenen. Het leek bespottelijk dat hij hier iets mee te maken had, maar de feiten spraken voor zichzelf.

Ik deed mijn best om mijn gezichtsuitdrukking neutraal te houden.

'Dave,' zei hij. 'Jezus, hoe gaat het met je?'

Ik schudde mijn hoofd.

'Niet hier.'

'Waar dan?'

'Kom mee.'

St. John's Field is een grote lap grasland tussen de universiteitscampus en de hoofdweg. Op doordeweekse dagen is het er meestal vredig en stil. Voor zover ik kon zien waren we vandaag de enige mensen die er rondliepen.

Het was ook een ronduit onheilspellende plek, zelfs overdag. In het midden stond de Garratty-dependance, een grimmig, bakstenen gebouw omringd door banken en oude, strenge standbeelden. Vanaf daar liep een web van voetpaden alle kanten op, voor een deel korte doorgangen naar het terrein van de universiteit en andere tussen groepjes bomen door naar de weg. De paden zelf waren bestraat met oude, boogvormige grafstenen. Toen het oudste deel van de stadsbegraafplaats was opgedoekt, waren de grafstenen hiernaartoe gebracht en plat neergelegd, met de ronde kant als tanden naar elkaar toe.

In elke grafsteen stonden een naam en data gebeiteld, het merendeel van baby's en kleuters, hoewel veel ervan niet meer te lezen waren. Wanneer je van de ene kant van dit gebied naar het andere liep, bijna altijd in de wind, bewoog je je door een gemeenschap van overleden, vergeten mensen.

'Je hebt dit vast gisteravond al gepland,' zei Rob. 'Toen ik me moest herinneren waar we elkaar voor het eerst hadden ontmoet.'

We liepen langzaam, alsof we geen echte bestemming hadden. Net als vroeger, toen we nog student waren. Ik had mijn ogen iets dichtgeknepen vanwege de wind, omdat er geen enkele beschutting was, en in plaats van vooruit te kijken had ik mijn hoofd gebogen en keek ik naar de grafstenen onder mijn voeten.

'Niet echt,' antwoordde ik. 'Maar ik heb wel vooruit gedacht.'

'Ik hoef jou toch niet te vertellen hoe diep je in de problemen zit?'

'Ik weet niet hoe diep ik erin zit. Dus ja, vertel het me maar.'

Mijn stem had een scherpere klank gekregen, maar Rob scheen het niet te merken. Het was wel te horen dat hij niet gelukkig met de situatie was.

'Ze zijn op kantoor geweest.'

'Dat had ik wel verwacht.'

'Ze waren er toen jij belde. Ze hebben een heleboel meegenomen. Ik zou zeggen dat de situatie knap ernstig is.'

Ik knikte. 'Ze denken dat ik die meisjes heb vermoord.'

'Én dat je Tori hebt ontvoerd. Ik zag het gisteren in het late nieuws. Ze wordt vermist.'

'Dat weet ik. Maar ík heb het niet gedaan.'

'Nee, dat dacht ik al. Maar wat is er dan aan de hand, Dave?'

'Hier.'

Ik haalde het blaadje papier uit mijn zak, vouwde het open en gaf het aan hem. We liepen langzaam door terwijl hij het las en ik lette goed op zijn gezicht. Alles wat ik zag vertelde me dat hij het niet eerder had gezien. Ik wilde graag geloven dat dat waar was, maar was dat ook zo?

'Jezus christus, Dave. Wat moet dit verdomme voorstellen?'

'Precies wat je ziet,' zei ik. 'De man die Tori heeft ontvoerd heeft dit in haar huis voor me neergelegd. Hij speelt een spelletje met me; ik heb geen idee waarom. Hij heeft ook die e-mail gestuurd die jij voor me naar Carpe Diem hebt meegenomen.'

Rob las de tekst nog een keer. 'Christus.'

Hij maakte een geschokte indruk, maar kwam dat door de inhoud van de brief? Als hij echt degene was geweest die gisteravond in die auto had gezeten, of op de hoogte was geweest van de plannen van iemand anders, had hij dan niet heel verbaasd moeten reageren omdat ik nog steeds een kopie van de brief had? Hij had tenslotte moeite genoeg gedaan om die van me terug te krijgen. Zonder precies te weten waarom had ik hem een paar keer door het oude faxapparaat van mijn vader gehaald.

'Hij heeft Julie vermoord,' zei ik. 'En Tori ontvoerd.'

Julie de slet, dacht ik. En Tori de gestoorde.

We kwamen bij het eind van het open stuk. Vanaf hier liep het voetpad tussen dicht opeenstaande bomen door. Aan weerszijden van het pad waren de rijker versierde graven, met beelden die als zwijgende, door weer en wind aangetaste wachters toekeken. Het werd donkerder toen we doorliepen.

Rob gaf me de brief terug.

'Maar waarom? Waarom heeft hij het op jou gemunt?'

Ik bleef staan. 'Dat weet ik niet. Ik hoopte dat jij me dat kon vertellen.'

'Maar... wat?' Hij staarde me aan. Leek opeens van zijn stuk gebracht.

Ik zei niets.

'Kijk me niet zo raar aan, Dave. Wat is er aan de hand?'

'Zoals ik al zei, Rob, vertel jij het me maar.'

'Wat... denk je dat ik er iets mee te maken heb?' Hij schudde zijn hoofd. 'Val dood, jij! Nadat ik voor jou tegen de politie heb gelogen en hiernaartoe ben gekomen om met je te praten? Hoe haal je het verdomme in je hoofd?'

'Thom Stanley,' zei ik.

'Wat is er met Thom Stanley?'

'Ik heb hem gesproken.'

'Ja, en?'

'Iemand heeft hem donderdagochtend gebeld,' zei ik. 'Een man. Die had hem geld gegeven... hem omgekocht om tijdens zijn optreden Tori's naam te noemen.'

'Nou, dat ben ik verdomme niet geweest.'

'Wie dan wel? Wie wist er nog meer van Julie en Emma, of van wat ik voor Tori voelde? En dat ik die avond in het publiek zou zitten?'

'Dat weet ik niet, maar ík was het niet.' Zijn verontwaardiging was verdwenen. Hij maakte een gekwetste indruk, voelde zich verraden. 'Waarom zou ik dat doen?'

Ik wist niet wat ik moest zeggen. Ik keek naar zijn gezicht, zocht naar iets wat aangaf dat hij dit speelde, maar ik vond niets.

Rob schudde zijn hoofd. 'We zijn verdomme al tien jaar vrienden. We zijn altijd voor elkaar door het vuur gegaan. Waarom zou ik... waarom zou ik jou zoiets aandoen?'

'Dat weet ik niet.'

Het was Rob niet.

Hoe had ik ooit kunnen geloven dat hij het was?

De totale wanhoop sloeg toe. Opeens kwam alles naar boven en werd het me allemaal te veel. Zonder na te denken zakte ik door mijn knieën en ging op de grond zitten. Ik sloeg mijn handen voor mijn gezicht, durfde hem niet aan te kijken.

'Het spijt me. Het spijt me heel erg. Ik kon gewoon geen andere verklaring bedenken.'

Rob zei niets.

'Het enige wat ik wil is dat dit ophoudt.'

De stilte bleef even voortduren. Toen voelde ik zijn hand op mijn schouder. Ik deed mijn ogen open en zag dat hij naast me gehurkt zat. Zijn stem klonk vriendelijk.

'Je moet naar de politie gaan.'

'Dat kan ik niet doen, of wel soms?'

'Vanwege dat briefje? Jezus christus. Hij vermoordt haar toch wel, denk je ook niet? Wat je ook doet?'

'Dat weet ik niet.'

'Je hebt geen keus, Dave.'

'Nee.' Ik was vastbesloten en vond dat hij dat moest weten. 'Het maakt niet uit wat hij doet. Het enige wat ertoe doet is wat ík doe.'

'Maar...'

'Ik zou het niet aankunnen als ik haar het leven had kunnen redden.'

Rob zei niets, bleef me enige tijd aankijken en slaakte een zucht. Na nog een korte stilte opende hij zijn mond alsof hij iets wilde zeggen.

Op dat moment begon een van de mobiele telefoons te piepen.

Het was het toestel dat de moordenaar me gisteravond had gegeven. Het geluid bracht me terug in de werkelijkheid... wekte me met een tik in mijn gezicht uit mijn zelfmedelijden. Ik keek Rob aan, bracht mijn wijsvinger naar mijn lippen, stond op en haalde het toestel uit mijn zak.

'Ja?' zei ik.

'Wil je haar redden?' vroeg de man.

'Ja.'

'Dan moet je doen wat ik zeg.'

'En dat is?'

Ik hoorde hem ademhalen; een zware ademhaling, alsof hij nauwelijks zijn woede jegens mij kon bedwingen. Toen hij antwoordde hoorde ik in zijn stem dezelfde minachting die ik de vorige avond had gehoord.

'Je moet doen wat je altijd doet,' zei hij. 'Niks. Zie je, ik heb het je gemakkelijk gemaakt. Het enige wat je hoeft te doen, is helemaal niks; dan blijft ze in leven. Zeg maar dankjewel.'

'Ik begrijp het niet.'

'Zeg dankjewel!' snauwde hij.

'Dankjewel.'

Het bleef een paar seconden stil, alsof hij zichzelf tot de orde moest roepen. Toen zei hij, op heel afgemeten toon: 'Over een paar minuten ga ik bij Sarah op bezoek. Om Tori te redden doe je niks, helemaal niks.'

Een flits van paniek. 'Sarah?' riep ik. 'Wacht...'

En de man verbrak de verbinding.

Ik kwam zo snel in beweging – zonder iets te zeggen – dat het uitgesloten was dat Rob me zou kunnen bijhouden. Ik klemde mijn kiezen zo hard op elkaar dat mijn kaken er pijn van deden en overal waar ik keek zag ik sterretjes. Ik had nergens meer vat op. Mijn hersenen voelden alsof ze elk moment oververhit konden raken.

En toen ik bij mijn auto kwam kon ik me niet langer beheersen. Ik stapte in en begon met mijn vuisten op het stuur te slaan. Tien, twintig keer. Het was alsof ik door mijn emoties buiten mijn eigen lichaam terecht was gekomen. Zo moest iemand zich voelen die bezeten was. Het geluid dat ik hoorde was van iemand die met zijn mond dicht probeerde te schreeuwen, en hoewel ik wist dat ik het was, had ik geen enkele controle over wat ik deed.

Kalmeer.

Probeer rationeel na te denken.

Rationeel? Wat schoot ik daar verdomme mee op?

Maar ik hield op met op het stuur slaan; dat was in elk geval iets. Ik legde mijn onderarmen erop en probeerde te bedenken wat ik moest doen. Ik had geen idee. Als ik niet ingreep zou de man achter Sarah aan gaan, en als ik dat wel deed – zelfs als ik erin slaagde hem tegen te houden – zou hij weigeren te vertellen waar Tori was, of dat pas doen als het te laat was.

Of niet, zoals Rob had gezegd.

Ik dacht na. Als ik niets deed, zouden ze misschien allebei sterven. Als ik naar Sarahs huis ging, kon ik haar misschien het leven redden. Kon ik deze man een halt toeroepen. Misschien zou hij de politie dan vertellen waar Tori was. Maar wat de uitkomst ook zou zijn, ik kon niet toestaan dat Sarah, of iemand anders, naar het leven werd gestaan. Dat ik Emma dood op haar bed had moeten achterlaten was één ding, maar dit was iets wat ik werkelijk kon voorkomen.

Doe iets.

Ik haalde de telefoon weer uit mijn zak. Mijn eerste ingeving was dat ik haar moest bellen... maar toen besefte ik dat ik haar nummer niet uit het hoofd kende. Dat zat opgeslagen in mijn eigen toestel, en ik wist niet waar dat op dit moment was.

In handen van de politie, hopelijk.

Bel die dan, en rij daarna naar haar huis.

Maar voordat ik in actie kon komen viel er een schaduw over me heen. Ik keek op en opzij, en op dat moment werd het portier aan mijn kant opengerukt. Politie, kon ik nog net denken, voordat twee grote knuisten de revers van mijn jasje vastgrepen en ik uit de auto werd gesleurd. Ik stootte mijn elleboog hard tegen de deurpost, waardoor de telefoon uit mijn hand viel en in de goot terechtkwam.

In een flits zag ik een gezicht, recht voor me, maar toen werd er een gespierde arm om mijn keel geklemd en werd ik achteruit getrokken.

'We moeten praten, Dave.'

Shit.

De wereld kantelde en ik werd achteruit de straat in getrokken, in een houdgreep zo strak dat ik bijna geen adem meer kreeg. Ik kon de telefoon nog net op het wegdek zien liggen en achter me zien verdwijnen... totdat ik alleen nog maar sterretjes zag, en deze keer niet alleen van woede. Ik struikelde en werd verder achteruitgetrokken...

'Choc, wacht...'

'Daar is het nu te laat voor.'

Ik wist me los te worstelen uit de greep, haalde blindelings uit, raakte iets, maar dat had geen enkel effect. Degene die me in bedwang hield was zo massief als een berg. Mijn slag schampte hem en onmiddellijk daarna explodeerde de zijkant van mijn gezicht alsof er een flitsfoto van werd gemaakt. Een tel daarna explodeerden ook de spieren in mijn bovenbeen en lag ik ineens met mijn gezicht op het wegdek. Hoe was dat in hemelsnaam gebeurd?

'Veel te laat.'

En toen doken ze echt boven op me.

29

Zaterdag 3 september

'Waar gaan we naartoe?' vroeg ik.

'Kop dicht.'

Ik zat achter in een auto, muurvast geklemd tussen de twee grootste leden van Chocs bende. Ze brachten me ergens heen, maar ik had geen idee waar naartoe. De omgeving vloog voorbij: een boom, een gebouw. Het enige wat ik wist was dat de beslissing die ik zonet had genomen met de seconde nuttelozer werd. Ik had het gevoel dat de helft van mijn hersens op straat was blijven liggen. Toch begon er heel langzaam weer wat leven in te komen.

'Ik moet terug.'

'Hou verdomme je kop.'

We waren twee minuten onderweg toen ik voldoende was hersteld om te begrijpen wat er was gebeurd. Maar ik kon me nog niet alles herinneren, alleen de klappen en schoppen toen ik op de weg lag – vuisten en voeten die van alle kanten op me afkwamen – en daarna was ik opeens... hier. Ik was ervan overtuigd geweest dat ze me daar op straat zouden vermoorden, maar blijkbaar hadden ze me alleen een beetje 'bewerkt', de weerstand uit me geslagen.

De pijn begon zich nu pas te manifesteren. Het brandende gevoel in mijn armen en ribbenkast. Mijn lippen, die dik waren en bloedden. De zijkant van mijn gezicht, waar helemaal geen gevoel meer in zat.

'Luister nou...'

'Ik waarschuw je nog één keer: hou verdomme je kop dicht.'

Daar dacht ik even over na en haalde toen uit, met mijn elleboog naar het gezicht van de man die rechts van me zat.

Ik raakte hem wel, maar blijkbaar was ik een stuk langzamer dan de gasten met wie hij normaliter te maken had, want hij draaide zijn hoofd weg zodat er nauwelijks schade werd aangericht. En voordat ik het wist zat ik met mijn hoofd tussen mijn knieën, met een loodzware hand als een stalen vork om mijn nek. Gevolgd door een snoeiharde klap in mijn zij, zo hard dat ik geen adem meer kreeg, laat staan dat ik de moed had om te protesteren of iets terug te doen. Een flitsende pijn, fel en intens, die zich daarna door mijn lichaam verspreidde alsof je een steen in het water had gegooid. Ik wilde overeind komen, maar ook dat ging niet. Elke keer als ik me probeerde op te richten, sloot de hand zich vaster om mijn nek en werd mijn hoofd harder omlaag geduwd.

Iemand moet hebben gezien dat ze je naar die auto sleepten.

Wat er ook gebeurde, ze zouden me niet vermoorden.

Alhoewel, dat had Eddie Berries zichzelf waarschijnlijk ook wijsgemaakt. Ik deed mijn best om aan niets te denken en luisterde naar de auto, het geruis van de banden op het wegdek en af en toe het klikken van de ver- snelling. En daarna naar het zachte piepen van de ruitenwissers, toen de bestuurder die aan had gezet. Het was zeker weer gaan regenen.

'Choc, alsjeblieft...'

'Hou je mond. Zo meteen mag je praten. En praten zul je.'

We reden nog even door, maar toen minderde de auto vaart, gevolgd door een lichte schok en het gevoel dat we een helling op reden. Ten slotte maakte de auto een bocht, kwam tot stilstand en hoorde ik dat de hand- rem werd aangetrokken.

'Niemand in de buurt?'

'Dat zou me verbazen. Ik zie in elk geval niemand.'

'Oké. Laat hem uitstappen.'

De hand liet mijn nek los en de beide achterportieren gingen open. Iemand greep de stof van mijn jasje vast, boven op de rug, tilde me op, trok me naar buiten en liet me op de grond vallen. Ik kwam op mijn handen en knieën terecht, zag de regendruppels op de grond kletteren en werd overeind getrokken.

We bevonden ons boven aan een helling van een of ander recyclingbedrijf. Onder me, achter de verveloze stalen balustrade, zag ik een rij treinwagons vol vuilniszakken, oude meubels en afvalhout. Aan de zijkant lagen een paar puntige bergen van lege flessen. Ik hoorde van beneden een ratelend geluid komen, werd gegeseld door de regen en voelde de wind aan mijn kleren plukken.

Choc kwam recht voor me staan en knikte. De kracht die zijn lichaam uitstraalde was ronduit beangstigend. Zo had hij er niet eens uitgezien toen hij Eddie onder handen nam. Ik had toen ook woede gezien, hoewel die lichtelijk overdreven was overgekomen, maar nu zag hij eruit alsof die hem al dagen verteerde en elk moment op mij losgelaten kon worden. Hij had een matte, lege blik in zijn ogen.

'Choc...'

Hij stak zijn hand achter zijn jasje en haalde een pistool tevoorschijn. Ik wilde ineenkrimpen, maar zijn mannen hielden me zo stevig beet dat ik me niet kon bewegen, dus voelde ik alleen mijn hart door mijn borstkas stuiteren, alle kanten op.

De woorden kwamen zo snel uit mijn mond dat ze over elkaar heen buitelden. 'Ik weet niet wat je denkt maar wat het ook is, het is niet waar.'

Hij reageerde niet en bleef me strak aankijken. 'Vertel me wat er verdomme aan de hand is.'

'Ik weet niet wat...'

Hij richtte de loop van het pistool op mijn gezicht.

Automatisch begon ik met mijn ogen te knipperen en probeerde mijn hoofd weg te draaien. Maar zijn mannen hielden me stevig vast en de loop van het pistool draaide met me mee.

'Breng hem naar de reling,' zei Choc.

Ik probeerde me te verzetten maar had geen schijn van kans. *Als je aan mijn vrienden komt, kom je aan mij,* had hij gezegd, herinnerde ik me. *Zorg ervoor dat ik me geen zorgen over je hoef te maken.* Ging dit over Eddie?

'Ik heb tegen niemand iets gezegd,' zei ik. 'Ik ben niet gek. Ik zou nooit...'

'Hang hem eroverheen.'

Ik voelde de reling in mijn onderrug en hoe mijn bovenlichaam achteruit werd gebogen. Choc deed zijn ene oog dicht en richtte het pistool op mijn voorhoofd. Zijn vinger kromde zich om de trekker. Ik kneep mijn ogen dicht.

'Je krijgt één kans,' zei hij. 'Waar is ze?'

Tori.

'Dat weet ik niet! God, ik zweer het. Ik ben het niet geweest.'

Ik wist niet meer wat ik nog moest zeggen, dus deed ik mijn mond dicht en wachtte op het schot, dat elk moment kon komen. Zou ik de tijd krijgen om het te voelen, of zou alles gewoon ophouden? Het had geen enkele zin om daarover na te denken. Het was net zoiets als proberen je te herinneren hoe het was voordat je geboren was. Ik zou gewoon ophouden te bestaan...

'Oké,' zei Choc. 'Doe je ogen open.'

Na een korte aarzeling deed ik dat. Het pistool hing losjes in zijn hand, naast zijn bovenbeen, en hij stond in de verte te staren. De mannen die me hadden vastgehouden trokken me naar voren, weg van de reling, en lieten me los. Het duurde even voordat het tot me doordrong dat ik niet dood was. Mijn hart sloeg zo snel dat ik bang was dat ik alsnog aan een hartverlamming zou sterven.

'Ik geloof je,' zei Choc.

Ik boog me voorover en zette mijn handen op mijn knieën.

'Diep ademhalen.' Hij klopte me op mijn rug.

'Ze is ontvoerd,' zei ik. 'Door die kerel waar ze het in het nieuws over hadden.'

'Ja, ik weet het.' Hij bewoog zijn beide schouders om ze te ontspannen. 'Kom op, man. Ga rechtop staan, verdomme.'

Ik ademde nog een keer diep in en deed wat hij zei.

Het leek min of meer safe.

'Ik had een sms van haar gekregen,' zei Choc. 'De politie kwam langs en wilde die zien. Ze waren veel te geïnteresseerd in die verdomde sms. En later die dag was ze ineens in het nieuws op tv.'

'Ja, ik weet het.'

'We hebben je kantoor de hele dag in de gaten gehouden. En toen die dikke maat van je naar buiten kwam, zijn we hem achterna gegaan.'

'Rob.'

'Ja. We zijn hem gevolgd. De politie was bij je huis en daarna bij je kantoor, en een van die gasten was gisterochtend ook al bij je langs geweest. Kortom, ze denken dat jij de dader bent.'

Ik knikte. 'Ja, maar dat is niet zo.'

'Goed, ik geloof je. Als dat niet zo was, zou je nu beneden liggen. Dus is de vraag: waarom is de politie minder slim dan ik? Afgezien van de voor de hand liggende redenen.'

'Ik heb ook een sms van haar gehad. Ik ben naar haar huis gegaan om te kijken of alles oké was en heb daar een brief gevonden. De man die haar heeft ontvoerd dwingt me allerlei dingen te doen. Als ik naar de politie ga, heeft hij gezegd, laat hij Tori doodgaan. En dan laat hij het eruitzien alsof ik het heb gedaan.' Ik moest weer aan Emma denken. 'Hij heeft me dingen laten doen...'

Choc hield zijn hoofd schuin en keek me aan. Alsof hij me opnieuw inschatte en tot een andere conclusie kwam.

'Ja, maar waarom? En wie is die kerel?'

'Dat weet ik niet,' zei ik. 'Maar hij heeft Tori en hij zei dat hij naar het huis van mijn nieuwe vriendin zou gaan. Waarschijnlijk is hij nu naar haar onderweg. We moeten de politie bellen.'

Choc draaide zich om en schudde zijn hoofd.

'Dat gaat zomaar niet.'

'Wat? Maar je zei dat je me geloofde...'

'Alex is dood.'

Hij zei het zacht, blijkbaar in de verwachting dat hij me daarmee de mond zou snoeren. Hij had gelijk. Ik probeerde de stukjes in elkaar te passen maar had geen idee hoe. Het verklaarde wel waarom Choc zo boos was. En onder die boosheid, voelde ik, zat ook verdriet. Hij stond met zijn rug naar me toe en verroerde zich niet.

'Wat is er gebeurd?' vroeg ik.

'Iemand is zijn flat binnengedrongen. Er is niks gestolen, maar hij was ernstig mishandeld. Alsof iemand heeft geprobeerd informatie uit hem te krijgen.'

'Wat voor informatie?'

'Dat weet ik dus niet. Maar in onze bedrijfstak loont het als je hier en daar je bronnen hebt. De politie heeft iets in zijn flat gevonden. Ik weet niet wat dat is, maar op de een of andere manier brengt het hem in verband met de moorden. Dus óf de indringer wilde het van hem hebben, óf hij heeft het daar achtergelaten.'

Waarom zou de moordenaar Cardo uit de weg willen ruimen?

Dat sloeg nergens op.

'Misschien heeft hij mij geschaduwd,' zei ik, want dat was het enige wat ik kon verzinnen. 'Misschien is hij jullie gevolgd toen jullie die avond bij mijn flat langs zijn geweest. Maar ik heb geen idee waarom hij dat zou doen.'

Choc knikte, maar niet omdat hij overtuigd was. Toen draaide hij zich naar me om. Ik had verwacht iets op zijn gezicht te zien, woede of haat desnoods, maar er was niets. Hij zag er volmaakt kalm uit, alsof hij al zijn emoties van zonet had opgeborgen en ze bewaarde voor een volgend moment.

'Zei je dat hij naar je vriendin op weg is?'

Ik knikte. 'We moeten de politie bellen.'

'Nee,' zei Choc. 'We gaan zelf.'

Hij keek me aan alsof hij me uitdaagde het met hem oneens te zijn. Dat wilde ik eigenlijk ook. Maar toen dacht ik erover na. Als de moordenaar daar was wanneer de politie arriveerde, zou hij zich misschien aan zijn woord houden en weigeren te zeggen waar Tori was. Ik keek naar de diepte achter me. Choc zou waarschijnlijk betere methodes kennen om hem aan het praten te krijgen.

'Kom op dan,' zei ik.

30

Zaterdag 3 september

In de teamkamer, achter zijn bureau, zat Sam Currie zich te verbijten over het feit dat drie van zijn mannen bijna een uur bezig waren geweest een busje van de posterijen met daarin Dave Lewis' mobiele telefoon naar het zuiden van de stad te volgen. De vuile schoft had zijn telefoon in een envelop gestopt en die in een brievenbus gedaan.

Hij had al zo weinig mensen tot zijn beschikking. Getergd sprak hij met de agent die hem had gebeld.

'Je blijft bij het busje,' zei hij, 'totdat ze alle post hebben gesorteerd en de envelop hebben gevonden.'

'Ja, meneer. Maar er liggen vijftien volle postzakken achterin.'

God sta me bij, dacht Currie.

Hij pakte zijn eigen mobiele telefoon, toetste Lewis' nummer in en wachtte.

'Komt er nu gepiep uit een van de zakken, agent?'

'Ja, meneer.'

'Dan zit hij daarin.'

Hij verbrak de verbinding, deed zijn ogen dicht en wreef zachtjes over zijn oogleden. Zijn hoofd bonsde. Een uur geleden had alles, ondanks de vragen die onbeantwoord waren gebleven, een stuk eenvoudiger geleken. Lewis was een geschikte kandidaat voor de moorden en ze hadden hem bijna te pakken. Nu hadden ze geen idee waar hij uithing of wat hij deed en wist Currie niet meer wat hij moest denken.

'Diefstal van poststukken is een ernstig misdrijf,' kwam Swann hem tegemoet. 'Staat daar nog steeds de doodstraf op?'

Currie trok zijn wenkbrauwen op en zei niets.

'Kom op, Sam.'

Hij deed zijn ogen open en pakte zijn koffiebekertje. Ze zaten met z'n drieën – hijzelf, Swann en Dan Bright – om de ronde tafel in de teamkamer, een eindje van de anderen vandaan.

Bright was begin vijftig maar had de licht gebronsde, strakke huid van iemand die had besloten de strijd tegen het ouder worden met alle beschikbare middelen aan te gaan, zelfs met cosmetische. Zijn grijze haar was kort en stekelig, hij zag er fit en afgetraind uit en was gekleed in een pak dat er duur uitzag. Het ergerde Currie dat hij zichzelf oud vond in vergelijking met Bright, net zoals hij dat deed wanneer Swann naar de sportschool ging of zijn haar had laten knippen. Met als enige troost dat zijn partner nog minstens tien jaar te gaan had voordat het hem niet meer zou kunnen schelen hoe hij eruitzag.

Bright had het dossier voor zich op tafel neergelegd en zat geduldig te wachten totdat Currie zijn aandacht erbij had. Currie wist nog steeds niet precies waarom de man hier was, of waarom ze naar hem zouden moeten luisteren – hij had meer dan ooit de aandrang om in actie te komen – maar ze hadden op dit moment weinig anders te doen. Op de diverse plaatsen delict werd nog wel gewerkt, maar veel meer hadden ze niet.

'Oké, Dan.' Hij nam een slokje koffie en probeerde zijn vermoeidheid van zich af te schudden. 'Bedankt voor je komst.'

'Graag gedaan,' zei hij. 'Nou ja, graag... Je begrijpt wel wat ik bedoel. Toen ik jouw telefoontje optelde bij wat ik in het nieuws zag, vond ik dat het ook mijn verantwoordelijkheid was.'

Currie keek naar het whiteboard. 'Ik moet wel zeggen dat toen ik je belde, ik alleen op zoek was naar wat achtergrondinformatie. Carrolls naam dook op tijdens het onderzoek, maar we geloven niet dat hij verantwoordelijk is voor de moorden. Sterker nog, we wéten dat hij die niet heeft gepleegd.'

Bright bleef hem even aankijken, waardoor Currie aan Mary moest denken. Jullie hebben geen idee waartoe hij in staat is.

'Misschien zou het helpen als ik jullie wat meer over hem vertelde?'

Currie gaf zich gewonnen. 'Oké, geef ons de context maar. Hij was ooit een collega van je, hè? Een rechercheur.'

Bright knikte.

'Bij ons doen we de dingen een beetje anders. Hier in de stad moet je een veel groter gebied bestrijken, maar Richmond is klein en in die tijd hadden we allemaal min of meer onze eigen wijk, waar we vrijwel alles deden. Frank was de dienstdoende rechercheur in regio Carnegie. Een nogal verwaarloosd deel van de stad. Havengebied, veel industrieterreinen en een paar straten met gemeentewoningen.'

'Een slechte buurt,' zei Currie.

'Met veel misdaad, op allerlei niveaus. Frank verrichtte geen wonderen, maar de mensen kenden hem en ze mochten hem wel. Hij drukte een belangrijk stempel op het dagelijkse leven zonder grote ingrepen te verrichten; pakte de bendes hard aan wanneer ze normale mensen lastig vielen, maar liet ze met rust wanneer zij zich ook rustig hielden. Op die manier dwong hij veel respect af. De mensen van die leefgemeenschap wisten dat ze naar hem toe konden stappen als ze hulp nodig hadden. En de criminele elementen kenden altijd hun plek.'

'Ik voel dat er een "maar" aankomt.'

'Frank was zo corrupt als de hel.'

Currie knikte, dacht terug aan zijn gesprek met Mary.

Voor de buitenwereld was hij misschien politieman, maar in het dossier staat niet dat hij net zo goed een crimineel was. Iemand die de hele buurt afperste.

'Pakte hij geld aan om een oogje toe te knijpen?'

'Nee, het ging veel verder dan dat. Hij had liever zelf de touwtjes in handen. In de loop der jaren maakte hij Carnegie tot zijn eigen koninkrijkje.'

'En niemand wist daarvan?'

'Niemand die zijn mond open durfde te doen, in elk geval. Er gingen natuurlijk wel geruchten.'

'Over wat voor soort geruchten hebben we het dan?'

'Over mensen die verdwenen. Of nog erger.'

Hij schoot een van de mannen neer in de keuken. Die was al dood toen ik hem zag. De andere sloeg de man met het grootste gemak tegen de grond. En toen zette hij de oven aan...

'Maar ik moet benadrukken dat het hier alleen om geruchten ging.' Hij boog zich naar voren en zette zijn ellebogen op het tafelblad. Hij maakte een wat opgelaten indruk. 'En als politieman... nou ja, moet je weleens een beetje schipperen, nietwaar? Frank was heel behoedzaam met wat hij deed, en zo op het oog was hij een goed politieman. Dus was de vraag: hoe pak je zo iemand aan?'

Currie zei niets. Het antwoord lag voor de hand, en hij wist dat voor Bright hetzelfde gold. Maar ja, achteraf redeneren was altijd een stuk gemakkelijker.

'Hoe dan ook, niemand wilde over hem praten. Ze keken óf te veel tegen hem op, óf ze waren gewoon bang van hem. Frank was een heel intimiderende man. Hij had de gave om veel macht en controle uit te oefenen op iedereen die hij tegenkwam.'

'Macht en controle,' zei Swann. 'Interessant.'

242

Bright wierp een blik op het whiteboard. Zijn gezichtsuitdrukking gaf aan dat hij beter begreep wat erop stond dan Currie.

'Macht is altijd zijn ware motief geweest,' zei hij. 'Frank nam graag de leiding. Hij voelde zich boven de mensen staan met wie hij te maken had en genoot daarvan. Hij zag ze als zijn "kudde". Dat heb ik hem een keer in de kleedkamer horen zeggen.'

'Maar naar geen van deze dingen is ooit onderzoek gedaan?'

'Nee. Toen hij gearresteerd werd, heeft hij geen woord gezegd. Ik weet zeker dat hij een aanzienlijk aantal politiemensen had kunnen meesleuren in zijn val, maar hij koos ervoor zijn mond te houden. Met als gevolg dat het verdomde moeilijk was om hard te maken wat we tegen hem hadden.'

Misschien heeft hij nog steeds vrienden bij de politie. Iemand die hem heeft geholpen.

'Én jullie hadden Mary,' zei Currie.

Bright knikte.

'Ik weet het nog goed. Ik werd gebeld door een oudere dame van buiten de Carnegieregio. Het was iets na middernacht. Franks dochter had bij haar aangebeld. Nadat we ze naar het bureau hadden gebracht, vertelde Mary me dat ze meer dan een uur in de sneeuw door de straten hadden gezworven. Zij en haar broertje. Ze had bij die dame aangebeld omdat ze naar binnen had gekeken en kasten vol boeken had gezien.'

'Boeken?'

'Ja. Ze ging ervan uit dat iemand die kasten vol boeken had haar geen kwaad zou doen.'

'Dus ze was... ontsnapt?'

'Ja. Dat begrepen we later pas, en dat haar vader haar jarenlang had mishandeld. Haar broertje ook, maar zij had altijd de ergste klappen opgevangen. Een van zijn meest geliefde straffen was dat hij haar op het bed vastbond en haar het hele weekend aan haar lot overliet. Of soms zelfs nog langer.'

'Dat was wat in eerste instantie onze interesse heeft gewekt,' zei Swann.

'Zonder eten en zonder water,' zei Bright. 'Je kunt het je bijna niet voorstellen, hè?'

'Maar waarom?'

'Macht en controle,' zei Bright weer. 'Om haar weerstand te breken en haar de waarheid te leren zoals hij die zag. Dat er niemand zou komen om haar te helpen.'

Currie dacht: dat was mijn lievelingsboek toen ik jong was.

Het verhaal waarin de held al zijn andere verantwoordelijkheden negeerde en deed wat zijn hart hem ingaf. Als het waar was wat Bright vertelde, kon hij zich voorstellen hoe iemand als Frank Carroll ervan had genoten om zo'n puur, idealistisch idee bij de lurven te pakken en het in stukken te scheuren. Om te bewijzen dat het niets voorstelde.

'En er kwam ook niemand,' zei hij.

'We wisten toen niet dat het gebeurde.'

Opnieuw die bijna gepijnigde blik in zijn ogen, alsof hij diep in zijn hart wist dat ze niet genoeg hadden gedaan. Alsof het hem nog steeds achtervolgde.

'Zelfs de buren maakten zichzelf wijs dat met Mary alles in orde was, hoewel ze hun vermoedens moesten hebben gehad. Mensen die er zo dicht op zaten... maar óf ze weigerden het te geloven, óf ze durfden er niks van te zeggen. Wat het voor Frank allemaal nog veel opwindender maakte, daar ben ik van overtuigd.'

Currie had moeite het te accepteren. Iemand als Charlie Drake... hij kon voorstellen dat mensen dat stilhielden. Ook al walgde hij ervan, hij kon er iets van begrip voor opbrengen. Iemand die dope aan andere dealers verkocht. Maar in dit geval ging het om een jong meisje.

'De mensen bemoeiden zich niet met zijn zaken, Sam,' zei Bright. 'Zo vreemd is dat niet.'

'Ja, dat is het wel.'

Bright zei niets, maar er kwam een iets andere uitdrukking op zijn gezicht. Als Currie hem nu aankeek, zag hij de oudere man achter de façade. En dát was het, besefte hij. De gebruinde huid, het korte haar, het mooie pak... allemaal schijn, om de broze emoties eronder te beschermen.

'Dus in principe heeft ze zichzelf gered?'

Bright knikte. 'Zichzelf en haar broertje. Je kunt je bijna niet voorstellen hoeveel moed dat heeft gevergd. Het was háár getuigenis op grond waarvan hij is veroordeeld.'

Currie leunde achterover. Hij begreep nu waarom Mary zo bang was voor haar vader, er zo van overtuigd dat hij naar haar op zoek zou gaan. Want ze was niet alleen ontsnapt uit het web van macht dat hij had gesponnen – de hang naar controle die hem zo had geobsedeerd – ze had hem die macht ook afgenomen. Het was niet meer dan logisch dat ze ervan uitging dat hij wraak op haar zou willen nemen.

Ik ben de enige aan wie hij kan denken.

'En dit,' zei Bright, knikkend naar het whiteboard, 'sluit perfect aan bij de manier waarop Frank zich zou gedragen. Hij is altijd een manipulator geweest. En hij heeft het altijd heerlijk gevonden om mensen met hun neus in hun eigen zwakheden te wrijven.'

Currie schudde zijn hoofd. Ze moesten de dingen wel in het juiste perspectief blijven zien.

'Maar we wéten dat hij de dader niet is. Hij draagt een enkelband. Al zijn bewegingen worden geregistreerd.'

Bright zei niets.

Toen het even stil bleef stond Swann op. 'Ik ga checken waar hij uithangt en laat hem naar het bureau brengen.'

Currie zag zijn partner door de teamkamer lopen en moest denken aan het telefoongesprek dat hij eerder vandaag met Dave Lewis had gehad. Ik kan het nu niet uitleggen, had hij gezegd. En Lewis had die sms naar zijn eigen nummer gestuurd. Had hij geprobeerd hem iets duidelijk te maken? En zo ja, waarom was hij dan niet gewoon naar hem toe gekomen?

Hij wendde zich weer tot Bright. 'Hoe kan Dave Lewis in dit scenario passen, ervan uitgaande dat je gelijk hebt? Laten we eens aannemen dat Frank Carroll hem op de een of andere manier manipuleert. Waarom juist hij?'

'Daar hoeft geen specifieke reden voor te zijn,' zei Bright. 'Hun wegen kunnen zich op een of ander moment hebben gekruist en toen heeft Frank blijkbaar besloten dat hij met Lewis kon spelen. Zo simpel kan het zijn.'

Aan de andere kant van de teamkamer stond Swann te telefoneren terwijl hij nerveus met zijn vingers op het bureaublad trommelde.

'Maar ik heb hem ontmoet,' zei Currie. 'Frank Carroll. Hij lijkt in de verste verten niet meer op de man die jij zojuist beschreef. Opgebrand. Gebroken.'

'Je klinkt alsof je jezelf probeert te overtuigen, Sam.'

Moet je hem horen, dacht Currie. 'Nee.'

'Mensen zien altijd wat ze willen zien. Of wat ze verwachten te zien. Frank was er altijd heel goed in ze daarbij te helpen.'

Swann kwam terugrennen. 'Hij is weg.'

'Wat?'

'Surveillance heeft een halfuur geleden een alarm doorgekregen. Hij heeft de band doorgesneden. Ze weten niet waar hij is.'

Curries hand ging naar de telefoon. Onder hem had zich een afgrond geopend.

'We moeten meteen iemand naar haar huis sturen.'

Swann trok zijn jasje al aan.

Terwijl Currie het nummer intoetste, dacht hij aan Mary's woorden – *al moet hij u een jaar volgen om mij te vinden, dan zal hij dat doen* – en hoopte dat ze niet te laat waren. Zowel voor Mary Carroll als voor zichzelf.

31

Zaterdag 3 september

'Bedankt, man,' zei Rob. 'Als ik ooit eens iets terug kan doen...'

Hij beëindigde het gesprek, vouwde het blaadje op en stak het in de binnenzak van zijn jack. Daarna haalde hij diep adem en vroeg zich af wat hij nu in godsnaam moest doen.

Hij had geen idee, dus het antwoord was: niets.

Hij zat in zijn auto, die een stukje van Sarah Crowthers huis stond, en zag hoe de regendruppels de voorruit steeds ondoorzichtiger maakten. Het was stil in de auto; hij had de motor uitgezet omdat hij iemand moest bellen, en omdat hij zich nooit op meer dan een geluid tegelijk kon concentreren. Als thuis de tv aanstond en hij werd gebeld, moest hij eerst het geluid afzetten omdat hij anders het overzicht verloor en de kans bestond dat hij antwoord gaf aan een of andere actrice op het scherm in plaats van degene aan de andere kant van de lijn.

Iets soortgelijks was er nu in zijn hoofd aan de hand. Wat hij wílde, was de politie bellen en ze alles vertellen. Na wat Dave hem eerder vandaag had verteld leek dat hem het enige juiste, en hij had al een paar keer op het punt gestaan om het nummer in te toetsen. En elke keer had hij het niet gedaan. Zijn rationele denken had het moeten afleggen tegen een intuïtie waarvan hij wist dat die heel onverstandig was.

Ik zou het niet aankunnen als ik haar het leven had kunnen redden.

Rob legde de telefoon op de passagiersstoel en draaide de contactsleutel om. De auto kwam grommend tot leven, net als de autoradio, midden in een of ander shitliedje. Meteen daarna schoven de ruitenwissers piepend over de voorruit, zag hij helemaal niets meer, schoven ze terug en werd het glas weer doorzichtig. Om onmiddellijk te worden geraakt door nieuwe druppels, die er als tranen langs rolden.

De waarheid was dat Rob zich loyaler jegens Dave voelde dan hij ooit had kunnen uitspreken of had kunnen verklaren. Hij had nooit veel vrienden gehad; de meeste mensen hadden al snel afgehaakt, als ze überhaupt de moeite hadden genomen om hem te leren kennen. Het was hem inmiddels duidelijk dat Sarah hem niet erg mocht, maar dat gaf niet. De meeste van Daves vriendinnen hadden hem niet gemogen. Daar kon hij mee leven. Omdat hij wist dat hij – zonder uitzonderingen – altijd in het belang van zijn beste vriend had gehandeld, en dat altijd zou blijven doen.

Dat was de reden dat hij hier zat te wachten, bij het huis van een meisje dat hij nauwelijks kende, terwijl er talloze plekken waren waar hij op dit moment liever zou zijn. Dave had haar naam genoemd op het veldje bij de universiteitscampus, toen hij door de moordenaar was gebeld en er als een haas vandoor was gegaan. Wat inhield dat er met Sarah iets flink mis was. En Dave had hem op het hart gedrukt vooral niet de politie te bellen, dus had hij dat niet gedaan. Sarah was belangrijk voor zijn beste vriend, dus was Rob, hoe Sarah ook over hem dacht, van plan op haar te passen en ervoor te zorgen dat haar niets overkwam.

De ruitenwissers schoven piepend heen en weer. Eén, twee...

Je moet de politie bellen, zei hij weer tegen zichzelf.

Want in Daves belang handelen betekende niet per se dat hij alles moest doen wat Dave hem vroeg, toch? Hij keek weer naar zijn telefoon.

Weer een *piep-piep* van de ruitenwissers.

Rob keek op. Door het schone glas zag hij een man voor Sarahs deur staan. Een man die de deur opendeed en naar binnen ging.

Het gebeurde zo snel dat het leek alsof hij er niet had gestaan.

Rob knipperde met zijn ogen. Zijn hersenen hadden een snapshot van de man gemaakt. Hij was lang en mager, met grijs haar dat dunner werd, en gekleed in een zwarte jas en een donkerblauwe joggingbroek. Hij was een jaar of vijftig, of ouder. En hij was dat huis gewoon binnengelopen alsof hij daar woonde.

Bel de politie.

Hij stak zijn hand uit naar zijn telefoon, maar aarzelde toen... want goed beschouwd had hij geen idee wie de man was. Misschien woonde hij wel in dat huis. Of was hij een vriend van Sarah.

Zijn vingers jeukten. Wat moest hij doen?

Ga bij haar kijken. Het liefst wilde hij op afstand blijven en haar niet laten weten dat hij hier was, omdat ze hem anders allerlei vragen zou stellen en hij niet zou weten wat hij erop moest antwoorden. Aan de andere kant was hij hiernaartoe gekomen om zich ervan te overtuigen dat alles oké met haar was. Ze zou het misschien niet leuk vinden wanneer hij haar huis binnenkwam, maar daar ging het nu niet om. De man had er oud uitgezien, mager en verzwakt zelfs, maar dat betekende nog niet dat hij geen gevaar voor haar vormde.

Rob dacht er nog eens over na, zette de motor uit, pakte zijn telefoon en stapte uit.

Jezus, het regende pijpenstelen. Hij trok een lelijk gezicht en terwijl hij zich nogal opgelaten voelde rende hij over de stoep en het tuinpad naar Sarahs huis. De voordeur was dicht en hij wist niet goed wat hij moest doen. Kloppen? Dat zou de politie doen, bedacht hij, maar als ze nu echt in gevaar was...?

Hij klopte twee keer hard op de deur, pakte de deurknop, draaide hem om en stond in de keuken.

'Sarah?' riep hij zo hard als hij kon.

Even gebeurde er niets, maar toen hoorde hij boven iets. Tikkende leidingen, en het was vochtig warm in huis, dus misschien was ze in de badkamer?

Maar waar was de oude man gebleven? Hij was hier nog geen minuut geleden naar binnen gegaan.

Tenzij je je hebt vergist en hij een ander huis is binnengegaan, stomme hufter.

Wat mogelijk was. Misschien had de natte voorruit het beeld vertekend, en hij had ook niet echt goed zitten opletten.

Hij liep de keuken door, kwam in de gang en keek om zich heen. Links van hem was een kleine kamer, en daarnaast de trap naar de eerste verdieping.

'Sarah?' riep hij naar boven.

Het antwoord kwam meteen. 'Wacht even.'

Jezus, wat een opluchting! Maar nu moest hij natuurlijk uitleggen wat hij hier kwam doen. Hij hoorde boven een deur opengaan, gevolgd door voetstappen op de trap.

'Dave, ik ben zo blij dat je... o.'

Halverwege de trap bleef ze staan, fronste haar wenkbrauwen en kwam iets meer op haar hoede de rest van de treden af lopen.

'Rob?'

'Ja.' Hij haalde zijn hand door zijn haar. 'Sorry. Het zit zo...'

En op dat moment kwam de oude man het kamertje links van hem uit en kreeg Rob een stoot in zijn maag.

Het gebeurde zo snel dat hij een wirwar van emoties onderging. De aanblik van de man – met zijn grote ogen en zijn van woede vertrokken mond – en de gangmuur, waar hij met zijn rug tegenaan viel. De pijn in zijn maagstreek voelde niet goed, alsof de vuist door hem heen was gegaan en alles binnen in hem overhoop had gegooid. Zijn benen werden slap en begaven het toen helemaal. Rob zag sterretjes en gleed langs de muur naar beneden. De man staarde hem aan. Een van zijn ogen keek langs hem heen.

Pas toen Rob het mes in zijn hand zag, met het bloed op het lemmet, keek hij omlaag naar zijn buik en begreep hij wat er was gebeurd. Terwijl hij dat deed, stak de man zijn hand uit en veegde hij het bloed af aan Robs schouder, wat een vochtig geluid maakte op het leer van zijn jack.

En daarna draaide hij zich om en liep naar Sarah toe. Ze stond op de onderste traptrede, niet in staat zich te verroeren.

'Hallo, Mary,' zei de man. 'Je broer is een bezig baasje geweest, vind je niet? We moesten nu maar eens naar hem toe gaan.'

32

Zaterdag 3 september

'Woont ze hier?'

Ik zat nog steeds op de achterbank, klem tussen Chocs mannen, maar in elk geval niet meer met mijn hoofd tussen mijn knieën. Ik zat voorovergebogen en keek door de natte voorruit naar buiten.

Nummer 32.

'Ja. Daar.'

Mijn maag werd samengeknepen.

Het waren dezelfde huizen die ik vanochtend had gezien: een grauwe, anonieme rij huizen in een niet al te best deel van de stad, twee verdiepingen hoog, met modderige voortuintjes. Toch zagen ze er op de een of andere manier anders uit. Onder de oppervlakte zag Sarahs huis er donkerder en dreigender uit dan die aan weerskanten ervan. Daar was geen zichtbare reden voor, maar het was wel zo. De regen stroomde langs de voorgevel en de bakstenen waren vaal en grijs. Achter het modderige groen in de voortuin zag het eruit als iets wat op een rivieroever was aangespoeld.

Ik kon het onmogelijk weten – dat hield ik mezelf voor – maar toch voelde ik het.

We zijn te laat.

'Stop voor de deur,' zei Choc tegen de bestuurder van de auto.

Ik voelde dat de ramen van het huis me apathisch aanstaarden.

'Ze is daar niet,' zei ik.

'We zullen zien.' Choc gooide iets over zijn schouder naar achteren. 'Aantrekken.'

Ik raapte ze op. 'Handschoenen?'

'Ja, handschoenen. Ik wil niet dat je de dingen nog meer voor me verkloot dan je al hebt gedaan.'

Ik trok de handschoenen aan. Toen ik uit de auto was gestapt voelde ik pas hoe hard het regende; het water kletterde op ons neer en een stukje verderop spoot het bijna uit de regenpijp van een garage. Het ruisende geluid was het enige wat we hoorden.

'Kom mee.'

Choc liep het tuinpad op. Ik wilde hem achternagaan maar keek eerst om. Zijn mannen bleven in de auto zitten.

'Alleen wij?' vroeg ik.

Choc bleef staan en keek me aan. De regendruppels liepen als tranen over zijn wangen en zijn gezichtsuitdrukking veranderde voortdurend. Hij liet zijn emoties nog niet de vrije loop, maar zat daar niet ver meer van af. Zo te zien had hij genoeg woede in zich om een half huis neer te halen.

Als je aan mijn vrienden komt, kom je aan mij.

'Vergeet niet dat hij Tori misschien niet bij zich heeft,' zei ik.

'Maak je over mij geen zorgen. Pas liever op jezelf.'

Ik knikte.

We kwamen bij de voordeur, die dicht en op slot was. Ik wilde er met mijn vuist op bonken en Sarahs naam roepen, maar zonder na te denken greep Choc mijn arm vast. Hij keek om zich heen, peilde hoeveel buren ons konden zien of horen, als ze überhaupt geïnteresseerd waren. Niet veel, zo te zien. Hij haalde het pistool uit zijn zak en hield het naast zijn bovenbeen. 'We doen het in één keer,' zei hij zacht. 'Je komt me meteen achterna naar binnen. Oké?'

Ik knikte.

Voordat ik de kans kreeg om na te denken over wat hij van plan was, deed hij een stap achteruit en trapte de voordeur in. Het zette zich vast op mijn netvlies zoals hij daar stond, met al zijn spieren gespannen, klaar voor de dreun... en voordat ik het wist was hij binnen, met het pistool in de ene hand en met de andere tegen de deur, toen die terug stuitte van het aanrecht.

Eén explosie van geluid, gevolgd door stilte. Onmiddellijke controle.

Hij keek achterom alsof hij wilde zeggen: waar wacht je verdomme op?

Ik liep hem achterna en hij duwde de deur achter ons dicht. Bij het slot hing een stuk hout uit de deurpost, maar verder was alles nog intact. Als iemand de klap had gehoord, zou hij vanaf nu even uit het raam kijken en geen idee hebben waardoor die was veroorzaakt.

Met zijn beide handen om de kolf van het pistool geklemd sloop hij de keuken in. Hij deed het heel professioneel, als een politieman, en opeens was ik ongelooflijk blij dat hij hier bij me was. Toen hij doorliep naar de gang bleef ik staan om te luisteren. Het was doodstil in Sarahs huis. Of er was niemand, of ze hielden zich heel stil.

Ik moest weer denken aan de vondst van Emma's lijk.

Nee, alsjeblieft niet.

'Dave?' zei Choc. 'Hier.'

Hij stond in de deuropening. Ik liep naar hem toe.

Toen zag ik waar hij naar keek...

'O, jezus. Rob.'

Zonder na te denken wrong ik me langs Choc en hurkte neer naast mijn vriend. Hij zat met zijn rug tegen de gangmuur, met zijn benen gestrekt en zijn hoofd half weggedraaid, rustend op zijn schouder. Roerloos. En helemaal onder het bloed.

We zijn verdomme al tien jaar vrienden.

'Rob?'

We zijn altijd voor elkaar door het vuur gegaan.

'Rob...'

Hij bewoog zijn hoofd. Mijn hart sprong op van vreugde.

'Kun je me horen?'

Hij draaide zijn gezicht mijn kant op... heel langzaam, maar dat gaf niet want hij was in elk geval niet dood. Hij was wel heel bleek, en zijn ogen bleven dicht. Ik keek naar zijn borstkas. Hij ademde, maar oppervlakkig en onregelmatig.

'Wat doe je hier?' vroeg ik.

'Hij heeft haar meegenomen. Sorry.'

Jezus. Hij had me in St. John's Field haar naam horen noemen en was hiernaartoe gekomen om te zien of alles in orde met haar was.

'Zijn ze al lang weg?'

Rob probeerde antwoord te geven, maar dat lukte niet. Hij knikte net zichtbaar.

'Oké, stil maar. Ik ga een ambulance voor je bellen.'

Ik richtte me op en keek om me heen. Daar. Ik stapte over Rob heen en rende naar het tafeltje bij de achterdeur. Daar, boven op een paar oude telefoonboeken, stond een ouderwetse telefoon. Ik nam de hoorn van het toestel, hoorde de kiestoon en draaide het alarmnummer.

Choc stond nog steeds in de deuropening van de keuken.

'We moeten gaan, man,' zei hij.

'We gaan helemaal nergens naartoe.' Ik staarde hem aan. 'Als jij me verdomme niet had tegengehouden, zou ik hier op tijd geweest zijn. Weet je iets van eerste hulp?'

Hij keek me boos aan, maar schudde toen zijn hoofd.

Ik keek weer naar Rob en zag dat hij iets probeerde te doen. Zijn hand bewoog naar de binnenzak van zijn jack.

'Help hem.' Ik wees... draaide me van hem weg toen ik iemand aan de lijn kreeg en nam meteen het woord. 'Ik heb nú een ambulance nodig. Er is iemand neergestoken. In de borst, zo te zien. Hij leeft nog, maar we hebben zo snel mogelijk hulp nodig.'

Ik noemde het adres, hing op en haalde mijn handen door mijn haar. Het liefst had ik me tegen de achterdeur aan laten vallen en was ik op de grond gaan zitten om op de ambulance en de politie te wachten. Rob was ernstig gewond en misschien ging hij wel dood. Sarah en Tori waren spoorloos. En ik had mijn enige kans gemist op een confrontatie met de man die dit allemaal had gedaan.

'Dave.'

Mijn benen voelden alsof ze van rubber waren. En het meest pathetische van alles was dat ik wílde dat ze zo voelden. Dan kon iemand anders dit afhandelen in plaats van ikzelf.

'Dave.'

'Wat is er?'

Ik draaide me om en zag dat Choc een opgevouwen blaadje papier vol bloedvlekken ophield. Robs hand lag in zijn schoot en zijn kin rustte op zijn borst, die zachtjes, net zichtbaar op en neer ging.

'Hou vol, Rob,' zei ik. 'Ze komen eraan.'

'Hij probeerde dit uit zijn zak te halen.'

'Wat is het?'

Choc vouwde het open en keek met gefronste wenkbrauwen naar wat erop geschreven stond. Enigszins verbaasd hield hij zijn hoofd schuin.

'Iemand die Thom Stanley heeft gebeld,' zei hij. 'En een adres.'

33

Currie klikte met zijn muis en ging terug naar het begin van de fotoserie. Hij bekeek de stilstaande beelden die hun technicus van de CCTV-opnames van de winkelpassage had gemaakt en zocht naar Frank Carroll. Ze gingen uit van de veronderstelling dat Carroll die dag Dave Lewis gevolgd moest hebben, dat hij hem had geschaduwd, dus dat hij kort achter Lewis in beeld zou moeten komen. Hij móést daar geweest zijn.

Maar hij was er verdomme niet.

Currie haalde de foto van Carroll uit het dossier en bekeek die aandachtig. Ten slotte legde hij hem weer neer en begon hij opnieuw de beelden door te nemen. Misschien had hij hem in de eerste ronde gemist, hoewel hij bijna met zijn neus op het scherm had gezeten. Of misschien was Carroll al in de winkelpassage geweest voordat Lewis er binnenkwam, op welke manier hij dat ook voor elkaar had gekregen.

Dus moet je ook de eerdere beelden bekijken, denk je ook niet?

Currie keek naar de telefoon alsof hij het toestel kon dwingen over te gaan. Swann zou daar nu moeten zijn. Hij deed zijn uiterste best om niet te denken aan de honderden dingen die hij anders had kunnen doen. Wat had Bright gezegd? *Mensen zien altijd wat ze willen zien. Of wat ze verwachten te zien.*

Maar hij had beter moeten weten, want nu verkeerde er wéér een meisje in levensgevaar. Iemand die hem had gesmeekt haar te helpen, terwijl hij al die tijd had geweigerd haar serieus te nemen...

Hij begon de foto's weer door te nemen. Alles was beter dan wachten.

Na een paar minuten kwam Dan Bright de teamkamer binnen en zette hij een bekertje koffie naast Currie neer.

'Al iets gevonden?'

'Nee.'

Geïrriteerd wierp Currie de muis van zich af, leunde achterover in de stoel, legde zijn handen achter zijn hoofd en staarde naar het plafond.

'Laat mij eens kijken,' zei Bright.

'Je hebt hem in geen jaren gezien, Dan.'

'Nee, maar áls ik hem zie, herken ik hem, geloof me. Trouwens, een frisse blik kan weleens helpen. Ik neem de hele serie door en kijk of er iets uitspringt.'

Het kon geen kwaad. Currie maakte plaats, pakte zijn koffie en ging bij het whiteboard staan. Ondanks alles wat er was gebeurd, zag hij niet meer samenhang dan hij gisterochtend had gezien. Misschien zelfs minder.

'En als hij het niet is?'

Wat nog steeds een reële mogelijkheid was.

Currie kon maar niet begrijpen waarom Carroll juist Dave Lewis als zijn doelwit had gekozen, en Bright kon zeggen wat hij wilde, maar híj was ervan overtuigd dat daar een reden voor moest zijn. Bovendien zaten ze nog met de vraag hoe Carroll zich aan de elektronische surveillance had weten te onttrekken. Maar wat hem het meest dwarszat was de vraag hoe Alex Cardall in het scenario paste. Als Carroll de moordenaar was, hield dat in dat de mobiele telefoon van Alison Wilcox op een zeker moment tussen die twee van hand tot hand moest zijn gegaan. Dus óf Carroll had hem in Cardalls flat verstopt, óf Cardall had het toestel op een andere manier in handen gekregen en had Carroll het van hem willen hebben.

Geen van beide opties sloeg ergens op. Niets sloeg ergens op.

Zijn telefoon ging.

Currie spurtte naar zijn bureau en nam op.

'Currie.'

'Sam? James hier. Ik ben nu in Mary Carrolls huis.'

'Al iets gevonden?'

'Ja, maar dat is niet best. Een ernstig gewonde man. De ambulance kwam tegelijk met ons aan. Iemand heeft vanuit het huis gebeld. Een steekwond in de buikstreek.'

'Heb je een naam van het slachtoffer?'

'Rob Harvey. Dat is toch die knul die met Lewis samenwerkt?'

'Ja.' Currie dacht even na. 'Hij was op kantoor toen ik daar vanochtend was.'

'Nou, nu is hij hier en hij is er niet best aan toe. Hij is buiten bewustzijn en moet ter plekke worden behandeld. De voordeur is ingetrapt, maar verder is er niemand in huis.'

'Mary is weg?'

'Ja. En het was een man die de ambulance heeft gebeld.'

Currie ging op de rand van zijn bureau zitten en masseerde zijn slaap. Wat had Rob Harvey in godsnaam in dat huis te zoeken? Elke keer wanneer hij dacht dat ze een vordering maakten, gebeurde er weer iets anders wat alles overhoop gooide.

'Waarom was Harvey in het huis van Mary Carroll?' vroeg hij.

'Geen idee, Sam. We zien iets over het hoofd, denk ik. Maar elke smeris in de stad kijkt op dit moment uit naar Dave Lewis, Frank Carroll en Charlie Drake. Zodra we ze hebben, zullen we de antwoorden op onze vragen krijgen.'

Currie hoopte dat hij gelijk had. Maar zouden ze ze op tijd krijgen om het leven van Tori Edmonds te redden? En dat van Mary Carroll nu ook.

Ik ben de enige aan wie hij kan denken.

'Sam?' riep Dan Bright vanachter de computer. 'Kom eens kijken.'

'Blijf aan de lijn,' zei Currie tegen Swann, voordat hij naar Bright toe liep. 'Heb je hem gevonden?'

'Nou, nee.'

Bright tikte op het beeldscherm. Het beeld stond stil en de tijd gaf 11.57.46 uur aan, wat ongeveer tien seconden was nadat Lewis de winkelpassage was binnengegaan. Toen Currie het stel in het midden van het beeld zag, voelde hij zijn hele lichaam verstrakken. De man had hij eerder in close-up gezien, voordat hij snel was doorgegaan naar de volgende foto, maar aan de vrouwen had hij weinig aandacht geschonken. Als hij dat wel had gedaan, zou hij haar meteen hebben herkend.

'Dat is Mary Carroll.'

'Ja.' Bright knikte langzaam. 'Dat klopt.'

'Wie is die man naast haar?'

Bright zoomde in. De man was en profil gefotografeerd. Een gewoon gezicht. Lang haar, in een paardenstaart. Currie herkende hem niet.

'Ik dénk dat dit haar broer is.' Bright tuurde naar het scherm. 'Hij lijkt er in elk geval wel op.'

'Maar die woont in Rawnsmouth.' Currie fronste zijn wenkbrauwen. 'Sterker nog, ik heb hem een paar dagen geleden gesproken. John dinges.'

Bright knikte. 'Ja. John Edward Carroll. Hij heeft nooit zijn naam veranderd, zoals Mary heeft gedaan. Maar dat hoefde ook niet, want iedereen noemde hem altijd "Eddie".'

34

Zaterdag 3 september

Eddie zat in zijn auto, keek in de achteruitkijkspiegel en zag de auto van zijn vader aankomen. Zijn lijf voelde als een hol omhulsel rondom een kern van knetterende elektriciteit.

Buiten goot het van de regen en het water stroomde langs de ruiten, maar hij kon genoeg zien. Frank Carroll reed met een matige snelheid en zijn ruitenwissers gingen gestaag heen en weer. De auto naderde, het water spatte op achter de banden, en reed langs hem heen de straat in. Eddie was met opzet op enige afstand van het huis gestopt.

Hij wist niet wat er in Mary's huis was gebeurd. Toen hij had gezien dat zijn vader zijn spullen naar zijn auto had gebracht en was weggereden, had hij gedaan wat Mary hem had opgedragen en had hij Dave Lewis gebeld om hem een ultimatum te stellen. Het plan was dat hij daarna onmiddellijk zou terugrijden naar Rawnsmouth, dat hij Tori Edmonds lichaam ergens onderweg zou dumpen en zou maken dat hij zich zo ver mogelijk van de plaats delict verwijderde. Maar hij had het niet gekund. Dus was hij hiernaartoe gekomen. Het feit dat zijn vader hier nu ook was, betekende dat er iets mis was gegaan.

Eddie dwong zichzelf langzaam en diep adem te halen.

Hij zag dat zijn vader honderd meter verderop langs de stoeprand stopte. Er stonden andere auto's tussen hen in, zodat hij de auto nu niet goed meer kon zien, maar hij had een redelijk goed uitzicht op de stoep en het tuinpad naar zijn voordeur. En even later zag hij Frank Carroll op de stoep staan, nevelig en vaag in de regen, die zoekend om zich heen keek.

Eddie huiverde.

Hij wist dat zijn vader naar hem zocht. Maar waar was Mary? Eddie klemde zijn handen om het stuur en kromp ineen van de pijn. Hij vergat steeds wat er met zijn handen was gebeurd. Hij kon zijn vingers weer bewegen en zijn hand tot een vuist ballen, maar hij moest het wel heel voorzichtig doen.

Zijn vader boog zich naar de auto, verdween even uit het zicht en toen hij weer in beeld verscheen, trok hij een meisje achter zich aan. Een meisje dat geen enkel verzet bood.

Mary.

Hij was negen en Mary was twaalf toen hun vader het weekend weg zou gaan en hij hen alleen thuis liet. Voordat hij vertrok had hij tegen Eddie gezegd dat híj twee dagen lang de baas in huis zou zijn en dat hij, wilde hij niet in de problemen komen, moest doen wat zijn vader hem opdroeg. Eddie had geknikt. Hij wist wat 'problemen' met zijn vader betekenden. Er stond eten in de koelkast, hij mocht naar bed gaan zo laat hij wilde en doen wat hij wilde. Er was één ding wat hij niet mocht: hij mocht onder geen enkel beding Mary's slaapkamer binnengaan.

Mary had straf en hij mocht geen contact met haar hebben.

Hij had gevraagd: *ook niet als het huis in brand staat?*

Zelfs dan niet, had zijn vader gezegd. *Mary heeft een lesje te leren.*

En hij had gedaan wat hem was opgedragen... of in elk geval in het begin. Maar een paar uur nadat zijn vader was vertrokken had Eddie boven iets gehoord – een doffe bons – en was hij op onderzoek uitgegaan.

Hij had de deur van Mary's slaapkamer opengedaan en was als versteend in de deuropening blijven staan toen hij zag wat zijn vader had gedaan.

Mary lag met haar kleren aan vastgebonden op haar bed. Geboeid en gekneveld, had Eddie gedacht, omdat hij die term was tegengekomen in een van de avonturenromans die hij zo graag las. Niet dat kleffe gedoe zoals het boek dat Mary elke dag las, totdat haar vader het haar had afgenomen. Misschien had ze daarom wel straf, hoewel hij niet goed begreep waarom dat zo erg zou zijn.

Haar ogen waren groot van angst en paniek.

Alsjeblieft, help me.

Eddies hand was naar zijn gezicht gegaan in een gebaar van machteloosheid toen hij haar aan de riemen om haar polsen en enkels zag trekken. Hij had haar willen helpen, maar had toen gedacht aan wat zijn vader hem had opgedragen. Zelfs niet als het huis in brand staat. In een flits had hij beseft hoe problemen met zijn vader eruit zouden zien, en die waren zo afschuwelijk dat hij er amper aan durfde te denken.

Eddie had zijn armen om zich heen geklemd en was gaan huilen, want hij wist niet wat hij moest doen. Hij stond op en neer te wippen van ellende, snikkend en met als enige wens dat alles wat hij nu zag en voelde zou weggaan. En toen begon hij in zijn eigen hoofd het spoor bijster te raken, zoals hem wel vaker overkwam.

Hij wist niet hoe lang het duurde, maar het moest een tijdje geweest zijn, want toen hij weer tot zichzelf kwam was Mary een stuk rustiger geweest. Ze lag naar hem te kijken, met in haar ogen iets wat een glimlach zou kunnen zijn, en probeerde door de knevel heen iets tegen hem te zeggen. Hij kon niet verstaan wat ze zei, maar het klonk geruststellend, zodat hij meende te begrijpen wat ze tegen hem wilde zeggen.

Alles was in orde en hij hoefde zich geen zorgen te maken.

Doe de deur dicht en ga naar beneden.

Na een paar minuten had hij dat ook gedaan, en hij was dat weekend niet meer teruggegaan naar Mary's kamer. Ze had niet meer gebonsd en iets anders had hij ook niet gehoord.

De maandag daarop was hij heel vroeg wakker geworden omdat er iemand naast zijn bed stond: zijn vader, in het duister, met een ernstige uitdruk-king op zijn gezicht. Eddie was als vanzelf ineengekrompen, want hij dacht dat zijn vader wist dat hij in Mary's kamer was geweest en dat hij nu diep in de problemen zat.

Ik heb het niet gedaan. Echt niet. Ik ben niet naar binnen gegaan.

De angst had als een reusachtig monster in zijn hoofd gezeten en hij had bijna in zijn bed geplast. Maar zijn vader had hem niets gedaan, had alleen op hem neergekeken met een uitdrukking van grote teleurstelling op zijn gezicht, en ten slotte had hij zijn hoofd geschud.

Wat heb je gedaan, Eddie?

Hij had willen zeggen dat hij níéts had gedaan, maar zijn vader had zijn vinger op zijn lippen gelegd – *stil maar* – was naast het bed neergehurkt en had er zo onbeschrijfelijk bedroefd uitgezien...

Sindsdien was hij elke dag door deze herinnering geplaagd. Ze had elke keer dezelfde emoties in hem opgeroepen die hij had gehad toen zijn vader naast zijn bed zat, toen hij de dekens had opgetrokken tot over zijn mond en de pijn had gevoeld van de leugen die zijn vader hem had ingefluisterd:

Jij hebt haar laten doodgaan.

Toen, boven het ruisen van de regen uit, hoorde hij het.
Sirenes.

Het geluid kwam in vlagen van grote afstand, maar hij had het hiervoor niet gehoord. Kwamen ze hierheen? Wat was er gebeurd? Eddie wist dat hij in paniek raakte en dwong zichzelf doodstil te blijven zitten, want hij wilde niet dat zijn vader hem zag. De sirenes waren nog ver weg, maar toch begon het geluid harder te worden.

Zijn vader hoorde het ook en hield zijn hoofd schuin, als een dier dat de geur van een jager opsnuift. Hij zag er belabberd uit zoals hij daar in de regen stond, met zijn drijfnatte shirt dat aan zijn magere maar sterke bovenlichaam plakte. Mary stond naast hem en verroerde zich niet. Ze hield haar handen voor haar buik, tegen elkaar aan, en staarde naar de stoep.

Eddie zag dat zijn vader iets in haar oor fluisterde, en daarna trok hij haar mee, de treden bij de voordeur op. Van haar gezicht was niets af te lezen. Misschien bevond ze zich in een shocktoestand. Hij had geen idee wat er op dit moment in haar hoofd omging, en óf er wel iets in omging.

En toen waren ze naar binnen gegaan.

Zijn vader had de deur niet helemaal dichtgedaan.

Eddie begon te huilen. Het liefst had hij zijn armen om zich heen geklemd, op en neer gewipt van ellende, en was hij in zijn hoofd het spoor bijster geraakt om dit niet bewust te hoeven meemaken.

Hij had altijd gedacht dat hij was uitgegroeid boven het angstige jongetje dat hij ooit was geweest. Hij had manieren bedacht die hem hadden leren begrijpen dat hij niet minder was dan anderen, en hij verachtte zichzelf een stuk minder dan hij vroeger had gedaan, nadat hij andere mensen had leren beseffen dat ze geen haar beter waren dan hij. Dat zij evengoed andere mensen lieten barsten, en dat ze net zo zwak en egoïstisch waren als hij.

Maar nu, hier in zijn auto, drong het tot hem door dat hij het nooit was ontgroeid. Hij was nog steeds het jongetje dat trillend van ellende in de deuropening stond en te bang was om in te grijpen. Net zoals Mary hetzelfde meisje was, dat zich liet vastbinden op het bed en zich opofferde om hem in bescherming te nemen.

We móéten het doen, Eddie, had ze gisteren tegen hem gezegd. *Het is de enige manier.*

Maar als hij niet komt?

Ze had geen antwoord gegeven, had alleen bedroefd naar hem geglimlacht, haar hand uitgestoken en die even op zijn wang gelegd. Zelfs in die

stilte, had hij gemerkt, was er een gevoel van opluchting door hem heen getrokken. *Alles komt goed en jij hoeft je nergens zorgen om te maken.*
Nu hij hier zat, had hij meer de pest aan zichzelf dan hij ooit voor mogelijk had gehouden. Hij keek door de druppels op de voorruit en zag het verwijt in de deur die zijn vader op een kier had gelaten.
Jij hebt haar laten doodgaan.
En toch, ondanks alles, reed hij weg.

35

Zaterdag 3 september

Terwijl we reden had ik het blaadje papier in mijn hand en keek ik wat Rob had opgeschreven. Ik wist wat hij had gedaan. Hij was me te hulp geschoten. Hij was niet alleen naar Sarah toegegaan om haar te beschermen, maar hij had ook zijn 'geheime' vriend bij de telefoonmaatschappij gebeld. Ik had verteld dat Thom Stanley op donderdagochtend door iemand was gebeld en Rob had uitgezocht waarvandaan dat was gebeurd.

Alsjeblieft, dacht ik. Het was niet echt smeken, maar het kwam in de buurt.

Laat het alsjeblieft goed komen met hem.

Ondertussen had ik geen idee wat we gingen doen als we op onze bestemming aankwamen. Het telefoontje was gedaan vanuit een cel op Campdown Road. Volgens mij schoten we daar niet veel mee op, maar Choc scheen er anders over te denken, want hij was zonder iets te zeggen, maar heel doelbewust naar de auto gelopen.

Door de opening tussen de rugleuningen zag ik Chocs ene been op en neer wippen. Zijn hand met het pistool lag op zijn knie en bewoog mee. Hij was zichzelf aan het opladen voor wat ons op onze bestemming te wachten stond. Bereidde zich erop voor. Hij had nog geen woord gezegd sinds we in de auto waren gestapt.

'We zijn er bijna,' zei de man achter het stuur. 'Twee straten verderop.'

'Hé, horen jullie dat?' De man rechts van me boog zich over de stoelleuning en keek door het zijraampje. 'Sirenes, man.'

Ik luisterde.

Hij had gelijk: politiewagens in de verte.

'Die kunnen overal naartoe gaan,' zei de man achter het stuur.

'Charlie?'

Maar Choc bleef zwijgen.

Een halve minuut later reden we de straat in. Ik zag de telefooncel meteen.

'Is het hier?'

'Daar.' Choc wees. 'Aan de linkerkant.'

Ik fronste mijn wenkbrauwen. 'Wat krijgen we nou?'

Maar niemand gaf antwoord. De chauffeur reed de telefooncel voorbij en stopte langs de stoeprand. We stonden voor een oud huis van twee verdiepingen, dat op geen enkele manier afweek van de huizen aan weerskanten ervan. In de regen zagen ze er allemaal even grauw, verwaarloosd en troosteloos uit. Ik vroeg me af waarom hij juist dit huis...

Toen zag ik dat de voordeur openstond. Op een kier.

Ik stapte als eerste uit, gevolgd door Choc. De regen waaide in nevelige vlagen door de straat en tegen de tijd dat ik de overkant had bereikt was ik drijfnat. Ik keek achterom en zag Choc nog steeds bij de auto staan. Hij leek van plan me achterna te komen, maar iets weerhield hem er blijkbaar van. Hij stond in de verte te turen.

De sirenes. Díé waren de reden. Ik keek om naar het huis en zag op de eerste verdieping een licht aangaan.

'Choc?'

Hij keek de straat in, eerst naar waar we vandaan waren gekomen, toen naar de andere kant. Hij schatte zijn kansen in. Ik kon mijn ogen niet geloven... na al zijn bravoure was hij nu verdomme bang voor de politie. Terwijl Sarah en Tori in dat huis waren.

Ik begon naar hem toe te lopen, maar hij stapte weer in de auto en trok het portier dicht. Daarna draaide hij het raampje open en keek me aan.

'Het Korenveld,' zei hij. 'Niet vergeten. En wees voorzichtig.'

'Wat?'

Maar hij klopte op het dashboard en voordat ik het wist reed de auto de straat uit.

Vol ongeloof keek ik hem na. Liet hij haar nu barsten, alleen omdat de politie er aankwam? Na alles wat hij had gezegd? En ik moest nog voor hem liegen ook?

Ik draaide me om en keek naar het verlichte raam op de eerste verdieping.

De sirenes kwamen dichterbij, maar ze waren er nog lang niet.

Dan zul je het zelf moeten doen, alleen.

Bij de treden van de voordeur bleef ik staan. Ik had het mes nog bij me, maar erg veel schoot ik daar niet mee op, want Rob was neergestoken, wat inhield dat de man die Sarah had ontvoerd ook een mes had. En wat had ik nog meer? Niets... alleen dat blaadje papier waarvan ik merkte dat ik het nog steeds in mijn hand had. Het was nat van de regen, maar ik vouwde het op en stak het in mijn zak. Mijn hand trilde.

Sarah en Tori zijn in dit huis.

Ik hoorde niets, want er viel niets te horen, en de hemel kon niet grauwer worden dan hij al was. Toch gebeurde er iets. Binnen in me werd een knop omgezet en op dat moment begreep ik dat, als ik nu niet naar binnen ging, ik in gedachten voor altijd voor deze deur zou blijven staan. Dat ik voor de rest van mijn leven zou terugkijken naar dit moment en zou walgen van de man die ik hier zag staan. Je kunt jezelf vergeven wanneer je fouten maakt. Maar alleen als je niet weet dat het fouten zijn op het moment dát je ze maakt.

Ik liep de treden op voordat ik mezelf meer vragen kon stellen.

Toen ik de deur openduwde, schoof de onderkant over de groezelige vloerbedekking in de hal. Een paar meter verderop, rechts van me, was de trap naar boven. Ik zag een flauwe lichtgloed van boven komen. Daar moest ik naartoe. Ik bleef ernaar kijken terwijl ik mijn hand in mijn zak stak om het mes te pakken.

Ik kreeg amper de tijd om hem te zien toen hij op me af schoot. Alleen een glimp van een lange man in de deuropening van de donkere woonkamer rechts van me, een van haat vertrokken gezicht, en voordat ik het wist raakte mijn schouder de vloer en kwam ik met mijn hoofd hard tegen de muur terecht. Hij had me in één beweging de woonkamer in geslingerd. Liggend op mijn zij zag ik hem de deur dichtdoen en even was het aardedonker in de kamer. Ik was in de val gelokt. Hij had boven het licht aangedaan en had hier op me gewacht.

Toen deed hij het licht in de woonkamer aan en zag ik hem goed.

O, shit.

De man was mager maar toch straalde hij kracht uit, alsof hij uitsluitend uit botten, pezen en spieren bestond. Hij stond met zijn rug naar me toe en vol ongeloof zag ik dat hij een grote oude kast van de muur trok alsof die niets woog en hem voor de deur schoof. Door de gespannen spieren zag zijn rug er zo hard en onkwetsbaar uit als het schild van een schildpad. De knokkels van zijn handen, waarmee hij de kast vast had, waren wit en rond als pingpongballen.

De hele kamer trilde toen hij de kast op zijn plaats liet vallen.

Ik rolde me om, probeerde overeind te komen en op dat moment zag ik Sarah. Ze zat op de versleten bank links van me, met haar benen opgetrokken, haar knieën tegen haar kin en haar magere armen eromheen geslagen. Ze wiegde zachtjes voor- en achteruit. Op de een of andere manier leek ze kleiner dan ik haar ooit had gezien en de tranen stroomden over haar wangen.

'Sarah?' zei ik.

Geen reactie. Haar ogen staarden in de verte en ze leek zich volledig onbewust van wat er om haar heen gebeurde. Haar lippen bewogen, zag ik. Ze fluisterde iets in zichzelf, te zacht voor mij om het te kunnen verstaan.

De man lachte. Ik draaide mijn hoofd om en keek naar zijn gezicht. Daar was iets mis mee: de ene kant hing slap, het oog zat lager dan het zou moeten zitten en er zat geen leven in. Hij zag eruit als een oud, doorgewinterd roofdier dat te veel gevechten had geleverd.

'Sarah?' zei hij. 'Noem je je zo tegenwoordig?'

Ik begreep niet wat hij bedoelde... mijn hoofd dreunde nog na van de klap tegen de muur. Ik betastte mijn schedel en zag dat er bloed op mijn vingers zat. Ik probeerde overeind te krabbelen, maar mijn benen voelden zo onvast dat ik tegen de muur moest leunen om niet om te vallen.

Een zwarte flits.

Wat was dat? Er was iets met mijn gezichtsvermogen. Alsof ik heel even mijn ogen dicht had gedaan.

De man keek me aan.

'Jij bent mijn zoon niet,' zei hij. 'Waar is hij?'

Ik keek hem alleen maar aan.

'Ervandoor, zeker?' De man keek naar Sarah. 'Moedig als altijd. Ik wil zijn gezicht weleens zien als hij thuiskomt en ziet wat ik met je heb gedaan.'

Ik probeerde mijn angst de kop in te drukken. Ik had gevoeld hoe sterk hij was toen hij me de kamer in smeet. Ondanks zijn leeftijd was het uitgesloten dat ik hem in een gevecht de baas zou kunnen... niet eens als ik normaal op mijn benen kon staan, dus nu helemaal niet. De kracht was ook op zijn gezicht te zien, omdat het geen emoties toonde. Zijn gezichtsuitdrukking was volstrekt meedogenloos.

Hij stak zijn hand in zijn zak en haalde een mes tevoorschijn.

Hij richtte de punt op mij.

'Ik heb twaalf jaar op dit moment gewacht. Ik laat me door jou niet tegenhouden, wie je ook bent.'

Wie je ook bent? Dat sloeg ook al nergens op.

Ik staarde hem aan, bijna als gehypnotiseerd, stak langzaam mijn hand in mijn zak en haalde het mes eruit dat ik uit de bestekla de van mijn ouders had gepakt. Zijn gezichtsuitdrukking veranderde. Hij vond het blijkbaar wel grappig wat ik deed, maar ik zag ook nog iets anders. Verbazing, omdat ik het lef had hem met een mes te bedreigen. Door het mes te trekken, besefte ik, had ik de situatie voor mezelf nog erger gemaakt dan die al was. Hij moest me straffen, alleen al omdat ik op het idee was gekomen.

'Wat was je daarmee van plan?'

Weer een zwarte flits.

'Wat denk jij, Mary? Ik weet wel wat ik met het mijne moet doen. Ik ga zijn hele gezicht opensnijden. En jij mag kijken, kleine slet.'

Sarah reageerde niet. Ze zat nog steeds voor zich uit te staren en haar lippen bewogen snel en onophoudelijk.

'Misschien lukt het je,' zei ik, terwijl ik een stap vooruit deed en hoopte dat ik niet door mijn benen zou zakken. 'Maar misschien ook niet. Ik kan aardig met een mes overweg, weet je dat?'

Kom op, man. Vind je zelfbeheersing terug.

'O ja, is dat zo?'

Hij bleef me even aankijken, tastte achter zich en legde zijn mes op de kast.

'Ik ben drie keer bij een messengevecht betrokken geweest,' zei hij. 'Bij een echt messengevecht, bedoel ik. Ik heb er vroeger op getraind en ben maar één keer gesneden. Ik ken wel tien manieren om iemand een mes te ontfutselen.'

Ik dwong mezelf nog een stap vooruit te doen. Het kostte de nodige moeite. Al mijn instincten schreeuwden dat ik stil in een hoekje met mijn ogen dicht moest gaan liggen wachten totdat dit voorbij was.

'En dat waren mannen die het vaker hadden gedaan. Zo zie jij er niet uit.'

'Ik neem het risico,' zei ik. 'Jij...'

Flits.

Ik schudde mijn hoofd.

'Alsof jij er zo indrukwekkend uitziet zoals je daar staat.'

De glimlach verdween van zijn gezicht. Hij keek naar Sarah.

'Ik kom zo bij je.'

Ik deed nog een stap naar hem toe, maar mijn benen wilden niet erg, dus kwam hij me tegemoet. Alles begon vaag te worden. Ik haalde naar hem uit...

Maar hij was te snel voor me.

Hij greep mijn pols met beide handen vast, moeiteloos en bijna teder, zette zijn duimen op het gewricht, leunde naar voren en duwde mijn hand tegen mijn bovenarm aan. Mijn pols knakte en door mijn hoofd schoot een flits die nog geen pijn was, maar een voorbode ervan. Desondanks slaakte ik een kreet, voelde mijn knieën knikken en mijn greep verslappen... totdat het opgevouwen blaadje papier dat Rob me had gegeven tussen mijn vingers vandaan gleed.

Nu ik nog kon nadenken ramde ik het echte mes met mijn andere hand zo hard als ik kon in de zijkant van zijn hals. Meteen daarna deed ik een stap achteruit en viel ik om.

Flits.

Ik keek op, zag het gezicht van de man verstrakken en zijn ogen heel groot worden. Langzaam bracht hij zijn hand naar zijn hals, waar het heft van het mes nog uitstak, en probeerde iets te zeggen, maar slaagde daar niet in. Er kwam alleen gereutel uit zijn mond, en ik zag de paniek in zijn ogen toen hij merkte dat hij geen adem meer kreeg. Hij kneep zijn ogen dicht van de pijn, deed ze weer open en staarde me aan, stak zijn hand naar me uit en liet hem toen weer zakken. Deed dat nog een keer en viel op zijn knieën. Alles wat hij deed leek in slow motion te gaan.

Ik keek naar hem en voelde alleen afgrijzen.

Dat had ík gedaan. Misschien zou ik later in staat zijn het voor mezelf te rechtvaardigen, maar op dit moment was er alleen de afschuw van wat ik voor mijn ogen zag gebeuren.

Weer een zwarte flits.

De man zat voorovergebogen, leunde op zijn ellebogen terwijl het bloed uit zijn hals gutste en op de vloerbedekking terechtkwam, totdat hij omviel, op zijn zij, en het heft van het mes naar het plafond wees. Hij begon met zijn ene voet op de vloer te stampen terwijl het bloed door de vloerbedekking werd opgezogen als inkt door vloeipapier...

Flits.

Mijn gezichtsvermogen begon steeds vaker en langer weg te vallen. Het was alsof de kamer door een stroboscoop werd verlicht en de tijd was vertraagd. Het drong tot me door dat de man niet meer bewoog en dat het geluid van het stampen niet binnen in me zat maar dat er iemand op de deur stond te bonzen.

'Frank Carroll? Politie. Doe open...'

Flits.

Ik keek op, zag dat Sarah was gaan staan en dat ze neerkeek op de man die op de grond lag. Haar armen hingen willoos langs haar zijden en ook de rest van haar lichaam bewoog nauwelijks. Ze praatte nog steeds in zichzelf, heel zacht. Ik kon nog steeds niet verstaan wat ze zei.

'Carroll?'

'Die is dood,' riep ik terug.

'Doe die deur open.'

'Dat kan ik niet.'

Flits.

Ik schudde mijn hoofd en hoorde hout versplinteren. De deur sloeg tegen de kast aan en er vloekte iemand. Sarah zat gehurkt – flits – en stond toen op, met het mes in haar hand. Ze had het uit de hals van de man getrokken.

'Lewis? Is Mary Carroll daar bij je?'

'Nee,' riep ik terug.

'Waar is ze dan?'

'Wat?'

Sarah had haar ogen dichtgedaan en de droefheid op haar gezicht was hartverscheurend. Ik had nog nooit iemand zo verdrietig zien kijken.

Weer een klap. Achter haar werd de deur opengeduwd en zag ik de kast naar voren kantelen. Het mes van de man rolde eraf en viel op de vloer. Sarah keek naar het mes dat ze in haar hand had.

Flits.

'Sarah?'

Maar toen begreep ik dat ze me niet hoorde. Het was alsof ze zich helemaal in haar eigen gedachten had teruggetrokken. Waar die ook waren, ik kwam er niet in voor. De andere dingen in deze kamer ook niet... misschien deze hele situatie zelfs niet. Maar nu kon ik eindelijk verstaan wat ze voortdurend had gepreveld. Haar stem klonk alsof haar laatste sprankje hoop haar was afgenomen.

'Je bent niet gekomen om me te redden,' zei ze.

En toen stak ze het mes in haar borst.

Flits.

36

Zaterdag 3 september

Een onverharde weg, rechts van hem.

Eddie minderde vaart en draaide aan het stuur. De weg stond half blank van de regen en de rest bestond uit bruine, modderige klei. Hij had geen idee waar hij was, alleen dat hij ver genoeg weg was van degenen die naar hem op zoek waren. Dat was het enige wat hij op dit moment wilde.

De vering knarste terwijl de wielen de oneffenheden in het wegdek doorgaven. Na een meter of twintig werd de weg wat breder en kwam hij uit op een parkeerterrein boven op een heuvelrug.

Er stonden hier houten picknicktafels, glimmend in de regen, en toen hij was gestopt aan de rand van de heuvelrug had hij een weids uitzicht op het vlakke land in de verte. Daar was ook het vliegveld, wist hij. Hij nam aan dat mensen hier overdag naartoe kwamen om naar de opstijgende en landende vliegtuigen te kijken, en misschien 's avonds om in de auto te vrijen. Maar het slechte weer had beide groepen blijkbaar de lust ontnomen, want er was niemand te zien.

Eddie zette de motor af, stapte uit en moest het portier vastgrijpen toen hij bijna uitgleed op de modderige grond. Toen hij zich had hersteld, liep hij om de auto heen, deed de kofferbak open en keek neer op Tori Edmonds, die daar 'geboeid en gekneveld' lag, terwijl de regendruppels nu op haar neervielen.

Rechts van hem was een stuk bos.

Precies geschikt voor wat hij moest doen.

Toen Eddie op de avond van zondag 7 augustus bij Mary's huis was aangekomen, was hij bijna gek van de pijn geweest. Hij had gewacht tot het donker was voordat hij het bos uit had durven komen, en toen hij happend naar adem rechtop was gaan zitten, had hij gevoeld dat zijn handpalmen nu al begonnen te ontsteken. Ze jeukten. Hij kon zijn vingers niet bewegen en als hij het toch probeerde, schoot er een pijnsteek door zijn arm tot in zijn nek en hoofd.

Jij denkt dat je muzikant bent, hè?
Drake had hem door zijn beide handen geschoten.
Als je aan mijn vrienden komt, kom je aan mij.
Toen Eddie daar tussen de bomen zat en de sterren aan de hemel zag staan, had hij een huilend wolvengelach uitgestoten. Ondanks de pijn, of misschien juist daardoor, had hij zich opeens heel primitief en heel sterk gevoeld. Ze hadden geen idee wat ze in gang hadden gezet... zeker Dave Lewis niet. Eddie was niet vergeten hoe Lewis hem had aangekeken voordat hij hem op zijn gezicht had geslagen, alsof hij zo verdomde bijzonder was, als een of andere galante ridder die een jonkvrouw te hulp moest schieten. Niemand moest het wagen hem zo aan te kijken. Nooit meer.

Er was een tijd geweest dat ze dat wel hadden gedaan, dat hij dat soort blikken veel te vaak zag, en het was nog erger geworden toen zijn vader uit de gevangenis was gekomen. Vanaf dat moment had hij alléén nog maar dat soort blikken gezien, waar hij ook was. Beschuldigende blikken en zelfingenomen gezichten, vol van de overtuiging dat ze zoveel beter waren dan hij. Dat was veranderd nadat hij Vicky Klein had ontmoet. Hij had gitaar gespeeld op een open podium in een café waar zij was, alleen; een klein, bedroefd meisje dat achterin zat. Ze was hem dankbaar geweest toen hij later op de avond het woord tot haar had gericht, en waarom zou ze dat niet zijn? Hij had alles te horen gekregen over haar vrienden, die het zo druk met zichzelf hadden. Eddie had hen voor zich gezien, ook zonder hen te kennen, en het gewicht van hun verwijtende blikken op zijn schouders gevoeld, ook al waren ze geen haar beter dan hij. Mensen die van zichzelf vonden dat ze zoveel beter waren dan anderen. Net als de vrienden van Sharon Goodall, en die van Alison Wilcox.

Toen hij daar in het bos zat, met de zoom van zijn T-shirt om zijn handen gewikkeld, had hij gedacht: ik weet wie jullie zijn, en hoe jullie denken. Hij had twee van Lewis' vriendinnen ontmoet toen hij met Tori ging, en had hun naam onthouden. En die van Tori zelf, natuurlijk.

Hier zul je spijt van krijgen, had hij gedacht.

Ik zal jou eens laten zien hoeveel beter je bent dan ik.

Later die avond, toen hij zijn bloederige handafdrukken als platgereden vogels op Mary's muren, deuren en alle andere oppervlakken had achtergelaten en Mary had gehuild en zich de haren uit het hoofd had getrokken tot ze geen adem meer kreeg, had hij nog steeds als een waanzinnige gelachen.

De dagen daarna waren in een roes verlopen. Eddie wist dat hij in een bed in haar huis had geslapen, dat ze hem een of andere soort pijnstillers had gegeven en dat ze het zweet van zijn voorhoofd had gedept. Hij herinnerde zich ook dat ze steeds weer opnieuw zijn handen had verbonden en de wonden had ingesmeerd met een zalf die prikte. Hij had willen weten of hij door zijn handpalmen heen kon kijken, maar dat had ze niet goed gevonden. Hij had nog meer lachbuien gehad, maar daar was een eind aan gekomen toen hij aan Dave Lewis dacht.

In enkele van zijn eerdere herinneringen huilde Mary niet meer, maar in de latere weer wel. Hij had dat eerst niet begrepen, totdat hij erachter kwam dat ze zijn auto had opgehaald om die ergens te verstoppen. Want dat was het moment geweest dat ze de kartonnen doos met zijn verzameling aandenkens had gevonden, en dat ze begreep wat hij had gedaan.

Maar ze was voor hem blijven zorgen, hoewel zachtjes in zichzelf huilend alsof hij een van haar eigen verwondingen was, die ze moest laten helen.

'Kom eruit,' zei Eddie.

Dat kon ze natuurlijk niet en daar moest hij om lachen, ook al schrok hij een beetje van zichzelf.

'Kom eruit, zei ik.'

Ze slaakte een kreet door haar knevel heen toen hij haar aan haar haar omhoogtrok – zonder acht te slaan op de pijn in zijn hand – maar toen dat niet werkte greep hij haar blouse vast en trok hij haar omhoog totdat haar bovenlichaam over de rand van de kofferbak hing en haar lange haar de modderige grond raakte. Daarna tilde hij haar benen op totdat ze voorover in de modder tuimelde, met haar schouder eerst en haar benen met een spetterende smak als laatste. Ze begon te huilen.

De regen kletterde op hen neer en Eddie dacht:

Jij hebt haar laten doodgaan.

Hij wist niet precies of dat voor hemzelf, voor Dave Lewis of voor de rest van de wereld gold. Het maakte niet meer uit. Elke gedachte eraan stookte zijn inwendige vuurtje van haat alleen maar hoger op.

Eddie hurkte naast haar neer, pakte haar schouder vast en probeerde haar op de rug te rollen. Dat kostte moeite, door de handen die achter haar rug waren geboeid, maar ten slotte lukte het. Vervolgens ging hij boven op haar zitten, met zijn benen aan weerskanten van haar bovenlichaam en zijn knieën op haar schouders. Wat was ze klein. Ze had haar ogen dichtgedaan en kromp ineen toen hij voorzichtig een lok haar van haar voorhoofd streek.

Hij zou haar aan een boom vastbinden. Op een plek waar ze nooit gevonden zou worden.

'Hij heeft je laten doodgaan,' zei Eddie tegen haar, zonder precies te weten wie hij met 'hij' bedoelde.

Het kon hem niet meer schelen. Ze waren allemaal hetzelfde.

Toen hoorde hij iets.

Eddie keek om naar de onverharde weg achter hem.

Vier mannen kwamen door de regen zijn kant op lopen. Ze waren alle vier zwart en drie van hen waren heel groot. De vierde – Charlie Drake – liep een meter voor de anderen uit en had een pistool in zijn hand. Toen ze dichterbij kwamen, richtte Drake het pistool op Eddie.

'Ik dacht al dat ik je auto bij het huis had zien staan.'

Eddie stond snel op en deed een paar passen achteruit, maar zijn ene voet gleed weg en deze keer viel hij wel, op zijn zij in de koude modder, boven op zijn hand. De pijn was enorm.

'Goed opgelet, vind je ook niet?' zei Drake.

Hij keek naar het pistool, controleerde iets, en keek Eddie weer aan.

'Maar jammer voor jou.'

In plaats van recht op Eddie af te lopen bleef Drake halverwege staan en hurkte hij naast Tori neer. Hij legde zijn hand op haar schouder, boog zich naar haar toe en fluisterde haar iets in het oor wat Eddie niet kon verstaan. Toen kwam hij overeind, keek om naar zijn mannen en knikte. Ze kwamen naar voren en hielpen Tori overeind terwijl Drake doorliep naar de plek waar Eddie lag.

'Opstaan.'

Hij deed wat hem gezegd werd.

Drake deed een stap opzij zodat Eddie kon zien dat Tori door een van de mannen werd ondersteund terwijl de andere met een mes de boeien om haar polsen doorsneed.

Onmiddellijk daarna voelde hij de loop van het pistool tegen zijn slaap.

Hij ging sterven, wist hij. Nu en op deze plek, hier in de regen. Het meest verrassende, merkte hij, was dat hij een soort opluchting voelde. Iets in hem zei: dank je.

'Kijk even de andere kant op, meisje.'

En voordat Eddie nog iets anders kon denken, bestond hij niet meer.

37

Het was iets na tien uur in de ochtend en de rechercheurs Sam Currie en Dan Bright stonden op de open plek aan de rand van Brimham Woods. Geen van beiden zei iets. Het was de hele nacht blijven regenen. Vóór hen, in de modder, lag het lijk van John Edward Carroll, dat sinds de vorige middag aan de elementen blootgesteld was geweest. De plaats delict was afgezet met gele tape, vanaf de weg achter hen, om de sporen – als die er nog waren – veilig te stellen. De technische recherche had een witte tent met open zijkanten boven het lijk opgezet, zodat ze het nog goed konden zien.

Eddie zag eruit als een dode vis in de modder. Zijn gezichtshuid was vrijwel wit en zijn ogen heel groot; ze staarden in het niets en puilden uit door de explosie die erachter had plaatsgevonden. Zijn onderlip stak naar voren. Het merendeel van het bloed was weggespoeld door de regen, net als de botsplinters en stukjes hersenen die uit het hoofd waren gevlogen.

Swann kwam aanlopen en ging naast hem staan.

'Kauwgom?' vroeg Swann.

'Graag.'

'Dan?'

Bright nam ook een plakje, maar zei niets. Hij leek gebiologeerd door het lijk.

'Ik heb net met Rawnsmouth gebeld,' zei Swann. 'Ze hebben ene Jeremy Sumpter aangehouden. Hij is degene die daar in John Carrolls flat woonde.'

'Wat had hij voor zichzelf te zeggen?'

'De eerste vijf minuten niks. Toen begon hij nerveus te worden, als je begrijpt wat ik bedoel. Hij zei dat hij een vriend van Eddie was en dat hij daar al eeuwen op de bank sliep. Sinds een jaar of twee was Eddie hiernaartoe gekomen. Steeds vaker en steeds langer.'

'Twee jaar,' zei Currie. 'Nadat zijn vader uit de gevangenis was gekomen.'

'Misschien wilde hij in de buurt van zijn zus blijven. Het schijnt dat zij af en toe ook daar naartoe kwam. Een paar weken geleden voor het laatst, maar toen was Eddie er niet. Op donderdag 11 augustus.'

'Dat weet hij nog heel precies.'

'Een belangrijke dag voor Jeremy. Ze heeft hem toen geld gegeven.'

Currie dacht erover na.

'Laat me raden. Om te doen alsof hij haar broer was als er iemand belde?'

Swann knikte. 'Wat hij deed toen hij jou aan de telefoon kreeg. Jeremy heeft toegegeven dat hij zich daarvoor schaamt.'

'En terecht. Ik ben nog niet klaar met Jeremy.'

Het was de week dat Eddie van de aardbodem was verdwenen. Currie kauwde op zijn kauwgom en knikte toen hij de stukjes in zijn hoofd in elkaar had gepast.

'Ik vermoed dat Drake, Cardall en Lewis naar Eddie op zoek zijn gegaan nadat ze die zondag naar Staunton waren geweest, om hem een stevig lesje te leren. Ze hebben hem door zijn handen geschoten. Dat moet het moment zijn geweest dat Cardall in het bezit van Alison Wilcox' mobiele telefoon is gekomen. Ze hebben waarschijnlijk zijn zakken doorzocht.'

'En daarna is Eddie naar het huis van zijn zus gegaan.'

'De enige plek waar hij zich veilig voelde. Omdat zij altijd voor hem had gezorgd. Ik zag bloed op de deurkruk zitten toen ik daar was. Ik dacht dat het van haar was, maar misschien was het wel van hem.'

'Dat kunnen we controleren, als het er nog op zit.'

Currie knikte. Maar het was de zoveelste fout die hij had gemaakt.

'Vier dagen daarna,' zei hij, 'ontdekte ze wat hij had gedaan en is ze naar Rawnsmouth gegaan om te proberen hem een alibi te verschaffen.'

'Maar ze had haar vader ooit aangegeven. Waarom heeft ze Eddie ook niet aangegeven? Hij deed hetzelfde met die meisjes wat haar vader vroeger met haar had gedaan. Dat moet ze afschuwelijk hebben gevonden.'

'Omdat hij haar broer was,' zei Bright.

Hij stond nog steeds naar het lijk te staren. Zijn gezicht stond bedroefd, alsof hij hetzelfde jongetje zag dat Mary in hem was blijven zien. Misschien voelde hij zich ook een beetje verantwoordelijk, net als zij. Voor de dingen die waren gedaan en de dingen die waren nagelaten.

'Voor Eddie zorgen was het enige wat voor haar telde,' zei Bright. 'Ik denk zelfs dat ze alleen daardoor de moed heeft kunnen verzamelen om met hem uit het huis van haar vader te ontsnappen. Ze heeft altijd zo wanhopig haar best gedaan om hem voor de gewelddaden van haar vader te behoeden. En vermoedelijk is ze dat blijven doen.'

Currie dacht erover na en knikte toen.

'We weten van Dave Lewis' computer dat ze op dinsdag 23 augustus via die datingsite met hem in contact is gekomen. Dat was de dag dat ik bij haar ben geweest.'

Hij moest weer denken aan hoe wanhopig Mary haar best had gedaan om hem ervan te overtuigen dat haar vader de man achter de moorden was. Toen hij haar had verteld dat Frank Carroll een elektronische enkelband droeg, was ze zowel panisch als volhardend geworden, alsof ze besefte dat alles om haar heen begon in te storten. Currie had op dat moment gedacht dat dat gebeurde omdat ze doodsbang van hem was. Maar nu begreep hij de ware reden die erachter had gezeten.

'Het drong tot haar door dat haar vader niet gearresteerd zou worden,' zei hij. 'Dat het alleen een kwestie van tijd zou zijn voordat we haar broer nader onder de loep zouden nemen.'

'Ja, maar waarom Dave Lewis?'

Currie haalde zijn schouders op.

'Misschien had ze gezien dat Eddie aan het instorten was. Hij wilde wraak nemen op Dave Lewis voor wat er die dag was gebeurd. Dus om ons zo ver te krijgen dat we Frank gingen verdenken, moest ze in contact met Lewis komen voordat Eddie iets zou doen. Om de schijn te wekken dat de moordenaar achter haar en niet achter Lewis aan zat.' Wat had ze tegen hem gezegd? *Jullie geloven me niet totdat hij bij me voor de deur staat.* 'Ze maakte zichzelf tot doelwit en kwam in contact met Lewis terwijl haar broer het op Julie Sadler, Emma Harris en Tori Edmonds had gemunt. Eddie kwam waarschijnlijk te weten waar ze mee bezig was, maar mogelijk pas toen het al te laat was.

'Heb je de tape gehoord?' vroeg Swann.

'Ja, reken maar.'

Ze hadden Dave Lewis' auto opgespoord nadat ze hem in het huis aan Campdown Road hadden aangetroffen. In de auto hadden ze een kartonnen doos met kleren van de vermoorde meisjes en een digitale recorder gevonden. Lewis had alles wat er was gebeurd opgenomen, vanaf de eerste keer dat Eddie hem had gebeld tot en met het gesprek dat hij met Rob Harvey op de universiteitscampus had gehad. Tezamen met zijn telefoon en de fotokopieën die hij gisteren met de post had gestuurd was het duidelijk dat Lewis vooruit had gedacht. Dat hij bewijs had verzameld dat iemand hem had gemanipuleerd.

'Dus probeert Eddie Lewis naar Mary's huis te sturen,' zei hij, 'terwijl zij Frank daar al naartoe heeft gebracht.'

'Dat kan ik me bijna niet voorstellen,' zei Bright. 'Ze was doodsbang van hem.'

'Misschien hoopte ze erop dat Lewis haar zou komen redden.' Hij dacht aan Mary's tengere lichaam en hoe het eruit had gezien toen ze het dood in de woonkamer van haar broers huis hadden aangetroffen. 'Misschien had ze er wel op gerekend,' zei hij.

'Maar toch heeft ze een eind aan haar leven gemaakt.'

Ze zeiden enige tijd niets. De regendruppels tikten vredig op het tentdoek boven Eddies lijk.

Currie wist niet hoe hij zich moest voelen. Hij dacht terug aan hoe hij in de diverse slaapkamers van de vermoorde meisjes had gestaan, had neergekeken op de ontzielde lichamen en zich zo bedroefd had gevoeld omdat niemand naar hen was komen kijken. En hij had haat gevoeld jegens degenen die hier verantwoordelijk voor waren geweest: Eddie Berries, en Mary als zijn medeplichtige. Maar wat hij ook voor zich zag was Mary's gezicht op de dag dat hij haar had gesproken, toen ze hem had gesmeekt haar te helpen. Er was ook niemand geweest die hén te hulp was geschoten, hijzelf ook niet. Die gedachte bleef in zijn hoofd zitten, hoewel hij weigerde haar grondig te analyseren. Niet nu. Maar hij voelde haar wel, als een brokje radioactief materiaal dat zacht gonsde en klopte.

'Er zit één hiaat in deze theorie,' zei Swann.

'En dat is?'

'Dat nergens uit blijkt dat Lewis gisteren in Eddies buurt is geweest.'

Dat was waar. 'Waar is Lewis nu?'

'Hij is net uit het ziekenhuis ontslagen en teruggebracht naar het bureau. Een lichte hersenschudding, maar hij overleeft het wel.'

Currie deed zijn ogen een stukje dicht en zag hoe het lijk in een anonieme vorm veranderde, totdat hij niet meer zeker wist waar hij naar stond te kijken. En hij dacht bij zichzelf: prioriteiten. Dat had hij zichzelf wijsgemaakt op de dag dat Eddie was verdwenen... dat ze zich niet op hem maar op de moord op Alison Wilcox moesten concentreren. Wat ook iets was wat hij zichzelf kwalijk kon nemen, nietwaar? Als ze geen andere prioriteiten hadden gehad, zou dit allemaal misschien nooit gebeurd zijn.

Het kloppen in zijn hoofd werd erger.

'Laten we dan maar teruggaan,' zei hij.

Swann slaakte een diepe zucht en Currie herkende de moedeloosheid die erin doorklonk. 'Hopelijk weet je nog wat dat plakje kauwgom betekent,' zei Swann. 'Dat jij het verhoor doet.'

Dus zat Currie om een paar minuten over twaalf tegenover Dave Lewis, in verhoorkamer 1 deze keer. Een grote kamer op de eerste verdieping, met een raam.

Hij keek naar de recorder en het rode lichtje dat aangaf dat er op dit moment alleen stilte werd vastgelegd. Hij had geen antwoorden op zijn vragen gehad, op geen enkele. Sterker nog, Lewis had zijn naam bevestigd en had verder geen woord gezegd. Het enige wat hij deed was aan zijn nagels pulken, een bezigheid die al zijn aandacht vergde, en hij negeerde Currie compleet.

'Vroeg of laat zul je met me moeten praten, Dave,' zei Currie.

Lewis hield op met pulken.

'U hebt me nog niet eens verteld hoe het met haar is.'

Halleluja, dacht Currie. De jonge man keek hem nog steeds niet aan, maar er kwam tenminste geluid uit zijn mond.

'Tori Edmonds, bedoel je? Die is oké. Ze ligt in het ziekenhuis.'

'Wat is er gebeurd?'

Currie opende zijn mond om te zeggen dat híj degene was die de vragen stelde, maar hij bedacht zich toen hij terugdacht aan wat hij Lewis in de digitale geluidsopname had horen zeggen.

Het maakt niet uit wat hij doet. Het enige wat ertoe doet is wat ík doe.

Ik zou het niet aankunnen als ik haar het leven had kunnen redden.

Hij keek naar het verband om Lewis' hoofd, en de blauwe plekken die hij had opgelopen omdat hij had geprobeerd Tori Edmonds het leven te redden. Hij was door een hel gegaan, of in elk geval een versie van de hel, maar hij had doorgezet. Wat Lewis verder nog had gedaan – en Currie zou niet stoppen voordat hij wist wat dat was – hij had ten minste het recht dat te weten.

'Tori is gistermiddag strompelend langs een landweg aangetroffen,' zei hij. 'Ze was er slecht aan toe.'

Wat een understatement was. Als Edmonds nu niet in het ziekenhuis was geweest, hadden ze hoogstwaarschijnlijk sectie op haar kunnen verrichten. Met als gevolg dat ze nog niet verhoord had kunnen worden, en het had tot vanochtend geduurd voordat ze hun een vaag, onsamenhangend verslag van het gebeuren had kunnen geven. John Edward Carroll – haar bekend als Eddie Berries – had haar uit haar huis ontvoerd en haar gevangen gehouden in de kofferbak van zijn auto. Ze wist niet waarom, of hoe lang het had geduurd, maar uiteindelijk was hij met haar naar Brimham Woods gereden, had haar boeien doorgesneden en had zichzelf toen voor haar ogen in zijn hoofd geschoten.

Er zaten twee duidelijke hiaten in dat verhaal. Ten eerste had ze nauwelijks kunnen lopen toen ze haar vonden. Haar spieren waren verkrampt omdat ze zo lang in een kleine ruimte opgesloten was geweest. Hoe had ze het dan voor elkaar gekregen om zo ver weg te lopen van de plek waar ze Eddie hadden gevonden? Het tweede hiaat was van meer intuïtieve aard. Afhankelijk van hoe je ertegenaan keek was haar onvermogen om zich de plaats delict te herinneren totdat de regen de bodem had doorweekt en alle sporen had gewist óf een heel groot toeval, óf het kwam haar wel erg goed uit.

'Maar ze leeft nog,' zei Lewis.

'Ja.'

Het was geen vraag geweest... meer een bevestiging. Lewis, die terugkeek op de gruwelijkheden en zijn riskante daden van de afgelopen twee dagen probeerde zichzelf ervan te overtuigen dat die in elk geval niet voor niets waren geweest.

Na alles wat er was gebeurd leefde ze in elk geval nog.

'Ik wist niet of hij haar zou laten gaan of niet.'

'Nou... daar komen we straks op.'

Lewis wreef met zijn hand over zijn wang. 'En Rob?'

'Die ligt op de intensive care, maar zijn toestand is stabiel. Jouw telefoontje heeft hem hoogstwaarschijnlijk het leven gered.' Currie schoof hem over de tafel een foto toe. Een stilstaand beeld van de cctv-opnamen waarover ze beschikten. 'Ken jij deze twee mensen?'

Lewis' hand ging aarzelend naar de foto en schoof die een stukje naar zich toe.

'Eddie Berries,' zei hij. 'En Sarah Crowther.'

'John Edward Carroll,' zei Currie tegen hem. 'Sarah was zijn zus. Haar echte naam was Mary Carroll.'

Lewis dacht er even over na en knikte. 'Op het internet kun je iedereen zijn.'

'Wat?'

'Niks, laat maar. Waarom heeft ze het gedaan? Heeft ze zichzelf dood-gestoken?'

Currie dacht aan het boek waarin de wachtende Anastacia op het punt had gestaan een dolk in haar hart te steken. Niet in staat om in eenzaam-heid verder te leven... geheel vertrouwend op de man die haar zou komen redden. Dat was wat Mary als kind zo mooi had gevonden, en wat haar vader had geprobeerd uit haar te krijgen door haar te martelen. Waarom had Mary zichzelf van het leven beroofd? Helemaal zeker zouden ze het nooit weten, maar Currie vermoedde dat ze het had gedaan omdat Frank Carroll, in haar ogen, had bewezen dat hij gelijk had: dat er niemand zou komen om haar te redden, of in elk geval niet voordat het te laat was. Toen ze de confrontatie met hem was aangegaan, moest er iets in haar zijn geknakt, en gestorven toen hij haar had aangeraakt. Vanaf dat moment was er voor haar niets meer geweest om voor te leven.

Maar dat zei Currie niet. De waarheid was dat het waarom niet langer een vraag leek te zijn. Het was meer een last die ze moesten blijven dragen.

'Op grond van wat we te weten zijn gekomen,' zei hij, 'denken we dat Eddie verantwoordelijk is geweest voor de moorden op de meisjes. Zijn zus ontdekte waar hij mee bezig was en probeerde te voorkomen dat hij werd gepakt, en daarom heeft ze contact met jou gezocht. Hij had al drie meisjes vermoord voordat hij zijn aandacht op jou richtte. Dus blijft de enige echte vraag: waarom koos Eddie jou tot zijn doelwit?'

Currie liet een stilte vallen.

'Maar ik geloof dat we het antwoord op die vraag al weten, is het niet?'

Lewis keek op en zei: 'Ik zou het niet weten.'

'Je bent een slecht toneelspeler, Dave.'

'Ik had Eddie een paar keer ontmoet. Ik heb hem nooit erg gemogen. Maar ik kan me niet voorstellen dat hij... dat hij zoiets zou doen.'

'Je liegt, Dave. Jij had Charlie Drake en Alex Cardall in Staunton Hospital ontmoet en je bent met hen meegegaan. Eddie haatte je om wat je hem die dag hebt aangedaan. Hij wilde je een lesje leren.'

'Nee.' Lewis schudde zijn hoofd, maar echt zeker van zijn zaak leek hij niet.

'Waarom accepteer je niet een deel van de verantwoordelijkheid, Dave?'

Lewis zei niets, bleef naar het tafelblad staren. Maar hij was in conflict met zichzelf, worstelde met zijn geweten. Hij ging na wat hij had gedaan en welke gevolgen dat had gehad. Currie kon bijna zien dat de stukjes op hun plek vielen, dat hij het begreep. Wat Lewis was overkomen, was zijn eigen schuld geweest. Alles was voortgesproten uit wat hij zelf had gedaan. Daar was geen ontsnappen aan. Even later zag Currie hem instorten.

Zet hem onder druk.

'Je kunt niet terugdraaien wat je hebt gedaan,' zei hij, zo vriendelijk als hij kon opbrengen. 'Maar je kunt er wel iets van leren, nietwaar? Anders zou je die last de rest van je leven moeten dragen. En dat wil je niet, of wel soms?'

'Ik heb ze die dag in Staunton ontmoet,' zei hij.

'Goed zo, Dave. En toen?'

'Nadat we bij Tori waren geweest, ben ik met ze meegegaan.'

Hij zweeg enige tijd, maar haalde toen diep adem en wekte de indruk dat hij de moed verzamelde om toe te geven wat hij had gedaan.

'Het is oké, Dave. Zeg het maar. Vertel me wat je hebt gedaan. Je wilt toch niet tegen jezelf blijven liegen?'

Nog steeds kwam er geen antwoord. Toen ging Lewis rechtop zitten en keek hij Currie aan.

Maar in plaats van triomf voelde Currie inwendig iets wegzakken. Want hij herkende die gezichtsuitdrukking. Het was dezelfde waarmee Lewis in verhoorkamer 5 om zich heen had gekeken en had ontdekt wat er aan de hand was. Er was zojuist iets anders – iets wat hij begreep – op zijn plaats gevallen. Het schuldgevoel had zwaar op zijn schouders gedrukt en hij had op het punt gestaan om toe te geven wat hij had gedaan. Totdat Curries woorden hem een reddingsboei hadden toegeworpen, een die hij zelf nooit zou hebben bedacht. Een vluchtweg.

Je wilt toch niet tegen jezelf blijven liegen?

Lewis zei het langzaam en duidelijk, alsof hij zich over zijn eigen woorden verbaasde.

'We zijn naar het Korenveld geweest,' zei hij.

Epiloog

Een maand later stond ik in de woonkamer van het huis van mijn ouders en keek ik wat er tot nu toe was bereikt. Kale vloerplanken van muur tot muur. Al het oude meubilair was de dag daarvoor in een container afgevoerd. Alle andere kamers zagen er min of meer hetzelfde uit.

Ik liep het huis door en keek of ik niets was vergeten. In de gang moest ik me zijwaarts draaien vanwege de verhuisdozen die tegen de muur stonden opgestapeld.

Het zou belachelijk zijn om te zeggen dat ik had verwerkt wat er begin september was gebeurd, maar ik voelde me een stuk rustiger dan ik me in lange tijd had gevoeld.

Natuurlijk waren er bepaalde beelden blijven hangen en het gebeurde nog vaak genoeg dat ik midden in de nacht wakker schrok, met een bonzend hart rechtop ging zitten en dan een gezicht in het duister zag verdwijnen. Wanneer dat gebeurde, kreeg ik nooit de kans het gezicht zelf te zien. Stond het verwijtend, of was er schuldgevoel op te zien? En wiens gezicht was het eigenlijk? Ik wist het echt niet.

Maar meestal wanneer ik wakker was, drukte ik het weg, hoewel het zich dan juist in de afwezigheid openbaarde. Of in het feit dat ik niet veel meer praatte. Of dat ik me langzamer bewoog dan voorheen, alsof ik ernstige spierpijn had en voorzichtig moest uitvinden welke lichaamsdelen ik wel of niet kon bewegen.

Hier in huis werken had geholpen. De dreiging van de diverse aanklachten die me boven het hoofd hingen had me een tijdje in spanning gehouden, maar toen duidelijk werd dat geen ervan zou worden doorgezet, had ik me op het uitruimen van het huis geworpen om mezelf bezig te houden. Dat bleek een goede therapie te zijn. Het harde werken hield me bezig en emotioneel voelde het ook goed. Ik had weleens gelezen dat een van de hoofdredenen van mensen om tot zelfverminking over te gaan was dat ze geestelijke pijn een lichamelijke dimensie wilden geven, door een echte snee in de huid, die ze konden voelen, konden verzorgen en konden laten genezen op een manier die met geestelijke pijn niet mogelijk was. Het uitruimen van het huis van mijn ouders deed me daar een beetje aan denken.

In de keuken had ik alle oude apparatuur van de muur gerukt en met een steekwagentje naar de container gereden, en een week geleden was de nieuwe apparatuur geïnstalleerd. Het was nog niet helemaal klaar. Een man met een droevig hondengezicht had alle bedrading uit de muren getrokken, als aderen uit een arm, en vervangen door nieuwe, en de muren moesten nog overgeschilderd worden. Morgenochtend zou de loodgieter komen en de nieuwe badkamer zou voor het aanstaande weekend klaar zijn. En dan moest er nog overal vloerbedekking worden gelegd.

Maar alle oude spullen van mijn ouders waren weg.

Ik ging in de deuropening van mijn broers kamer staan. Nu was het alleen nog een lege kubus en had het vertrek niet meer de kracht die het ooit had gehad. Je ontdekt merkwaardige dingen wanneer je een huis uitruimt, vooral een huis dat je altijd heel vertrouwd is geweest. Owens kamer had me tot het allerlaatste moment herinnerd aan wat er die dag was gebeurd... totdat ik de gordijnen had weggehaald, en met die simpele handeling was het gewoon weer een kamer geworden. Een kamer die van iemand anders had kunnen zijn, wat binnenkort ook zou gebeuren.

Zoals ik al zei had ik niet te diep nagedacht over wat er was gebeurd, maar dat betekende niet dat me tijdens het werken geen dingen duidelijk waren geworden. Ik dacht veel na over de fouten die ik had gemaakt, en de enige echte conclusie die ik had kunnen trekken was dezelfde geweest tot welke ik was gekomen toen ik voor Eddies huis aan Campdown Road had gestaan. Je kunt jezelf vergeven wanneer je fouten maakt. Maar alleen als je niet weet dat het fouten zijn op het moment dát je ze maakt.

Ik deed de deur dicht van wat de logeerkamer van het huis zou worden. Toen ik door de gang naar de voordeur liep, liet ik mijn vingertoppen langs de dozen in de gang gaan. Die konden daar voorlopig wel blijven staan. Ik zou wachten totdat het huis helemaal klaar was voordat ik ze zou uitpakken.

Tien minuten later reed ik langzaam de ringweg op.

Het was een heldere dag: een lichtblauwe hemel met alleen aan de horizon een paar stilstaande wolken. Het was wel koud geweest toen ik buiten kwam, zo erg zelfs dat mijn adem in witte pluimen uit mijn mond kwam, maar toen de wind was gaan liggen had de zon toch nog wat warmte afgegeven. Alles zag er helder en scherp uit, van de stenen van de gebouwen tot en met het licht dat door de ruiten werd weerkaatst, en op de lokale radio zeiden ze dat het later op de dag hier en daar kon gaan sneeuwen. Het verkeer was echter een ramp. Ik schoof een cd van Nine Inch Nails in de speler en kroop mee met de rest van het verkeer totdat ik bij mijn afslag kwam.

Iets na drie uur parkeerde ik voor Tori's huis en stapte uit de auto. Ze was een week daarvoor uit Staunton ontslagen, maar ik was nog niet bij haar langs geweest. Om de een of andere reden had ik ertegen opgezien. De meest voor de hand liggende dingen om over te praten waren die waarvan ik vermoedde dat we er allebei juist niet over wilden praten... hoewel het ook vreemd zou zijn als we er helemaal niets over zeiden. We konden niet gewoon een kopje thee drinken en doen alsof er niets was gebeurd.

Een seconde nadat ik had geklopt deed ze open. Ik had haar niet gebeld om te zeggen dat ik zou komen, was op goed geluk naar haar huis gereden, en even keek ze me verbaasd aan. Toen kwam er een brede glimlach om haar mond en omhelsden we elkaar.

'Hallo Dave.'

Ik deed mijn ogen dicht en wreef met mijn hand over haar rug.

'Pas op mijn arm,' zei ze.

'O, sorry.'

'Nee, zo doet het geen pijn.'

Even later lieten we elkaar weer los.

'Hoe gaat het met je?' vroeg ze.

'Met mij? Prima. Ik maakte me meer zorgen over jou. Hoe is het met jou?'

'Goed.'

Ze zette een ketel water op en ik liep haar achterna naar de woonkamer, waar ze op de bank ging zitten.

'Het is fijn om thuis te zijn,' zei ze.

'Het is fijn dat je terug bent. Ik ben je een paar keer komen opzoeken in Staunton.'

'Ja, dat weet ik nog.'

Ik ging naast haar zitten. Ze draaide zich naar me toe, trok haar ene been op onder het andere en legde haar arm op de rugleuning van de bank.

'Hoe gaat het met Rob?' vroeg ze.

'Hij loopt alweer rond en is nog even irritant als altijd.'

Ik had hem gisteravond gesproken. We hadden het verschijnen van het laatste nummer van ons tijdschrift moeten uitstellen zolang hij in het ziekenhuis lag, maar nu hij weer op de been was, wilde hij graag zo snel mogelijk aan de slag. Ik had nog niet besloten of ik daaraan wilde meedoen of niet. We hadden een dijk van een primeur over Thom Stanley – veel groter dan we aanvankelijk hadden gedacht – maar ik was er nog niet uit of het wel verstandig was om die door te zetten. Om te beginnen hadden we een brief van Stanleys advocaten ontvangen, waarin ons duidelijk werd gemaakt dat we ons met elke suggestie dat hun cliënt ook maar iets van de moorden had geweten op heel gevaarlijk terrein begaven.

Het was niet dat dreigement dat me dwars zat, want ik had ons gesprek immers op tape. Toch was ik er niet van overtuigd of ik me wel op dat gevaarlijke terrein wilde begeven. Terwijl ik het huis van mijn ouders aan het uitruimen was, had ik ontdekt dat ik wilde nadenken over waar ik in het leven stond, en of ik niet iets anders wilde gaan doen. En na alles wat er was gebeurd trok die laatste optie me wel aan.

'En Choc?' vroeg ik. 'Hoe is het met hem?'

'Ik heb hem niet meer gezien.'

'O.'

We praatten een tijdje over wat er was gebeurd, zonder op de feiten zelf in te gaan. Die vormden het duistere middelpunt van ons gesprek, maar we gaven er de voorkeur aan ze niet met naam te noemen en richtten ons vooral op de gevolgen ervan. Hoe gaat het met die? Wat heb je toen gedaan? Wat heeft de politie gezegd? Ik vroeg haar nog eens hoe het met haar ging en zij vroeg mij hetzelfde. Het eigenlijke gebeuren kreeg vorm naarmate we de informatie eromheen inkleurden, maar we hadden geen van beiden de behoefte om verder te gaan.

'O, ik vergeet het water helemaal.' Ze stond op. 'Is koffie oké?'

'Ja. Lekker.'

Ik keek haar na toen ze de woonkamer uit liep. Toen ze een minuut later terugkwam met twee mokken pakte ik de mijne aan, zette die op de salontafel en zocht in de zak van mijn jasje.

'Bijna vergeten,' zei ik. 'Ik heb iets voor je.'

Ik hield mijn hand op en liet haar het kettinkje met het zilveren kruisje zien.

Ze begon te stralen. 'Mijn god. Ik dacht dat het zoek was geraakt.'

'Nee.'

'Wil jij het voor me omdoen?'

Ze keerde me haar rug toe en deed haar lange haar omhoog. Ik schoof een stukje naar haar toe en reikte met mijn beide handen om haar hoofd heen. Mijn pols raakte bijna de blote huid van haar schouders, naast de bandjes van haar topje, maar net niet. Ik maakte het sluitinkje vast.

'Alsjeblieft.'

'Daar ben ik heel blij mee.'

Ze nam het kruisje tussen haar duim en wijsvinger, draaide het om en om en keek ernaar.

'Dankjewel,' zei ze.

'Graag gedaan.'

Ik pakte mijn mok, nam een slokje koffie en merkte dat het me om het even was welke kant deze dag op zou gaan. Ik voelde me niet meer jaloers of bezitterig jegens haar, noch verlangde ik echt naar haar. Ik voelde me wel verwant met haar, in welke vorm ook, en dat was het belangrijkste. Er was niets om me nerveus over te maken. Het was gewoon goed om haar na al die tijd weer te zien.

'O,' zei ik. 'Er is nog iets...'

Ik haalde mijn mobiele telefoon uit mijn zak. Ik had mijn oude telefoon een paar weken geleden teruggekregen van de politie, maar ik had hem niet meer aangeraakt. Het leek me verstandig een nieuwe te kopen, en ik vermoedde dat Tori hetzelfde had gedaan.

'Ik heb een nieuwe telefoon,' zei ik.

'O, ik ook.' Ze pakte haar toestel van de salontafel. 'En nu wil je zeker mijn nummer?'

Ik keek haar glimlachend aan.

'Ja,' zei ik. 'Graag.'

Dankbetuiging

Mijn grote dank gaat uit naar mijn agent, Carolyn Whitaker, en naar iedereen bij Orion die me met dit boek en de vorige heeft geholpen, met name Jon Wood, Genevieve Pegg en Jade Chandler, die allen over veel geduld blijken te beschikken. Mijn persoonlijke dank gaat uit naar de vaste groep: Ang, J, Keleigh, Rich, Neil, Helen, Gillian, Roger, Ben, Megan, Cass en Mark. Naar ma, pa, John en Roy. Extra dank gaat deze keer uit naar Becki en Rainy, en vooral naar Emma Lindley. Maar het meest van allen dank ik Lynn, omdat je het tijdens het langdurige werk aan dit boek met me hebt uitgehouden, en omdat je een prachtmens bent.